La carte
et le territoire

Du même auteur

H.P. Lovecraft, Le Rocher, 1991 ; J'ai lu, 1999.

Rester vivant, La Différence, 1991 ; Librio, 1999.

La Poursuite du bonheur, La Différence, 1991 ; Librio, 2001.

Extension du domaine de la lutte, Maurice Nadeau, 1994 ; J'ai lu, 1997.

Le Sens du combat, Flammarion, 1996.

Rester vivant suivi de *La Poursuite du bonheur* (édition revue par l'auteur), Flammarion, 1997.

Interventions, Flammarion, 1998.

Les Particules élémentaires, Flammarion, 1998 ; J'ai lu, 2000.

Rester vivant et autres textes, Librio, 1999.

Renaissance, Flammarion, 1999.

Lanzarote, Flammarion, 2000.

Poésies (intégrale poche), J'ai lu, 2000.

Plateforme, Flammarion, 2001 ; J'ai lu, 2002.

Lanzarote et autres textes, Librio, 2002.

La Possibilité d'une île, Fayard, 2005 ; Le Livre de Poche, 2007.

Ennemis publics (avec Bernard-Henri Lévy), Flammarion/Grasset, 2008 ; J'ai lu, 2010.

Interventions 2, Flammarion, 2009.

Poésie (nouvelle édition), J'ai lu, 2010.

Michel
HOUELLEBECQ

La carte
et le territoire

ROMAN

« Le monde est ennuyé de moy,
Et moy pareillement de luy. »

Charles d'Orléans

Jeff Koons venait de se lever de son siège, les bras lancés en avant dans un élan d'enthousiasme. Assis en face de lui sur un canapé de cuir blanc partiellement recouvert de soieries, un peu tassé sur lui-même, Damien Hirst semblait sur le point d'émettre une objection ; son visage était rougeaud, morose. Tous deux étaient vêtus d'un costume noir – celui de Koons, à fines rayures –, d'une chemise blanche et d'une cravate noire. Entre les deux hommes, sur la table basse, était posée une corbeille de fruits confits à laquelle ni l'un ni l'autre ne prêtait aucune attention ; Hirst buvait une Budweiser Light.

Derrière eux, une baie vitrée ouvrait sur un paysage d'immeubles élevés qui formaient un enchevêtrement babylonien de polygones gigantesques, jusqu'aux confins de l'horizon ; la nuit était lumineuse, l'air d'une limpidité absolue. On aurait pu se trouver au Qatar, ou à Dubai ; la décoration de la chambre était en réalité inspirée par une photographie publicitaire, tirée d'une publication de luxe allemande, de l'hôtel *Emirates* d'Abu Dhabi.

Le front de Jeff Koons était légèrement luisant ; Jed l'estompa à la brosse, se recula de trois pas. Il y avait décidément un problème avec Koons. Hirst était au fond facile à saisir : on pouvait le faire brutal, cynique, genre « je chie sur vous du haut de mon fric » ; on pouvait aussi le faire *artiste révolté* (mais quand même riche) poursuivant un *travail angoissé sur la mort* ; il y avait enfin dans son visage quelque chose de sanguin et de lourd, typiquement anglais, qui le rapprochait d'un fan de base d'Arsenal. En somme il y avait différents aspects, mais que l'on pouvait combiner dans le portrait cohérent, représentable, d'un artiste britannique typique de sa génération. Alors que Koons semblait porter en lui quelque chose de double, comme une contradiction insurmontable entre la rouerie ordinaire du technico-commercial et l'exaltation de l'ascète. Cela faisait déjà trois semaines que Jed retouchait l'expression de Koons se levant de son siège, les bras lancés en avant dans un élan d'enthousiasme comme s'il tentait de convaincre Hirst ; c'était aussi difficile que de peindre un pornographe mormon.

Il avait des photographies de Koons seul, en compagnie de Roman Abramovitch, Madonna, Barack Obama, Bono, Warren Buffett, Bill Gates... Aucune ne parvenait à exprimer quoi que ce soit de la personnalité de Koons, à dépasser cette apparence de vendeur de décapotables Chevrolet qu'il avait choisi d'arborer face au monde, c'était exaspérant, depuis longtemps d'ailleurs les photographes exaspéraient Jed, en particulier les *grands photographes*, avec leur prétention de révéler dans leurs clichés la *vérité* de leurs modèles ; ils ne révélaient rien du tout, ils se contentaient de se placer devant vous et de déclencher le moteur de leur appareil pour prendre des centaines de clichés au petit bonheur en poussant des gloussements, et plus tard ils choisissaient les moins mauvais de la série, voilà comment ils procédaient, sans exception, tous ces soi-disant *grands photographes*, Jed en connaissait quelques-uns personnellement et n'avait pour eux que mépris, il les considérait tous autant qu'ils étaient comme à peu près aussi créatifs qu'un Photomaton.

Dans la cuisine, quelques pas derrière lui, le chauffe-eau émit une succession de claquements secs. Il se figea, tétanisé. On était déjà le 15 décembre.

Un an auparavant, à peu près à la même date, son chauffe-eau avait émis la même succession de claquements, avant de s'arrêter tout à fait. En quelques heures, la température dans l'atelier était tombée à 3 °C. Il avait réussi à dormir un peu, à s'assoupir plutôt, par brèves périodes. Vers six heures du matin, il avait utilisé les derniers litres du ballon d'eau chaude pour une toilette sommaire, puis s'était préparé un café en attendant l'employé de *Plomberie en général* – ils avaient promis d'envoyer quelqu'un dès les premières heures de la matinée.

Sur son site web, *Plomberie en général* se proposait de « faire entrer la plomberie dans le troisième millénaire » ; ils pourraient commencer par honorer leurs rendez-vous, maugréa Jed vers onze heures, circulant sans parvenir à se réchauffer dans l'atelier. Il travaillait alors à un tableau de son père, qu'il devait intituler « L'architecte Jean-Pierre Martin quittant la direction de son entreprise » ; inévitablement, l'abaissement de la température allait ralentir le séchage de la dernière couche. Il avait accepté comme chaque année de dîner avec son père le soir de Noël, deux semaines plus tard, et espérait en avoir terminé avant ; si un plombier n'intervenait pas rapidement, ça risquait d'être compromis. À vrai dire dans l'absolu ça n'avait aucune importance, il n'avait pas l'intention de faire cadeau de ce tableau à son père, il voulait simplement le lui *montrer* ; pourquoi est-ce qu'il y attachait, d'un seul coup, tant d'importance ? Il était décidément à bout de nerfs en ce moment, il travaillait trop, il avait commencé six tableaux en même temps, depuis quelques mois il n'arrêtait plus, ce n'était pas raisonnable.

Vers quinze heures, il se décida à rappeler *Plomberie en général* ; ça sonnait occupé, constamment. Il réussit à les joindre un peu après dix-sept heures ; l'employée du service clientèle argua d'un surcroît de travail exceptionnel dû à l'arrivée des grands froids, mais promit quelqu'un pour le lendemain matin, sans faute. Jed raccrocha, puis réserva une chambre à l'hôtel Mercure du boulevard Auguste-Blanqui.

Le lendemain il attendit de nouveau, toute la journée, l'arrivée de *Plomberie en général*, mais aussi celle de *Simplement plombiers*, qu'il avait réussi à joindre dans l'intervalle. *Simplement plombiers* promettait le respect des traditions artisanales de la « haute plomberie », mais ne se montrait pas davantage capable d'honorer un rendez-vous.

Sur le tableau qu'il avait fait de lui, le père de Jed, debout sur une estrade au milieu du groupe d'une cinquantaine d'employés que comptait son entreprise, levait son verre avec un sourire douloureux. Le pot de départ avait lieu dans l'*open space* de son cabinet d'architectes, une grande salle aux murs blancs, de trente mètres sur vingt, éclairée par une verrière, où alternaient les postes de conception informatique et les tables à tréteaux supportant les maquettes en volume des projets en cours. Le gros de l'assistance était composé de jeunes gens au physique de *nerds* – les concepteurs 3D. Debout au pied de l'estrade, trois architectes d'une quarantaine d'années entouraient son père. Selon une configuration empruntée à une toile mineure de Lorenzo Lotto, chacun d'entre eux évitait le regard des deux autres, tout en essayant de capter le regard de son père ; chacun d'entre eux, comprenait-on aussitôt, avait l'espoir de lui succéder à la tête de l'entreprise. Le regard de son père, fixé un peu au-dessus de l'assistance, exprimait le désir de réunir une dernière fois son équipe autour de lui, une confiance raisonnable en l'avenir, mais surtout une tristesse absolue. Tristesse de quitter l'entreprise qu'il avait fondée, à laquelle il avait donné le meilleur de ses forces, tristesse de l'inéluctable : on avait de toute évidence affaire à un homme fini.

En milieu d'après-midi, Jed essaya en vain, une dizaine de fois, de joindre *Ze Plomb'*, qui utilisait Skyrock comme musique de mise en attente, alors que *Simplement plombiers* avait opté pour Rires et chansons.

Vers dix-sept heures, il rejoignit l'hôtel Mercure. La nuit tombait sur le boulevard Auguste-Blanqui ; des SDF avaient allumé un feu sur la contre-allée.

Les jours suivants se passèrent à peu près de la même manière, à composer des numéros d'entreprises de plomberie, à être redirigé presque instantanément sur une musique d'attente, à attendre, dans un froid de plus en plus glacial, près de son tableau qui ne voulait pas sécher.

Une solution se présenta au matin du 24 décembre, sous les traits d'un artisan croate qui habitait tout près, avenue Stéphen-Pichon – Jed avait remarqué la plaque par hasard en revenant de l'hôtel Mercure. Il était disponible, oui, immédiatement. C'était un homme de petite taille aux cheveux noirs, au teint pâle, aux traits harmonieux et fins, qui avait une petite moustache assez *Belle Époque* ; il ressemblait en réalité un peu à Jed – moustache mise à part.

Immédiatement après être entré dans l'appartement il examina la chaudière, longuement, démontant le panneau de commande, suivant de ses doigts fins le parcours complexe des canalisations. Il parla de valves, et de siphons. Il donnait l'impression d'en savoir gros sur la vie, en général.

Après un quart d'heure d'examen, son diagnostic fut le suivant : il pouvait réparer, oui, il était en mesure de se livrer à une sorte de *réparation*, c'était une affaire de cinquante euros, pas davantage. Mais moins que d'une authentique réparation il s'agirait au vrai d'un bricolage, qui pouvait faire l'affaire quelques mois, voire quelques années dans le meilleur des cas, mais qu'il se refusait pour autant à garantir sur le long terme ; plus généralement, il lui paraissait malsain de parier sur l'avenir de cette chaudière à long terme.

Jed soupira ; il s'y attendait un peu, avoua-t-il. Il se souvenait très bien du jour où il avait décidé d'acheter cet appartement, neuf ans auparavant ; il revoyait l'agent immobilier, trapu et satisfait, vantant la lumière exceptionnelle, sans dissimuler la nécessité de certains « rafraîchissements ». Il s'était alors dit qu'il aurait dû être agent immobilier, ou gynécologue.

Simplement chaleureux dans les premières minutes, l'agent immobilier trapu fut saisi d'une véritable transe lyrique lorsqu'il apprit que Jed était artiste. C'était la première fois, s'exclama-t-il, qu'il avait l'occasion de vendre un *atelier d'artiste* à un *artiste* ! Jed craignit un instant qu'il ne se proclamât solidaire des artistes authentiques contre les *bobos* et autres philistins du même ordre, qui faisaient monter les prix, interdisant ainsi les ateliers d'artistes aux artistes, et comment faire n'est-ce pas je ne peux pas aller contre la vérité du marché ce n'est pas mon rôle, mais heureusement ceci ne se produisit pas, l'agent immobilier trapu se contenta de lui accorder une ristourne de 10 % – qu'il avait probablement déjà prévu de consentir à l'issue d'une mini-négociation.

« Atelier d'artiste » il fallait s'entendre, c'était un grenier avec une verrière, une belle verrière il est vrai, et quelques obscures dépendances, à peine suffisantes pour quelqu'un comme Jed, qui avait des besoins hygiéniques limités. Mais la vue était, en effet, splendide : par-delà la place des Alpes elle s'étendait jusqu'au boulevard Vincent-Auriol, au métro aérien, et plus loin jusqu'à ces forteresses quadrangulaires construites dans le milieu des années 1970 en opposition absolue avec l'ensemble du paysage esthétique parisien, et qui étaient ce que Jed préférait à Paris, de très loin, sur le plan architectural.

Le Croate effectua la réparation, empocha les cinquante euros. Il ne proposa pas de facture à Jed, celui-ci ne s'y était pas attendu d'ailleurs. La porte venait de se refermer sur lui quand il frappa de nouveau, à petits coups secs. Jed entrebâilla l'huis.

« Au fait, monsieur, dit l'homme. Joyeux Noël. Je voulais vous dire : Joyeux Noël.

— Oui, c'est vrai, fit Jed, embarrassé. Joyeux Noël à vous aussi. »

C'est alors qu'il prit conscience du problème du taxi. Comme il s'y attendait, *AToute* refusa nettement de le conduire au Raincy, et *Speedtax* accepta tout au plus de l'emmener jusqu'à la gare, à la rigueur jusqu'à la mairie, mais certainement pas à proximité de la cité des Cigales. « Raisons de sécurité, monsieur... » susurra l'employé avec un léger reproche. « Nous ne desservons que les zones parfaitement sécurisées, monsieur » indiqua pour sa part le réceptionniste de *Voitures Fernand Garcin* sur un ton de componction lisse. Il se sentait peu à peu coupable de vouloir passer son réveillon dans une zone aussi incongrue que la cité des Cigales, et comme chaque année il se mit à en vouloir à son père qui refusait obstinément de quitter cette maison bourgeoise, entourée d'un vaste parc, que les mouvements de population avaient progressivement reléguée au cœur d'une zone de plus en plus dangereuse, depuis peu à vrai dire entièrement contrôlée par les gangs.

Il avait d'abord fallu renforcer le mur d'enceinte, le surmonter d'un grillage électrifié, installer un système de vidéosurveillance relié au commissariat, tout cela pour que son père puisse

errer solitairement dans douze pièces inchauf-
fables où personne ne venait jamais, à l'exception
de Jed, à chaque réveillon de Noël. Depuis longtemps les commerces de proximité avaient disparu, et il était impossible de sortir à pied dans
les rues avoisinantes – les agressions contre les
voitures, même, n'étaient pas rares aux feux
rouges. La mairie du Raincy lui avait accordé une
aide ménagère – une Sénégalaise acariâtre et
même méchante appelée Fatty qui l'avait pris en
grippe dès les premiers jours, refusait de changer
les draps plus d'une fois par mois, et très probablement le volait sur les courses.

La température, quoi qu'il en soit, augmentait
lentement dans la pièce. Jed prit un cliché du
tableau en cours, cela lui ferait au moins quelque
chose à montrer à son père. Il quitta son pantalon
et son pull, s'assit en tailleur sur l'étroit matelas
posé à même le sol qui lui servait de lit, s'enveloppa d'une couverture. Progressivement, il ralentit le rythme de sa respiration. Il visualisa des
vagues se déroulant lentement, paresseusement,
sous un crépuscule mat. Il tenta de conduire son
esprit à une zone de calme ; de son mieux, il prépara son esprit à ce nouveau réveillon en compagnie de son père.

Cette préparation mentale porta ses fruits, et
la soirée fut une zone de temps neutre, voire
semi-conviviale ; depuis longtemps il n'en espérait
pas davantage.

Le lendemain matin, vers sept heures, supposant que les gangs avaient, eux aussi, *réveillonné*,
Jed se rendit à pied jusqu'à la gare du Raincy et
regagna sans encombre la gare de l'Est.

Un an plus tard la réparation avait tenu, c'était la première fois que le chauffe-eau donnait un signe de faiblesse. « L'architecte Jean-Pierre Martin quittant la direction de son entreprise » était depuis longtemps terminé, stocké dans la réserve du galeriste de Jed, en attendant une exposition personnelle qui tardait à s'organiser. Jean-Pierre Martin lui-même – à la surprise de son fils, et alors qu'il avait depuis longtemps renoncé à lui en parler – avait décidé de quitter le pavillon du Raincy pour s'installer dans une maison de retraite médicalisée à Boulogne. Leur repas annuel aurait cette fois lieu dans une brasserie de l'avenue Bosquet appelée *Chez Papa*. Jed l'avait choisie dans le *Pariscope* sur la foi d'une annonce publicitaire promettant une qualité traditionnelle, *à l'ancienne*, et la promesse était, dans l'ensemble, tenue. Des pères Noël et des sapins ornés de guirlandes parsemaient la salle à moitié vide, essentiellement occupée de petits groupes de personnes âgées, voire très âgées, qui mastiquaient avec application, avec conscience et presque avec férocité des plats de cuisine traditionnelle. Il y avait du sanglier, du cochon de lait, de la dinde ; en dessert, naturellement, une bûche pâtissière *à l'ancienne* était proposée par l'établissement dont les serveurs polis, effacés, opéraient en silence, comme dans un service de grands brûlés. Jed bêtifiait un peu, il s'en rendait parfaitement compte, en offrant un tel repas à son père. Cet homme sec, sérieux, au visage long et austère, ne semblait jamais avoir été porté sur les jouissances de la table, et les rares fois que Jed avait pris un repas à l'extérieur avec lui, lorsqu'il avait eu besoin de le voir près de son lieu de travail, son père avait choisi un restaurant de sushis – toujours le même. Il était pathétique et vain de vouloir établir une convivialité gastronomique qui n'avait plus lieu d'être, qui n'avait même vraisemblablement jamais eu lieu – son épouse, de son vivant, avait toujours détesté faire la cuisine. Mais c'était Noël, et sinon quoi ? Indifférent aux questions d'habillement, son père lisait de moins en moins, et ne s'intéressait semble-t-il plus à grand-chose. Il était, selon les dires de la directrice de la maison de retraite, « raisonnablement intégré », ce qui voulait vraisemblablement dire qu'il n'adressait à peu près la parole à personne. Pour l'heure, il mastiquait laborieusement son cochon de lait, avec à peu près la même expression que s'il s'était agi d'un bloc de caoutchouc, rien n'indiquait qu'il souhaitât rompre un silence qui se prolongeait, et Jed, fébrile (il n'aurait pas dû prendre de gewurztraminer avec les huîtres, il l'avait compris dès l'instant où il avait passé la commande, le vin blanc lui brouillait toujours les idées), cherchait frénétiquement quelque chose qui puisse s'apparenter à un sujet de conversation. S'il avait été marié, s'il avait eu au moins une amie, *enfin*

une femme quelconque, les choses se seraient passées bien différemment – les femmes s'y prennent
quand même mieux que les hommes dans ces histoires de famille, c'est un peu leur spécialité de
départ, même en l'absence d'enfants effectifs ils
sont là, à titre potentiel, à l'horizon de la conversation, et les vieillards s'intéressent à leurs petits-
enfants, c'est connu, ils relient ça aux cycles de
la nature ou à quelque chose, enfin il y a une
sorte d'émotion qui parvient à naître dans leur
vieille tête, le fils est la mort du père c'est certain
mais pour le grand-père le petit-fils est une sorte
de renaissance ou de revanche, et ça peut largement suffire, l'espace d'un repas de Noël tout du
moins. Jed se disait parfois qu'il devrait louer une
escort pour ces soirées de Noël, mettre sur pied
une mini-fiction, il aurait suffi de briefer la fille
deux heures avant, son père n'était pas très
curieux du détail de la vie des autres, pas plus
que ne le sont les hommes en général.

Dans les pays latins, la politique peut suffire
aux besoins de conversation des mâles d'âge
moyen ou élevé ; elle est parfois relayée dans les
classes inférieures par le sport. Chez les gens très
influencés par les valeurs anglo-saxonnes, le rôle
de la politique est plutôt tenu par l'économie et
la finance ; la littérature peut fournir un sujet
d'appoint. En l'occurrence, ni Jed ni son père ne
s'intéressaient réellement à l'économie, et à la
politique pas davantage. Jean-Pierre Martin
approuvait dans l'ensemble la manière dont était
dirigé le pays, et son fils n'avait pas d'opinion ;
l'un dans l'autre, ça leur permit quand même, en
détaillant ministère par ministère, de tenir
jusqu'au chariot de fromages.

Au fromage le père de Jed s'anima un peu et questionna son fils sur ses projets artistiques. Malheureusement c'était Jed, cette fois, qui risquait de plomber l'ambiance, parce que son dernier tableau, « Damien Hirst et Jeff Koons se partageant le marché de l'art », il ne le sentait décidément plus, il piétinait, il y avait une espèce de force qui le portait depuis un an ou deux et qui était en train de s'épuiser, de s'effriter, mais à quoi bon dire tout ça à son père, il n'y pouvait rien, et personne n'y pouvait rien d'ailleurs, les gens ne pouvaient devant une telle confidence que légèrement s'attrister, c'est bien peu de chose, quand même, les relations humaines.

« Je prépare une exposition personnelle au printemps, annonça-t-il finalement. Enfin, ça traîne un peu. Franz, mon galeriste, voudrait un écrivain pour le catalogue. Il a pensé à Houellebecq.

— Michel Houellebecq ?

— Tu connais ? » demanda Jed, surpris. Jamais il n'aurait soupçonné que son père puisse encore s'intéresser à une production culturelle quelconque.

« Il y a une petite bibliothèque à la maison de retraite ; j'ai lu deux de ses romans. C'est un bon auteur, il me semble. C'est agréable à lire, et il a une vision assez juste de la société. Il t'a répondu ?

— Non, pas encore... » Jed réfléchissait à toute allure, maintenant. Si même quelqu'un d'aussi profondément paralysé dans une routine désespérée et mortelle, quelqu'un d'aussi profondément engagé dans la voie sombre, dans l'allée des Ombres de la Mort, que l'était son père, avait remarqué l'existence de Houellebecq, c'est qu'il y avait quelque chose, décidément, chez cet auteur. Il prit alors conscience qu'il avait négligé de relancer Houellebecq par mail, comme Franz lui avait demandé de le faire, plusieurs fois déjà. Et pourtant ça pressait. Compte tenu des dates d'*Art Basel* et de la *Frieze Art Fair* il fallait organiser l'exposition en avril, en mai au plus tard, et on pouvait difficilement demander à Houellebecq d'écrire un texte de catalogue en quinze jours, c'était un auteur célèbre, mondialement célèbre même, d'après Franz tout du moins.

L'excitation de son père était retombée, il mâchonnait son saint-nectaire avec aussi peu d'enthousiasme que le cochon de lait. C'est sans doute par compassion qu'on suppose chez les personnes âgées une gourmandise particulièrement vive, parce qu'on souhaite se persuader qu'il leur reste au moins ça, alors que dans la plupart des cas les jouissances gustatives s'éteignent irrémédiablement, comme tout le reste. Demeurent les troubles digestifs, et le cancer de la prostate.

À quelques mètres sur leur gauche, trois femmes octogénaires semblaient se recueillir sur leur salade de fruits – peut-être en hommage à leurs maris défunts. L'une d'entre elles tendit la main vers sa coupe de champagne, puis sa main se rabattit sur la table ; sa poitrine se soulevait sous l'effort. Au bout de quelques secondes elle renouvela sa tentative, sa main tremblait terriblement, son visage était crispé par la concentration. Jed se retenait d'intervenir, il n'était nullement en position d'intervenir. Le serveur lui-même, posté à quelques mètres, qui surveillait l'opération d'un regard soucieux, n'était plus en position d'intervenir ; cette femme était maintenant en contact direct avec Dieu. Elle était probablement plus proche de quatre-vingt-dix que de quatre-vingts.

Afin que tout soit accompli, les desserts furent à leur tour servis. Avec résignation, le père de Jed attaqua sa bûche tradition pâtissière. Il n'y en avait plus pour très longtemps, maintenant. Le temps passait bizarrement entre eux : bien que rien ne soit dit, que le silence durablement établi maintenant autour de la table eût dû donner la sensation d'une pesanteur totale, il semblait que les secondes, et même les minutes, s'écoulassent avec une foudroyante rapidité. Une demi-heure plus tard, sans même qu'une pensée ait réellement traversé son esprit, Jed raccompagna son père jusqu'à la station de taxis. Il n'était que dix heures du soir, mais Jed savait que les autres pensionnaires de la maison de retraite considéraient déjà son père comme un privilégié ; d'avoir eu quelqu'un, quelques heures, pour Noël. « Vous avez un bon fils... », lui avait-on déjà fait, à plusieurs reprises, remarquer. Après son entrée en maison de retraite médicalisée, l'ancien senior – devenu, de manière enfin irréfutable, un *vieux* – se retrouve un peu dans la position de l'enfant pensionnaire. Parfois, il a des visites : c'est alors le bonheur, il peut découvrir le monde, manger des Pépito et rencontrer le clown Ronald McDonald. Mais, le plus souvent, il n'en a pas : il erre alors tristement, entre les poteaux de handball, sur le sol bitumineux du pensionnat déserté. Il attend la libération, l'envol.

De retour dans son atelier Jed constata que le chauffe-eau fonctionnait toujours, la température était normale et même chaude. Il se déshabilla partiellement avant de s'étendre sur son matelas et s'endormit aussitôt, le cerveau parfaitement vide.

Il se réveilla en sursaut au milieu de la nuit, le réveil indiquait 4 h 43. La température dans la pièce était chaude, presque étouffante. C'est le bruit du chauffe-eau qui l'avait réveillé, mais ce n'étaient pas les claquements habituels, la machine émettait cette fois un ronflement prolongé, grave, presque infrasonique. Il ouvrit d'un coup brusque la fenêtre de la cuisine, dont les carreaux étaient recouverts de givre. L'air glacial s'engouffra dans la pièce. Six étages plus bas, des grognements porcins troublèrent la nuit de Noël. Il referma aussitôt. Très probablement, des clochards s'étaient introduits dans la cour ; le lendemain, ils profiteraient des reliefs du réveillon amassés dans les poubelles de l'immeuble. Aucun des locataires n'oserait appeler la police pour s'en débarrasser – pas un jour de Noël. C'était généralement la locataire du premier qui finissait par s'en charger – une femme d'une soixantaine d'années, aux cheveux teints au henné, qui portait des pull-overs en patchwork de couleurs vives, et que Jed supposait être une psychanalyste à la retraite. Mais il ne l'avait pas vue ces derniers jours, elle était probablement en vacances – à moins qu'elle ne soit décédée subitement. Les clochards allaient rester plusieurs jours, l'odeur de leurs défécations emplirait la cour, empêchant d'ouvrir. Avec les locataires ils se montraient polis, voire obséquieux, mais les rixes entre eux étaient féroces, et généralement ça se terminait ainsi, des hurlements d'agonie s'élevaient dans la nuit, quelqu'un appelait le SAMU et on retrouvait un type baignant dans son sang, une oreille à moitié arrachée.

Jed s'approcha de l'appareil qui s'était tu, souleva prudemment la trappe d'accès aux commandes ; aussitôt l'appareil émit un ronflement bref, comme s'il se sentait menacé par l'intrusion. Un voyant jaune clignotait rapidement, ininterprétable. Doucement, millimètre par millimètre, Jed tourna le curseur d'intensité vers la gauche. Si les choses tournaient mal, il avait encore le numéro de téléphone du Croate ; mais celui-ci était-il encore en activité ? Il n'avait pas l'intention de « moisir dans la plomberie », avait-il avoué à Jed sans ambages. Son ambition, une fois qu'il aurait « fait sa pelote », était de retourner chez lui, en Croatie, plus précisément dans l'île de Hvar, pour y ouvrir une entreprise de location de scooters des mers. Par parenthèse, un des derniers dossiers que son père avait eu à traiter avant de prendre sa retraite concernait un appel d'offres pour l'édification d'une marina de prestige à Stari Grad, sur l'île de Hvar, qui commençait effectivement à devenir une destination de prestige, l'an dernier on avait pu y croiser Sean Penn et Angelina Jolie, et Jed ressentit une déception humaine obscure à l'idée de cet homme abandonnant la plomberie, artisanat noble, pour louer des engins bruyants et stupides à des petits péteux bourrés de fric habitant rue de la Faisanderie.

« Mais de quoi s'agit-il ici notamment ? » s'interrogeait le portail Internet de l'île de Hvar, avant de répondre en ces termes : « Vous avez ici les plaines de lavande, les vieux arbres d'oliviers et les vignes en harmonie unique, et donc le visiteur qui voudrait s'approcher de la nature visitera d'abord la petite konoba de Hvar (petite taverne) au lieu d'aller dans le restaurant le plus luxueux, il goûtera le véritable vin ordinaire au lieu du champagne, il chantera une vieille chanson populaire de l'île et il oubliera de la routine quotidienne », voilà probablement ce qui avait séduit Sean Penn, et Jed imagina la morte-saison, les mois d'octobre encore doux, l'ancien plombier tranquillement attablé devant un risotto de fruits de mer, évidemment ce choix pouvait se comprendre, voire s'excuser.

Un peu malgré lui, il s'approcha de « Damien Hirst et Jeff Koons se partageant le marché de l'art », posé sur son chevalet au milieu de l'atelier, et l'insatisfaction le reprit, plus amère encore. Il se rendit compte qu'il avait faim, ce qui n'était pas normal, il avait fait un repas de Noël complet avec son père – entrée, fromages et dessert, rien n'avait manqué, mais il avait faim et trop chaud, il n'arrivait plus à respirer. Il retourna dans la cuisine, ouvrit une boîte de cannelloni en sauce et les avala un par un, considérant d'un œil morose son tableau raté. Koons n'était décidément pas assez léger, assez aérien – il aurait peut-être fallu lui dessiner des ailes, comme au dieu Mercure, songea-t-il stupidement ; là, avec son costume rayé et son sourire de commercial, il évoquait un peu Silvio Berlusconi.

Au classement *ArtPrice* des plus grosses fortunes artistiques, Koons était numéro 2 mondial ; depuis quelques années Hirst, de dix ans son cadet, lui avait ravi la place de numéro 1. Jed, quant à lui, avait atteint une dizaine d'années auparavant la cinq cent quatre-vingt-troisième place – mais dix-septième Français. Il avait ensuite, comme disent les commentateurs du Tour de France, « été relégué dans les profondeurs du classement », avant d'en disparaître tout à fait. Il acheva la boîte de cannelloni, découvrit un fond de cognac. Allumant sa rampe d'halogènes à puissance maximale, il les braqua au centre de la toile. En y regardant de près, la nuit elle-même n'allait pas : elle n'avait pas cette somptuosité, ce mystère qu'on associe aux nuits de la péninsule arabique ; il aurait dû employer du bleu céruléen, pas de l'outremer. C'était vraiment un tableau de merde qu'il était en train de faire. Il saisit un couteau à palette, creva l'œil de Damien Hirst, élargit l'ouverture avec effort – c'était une toile en fibres de lin serrées, très résistante. Attrapant la toile gluante d'une main, il la déchira d'un seul coup, déséquilibrant le chevalet qui s'affaissa sur le sol. Un peu calmé il s'arrêta, considéra ses mains gluantes de peinture, termina le cognac avant de sauter à pieds joints sur son tableau, le piétinant et le frottant contre le sol qui devenait glissant. Il finit par perdre l'équilibre et tomba, le cadre du chevalet lui heurta violemment l'occiput, il eut un renvoi et vomit, d'un seul coup il se sentit mieux, l'air frais de la nuit circulait librement sur son visage, il ferma les yeux avec bonheur ; il était visiblement parvenu à une fin de cycle.

PREMIÈRE PARTIE

I

Jed ne se souvenait plus quand il avait commencé à dessiner. Tous les enfants dessinent sans doute, plus ou moins, il ne connaissait pas d'enfants, il n'était pas sûr. Sa seule certitude à présent, c'est qu'il avait commencé à dessiner des fleurs – sur des cahiers de petit format, à l'aide de crayons de couleur.

Les mercredis après-midi généralement, et parfois les dimanches, il avait connu des moments d'extase, seul dans le jardin ensoleillé, pendant que la baby-sitter téléphonait à son petit ami du moment. Vanessa avait dix-huit ans, elle était en première année d'économie à l'université de Saint-Denis/Villetaneuse, et pendant longtemps elle fut le seul témoin de ses premiers essais artistiques. Elle trouvait ses dessins jolis, elle le lui disait et elle était sincère, cependant elle lui jetait parfois des regards perplexes. Les petits garçons dessinent des monstres sanguinaires, des insignes nazis et des avions de chasse (ou, pour les plus avancés d'entre eux, des chattes et des bites), des fleurs rarement.

Jed l'ignorait alors, et Vanessa tout autant, mais les fleurs ne sont que des organes sexuels, des vagins bariolés ornant la superficie du monde, livrés à la lubricité des insectes. Les insectes et les hommes, d'autres animaux aussi, semblent poursuivre un but, leurs déplacements sont rapides et orientés, alors que les fleurs demeurent dans la lumière, éblouissantes et fixes. La beauté des fleurs est triste parce que les fleurs sont fragiles, et destinées à la mort, comme toute chose sur Terre bien sûr mais elles tout particulièrement, et comme les animaux leur cadavre n'est qu'une grotesque parodie de leur être vital, et leur cadavre, comme celui des animaux, pue – tout cela, on le comprend dès qu'on a vécu une fois le passage des saisons, et le pourrissement des fleurs, Jed l'avait pour sa part compris dès l'âge de cinq ans et peut-être avant, car il y avait beaucoup de fleurs dans le parc autour de la maison du Raincy, beaucoup d'arbres aussi, et les branches des arbres agitées par le vent étaient peut-être une des premières choses qu'il avait aperçues lorsqu'il était roulé dans son landau par une femme adulte (sa mère ?), en dehors des nuages et du ciel. La volonté de vivre des animaux se manifeste par des transformations rapides – une humectation du trou, une raideur de la tige, et plus tard l'émission du liquide séminal – mais cela il ne le découvrirait que plus tard, sur un balcon de Port-Grimaud, par l'entremise de Marthe Taillefer. La volonté de vivre des fleurs se manifeste par la constitution de taches de couleur éblouis- santes, qui rompent la banalité verdâtre du pay- sage naturel, comme la banalité en général transparente du paysage urbain, dans les muni- cipalités fleuries tout du moins.

Le soir le père de Jed rentrait, il s'appelait : « Jean-Pierre », ses amis l'appelaient ainsi. Jed, lui, l'appelait : « papa ». C'était un bon père, il était considéré comme tel par ses amis et ses subordonnés ; il faut beaucoup de courage à un homme veuf pour élever seul un enfant. Jean-Pierre avait été un bon père les premières années, maintenant il l'était un peu moins, il payait de plus en plus d'heures de baby-sitter, il dînait fréquemment à l'extérieur (le plus souvent avec des clients, parfois avec des subordonnés, de plus en plus rarement avec des amis car le temps de l'amitié commençait à décliner pour lui, il ne croyait plus vraiment qu'on puisse avoir des amis, que cette relation d'amitié puisse vraiment compter dans la vie d'un homme, ni modifier sa destinée), il rentrait tard et ne cherchait même pas à coucher avec la baby-sitter, ce que la plupart des hommes essayaient de faire pourtant ; il écoutait le récit de la journée, souriait à son fils, payait le salaire demandé. Il était le chef d'une famille décomposée, et n'envisageait nulle recomposition. Il gagnait beaucoup d'argent : PDG d'une entreprise de construction, il s'était spécialisé dans la réalisation de stations balnéaires clefs en main ; il avait des clients au Portugal, aux Maldives, à Saint-Domingue.

De cette période Jed avait conservé ses cahiers, qui contenaient l'intégralité de ses dessins de l'époque, et tout cela mourait gentiment, sans hâte (le papier n'était pas de très bonne qualité, les crayons non plus), cela pouvait durer deux ou trois siècles encore, les choses et les êtres ont une durée de vie.

Remontant probablement aux premières années de l'adolescence de Jed, une peinture réalisée à la gouache s'intitulait : « Les foins en Allemagne » (assez mystérieusement car Jed ne connaissait pas l'Allemagne, et n'avait jamais assisté ni *a fortiori* participé aux « foins »). Des montagnes enneigées, bien que l'éclairage évoque de toute évidence le plein été, fermaient la scène ; les paysans qui chargeaient le foin de leurs fourches, les ânes attelés à leurs carrioles étaient traités en aplats de couleurs vives ; c'était aussi beau qu'un Cézanne, ou que n'importe quoi. La question de la beauté est secondaire en peinture, les grands peintres du passé étaient considérés comme tels lorsqu'ils avaient développé du monde une vision à la fois cohérente et innovante ; ce qui signifie qu'ils peignaient toujours de la même manière, qu'ils utilisaient toujours la même méthode, les mêmes modes opératoires pour transformer les objets du monde en objets picturaux ; et que cette manière, qui leur était propre, n'avait jamais été employée auparavant. Ils étaient encore davantage estimés en tant que peintres lorsque leur vision du monde paraissait exhaustive, semblait pouvoir s'appliquer à tous les objets et toutes les situations existants ou imaginables. Telle était la vision classique de la peinture, celle à laquelle Jed eut l'occasion d'être initié pendant ses études secondaires, et qui se basait sur le concept de *figuration* – figuration à laquelle Jed devait, pendant quelques années de sa carrière, assez bizarrement, revenir, et qui devait, encore plus bizarrement, lui apporter au bout du compte la fortune et la gloire.

Jed consacra sa vie (du moins sa vie professionnelle, qui devait assez vite se confondre avec
l'ensemble de sa vie) à *l'art*, à la production de
représentations du monde, dans lesquelles
cependant les gens ne devaient nullement vivre.
Il pouvait de ce fait produire des représentations
critiques – critiques dans une certaine mesure,
car le mouvement général de l'art comme de
la société tout entière portait en ces années de la
jeunesse de Jed vers une acceptation du monde,
parfois enthousiaste, le plus souvent nuancée
d'ironie. Son père n'avait nullement cette liberté
de choix, il devait produire des configurations
habitables, de manière absolument non ironique, où les gens étaient appelés à vivre, et
devaient avoir la possibilité de se réjouir, pendant leurs vacances tout du moins. Il était responsable en cas de dysfonctionnement grave de
la machine à habiter – si un ascenseur s'effon-
drait, ou si les toilettes étaient bouchées, par
exemple. Il n'était pas responsable en cas d'inva-
sion de la résidence par une population brutale,
violente, non contrôlée par la police et les autorités constituées ; sa responsabilité était atténuée
en cas de séisme.

Le père de son père avait été photographe – ses
propres origines se perdant dans une sorte de
flaque sociologique peu ragoûtante, stagnant
depuis des temps immémoriaux, essentiellement
constituée d'ouvriers agricoles et de paysans
pauvres. Qu'est-ce qui avait bien pu amener cet
homme issu d'un milieu misérable à se trouver
confronté aux techniques naissantes de la photographie ? Jed n'en avait aucune idée, son père pas
davantage ; mais il avait été le premier d'une lon-

gue lignée à sortir de la pure et simple reproduction sociale du même. Il avait gagné sa vie en photographiant le plus souvent des mariages, parfois des communions, ou des fêtes de fin d'année d'une école de village. Vivant dans ce département depuis toujours abandonné, laissé à l'écart qu'est la Creuse, il n'avait presque pas eu l'occasion de photographier d'inaugurations de bâtiments, ni de visites d'hommes politiques d'envergure nationale. C'était un artisanat médiocre, peu rémunérateur, et l'accès de son fils à la profession d'architecte constituait déjà une sérieuse promotion sociale – sans même parler, plus tard, de ses succès d'entrepreneur.

À l'époque de son entrée aux Beaux-Arts de Paris, Jed avait abandonné le dessin pour la photographie. Deux ans plus tôt, il avait découvert dans le grenier de son grand-père une chambre photographique Linhof Master Technika Classic – que celui-ci n'utilisait déjà plus au moment où il avait pris sa retraite, mais qui était en parfait état de fonctionnement. Il avait été fasciné par cet objet préhistorique, lourd, étrange, mais d'une qualité de fabrication exceptionnelle. Tâtonnant un peu, il avait appris à maîtriser le décentrement, la bascule, le Scheimpflug avant de se lancer dans ce qui devait occuper la quasi-totalité de ses études artistiques : la photographie systématique des objets manufacturés du monde. Il procédait dans sa chambre, généralement avec un éclairage naturel. Les dossiers suspendus, les armes de poing, les agendas, les cartouches d'imprimante, les fourchettes : rien n'échappait à son ambition encyclopédique, qui était de constituer un catalogue exhaustif des objets de fabrication humaine à l'âge industriel.

Si, par son caractère à la fois grandiose et maniaque, pour tout dire un peu dément, ce projet lui valut le respect de ses enseignants, il ne lui permit nullement de s'agréger à l'un des groupes qui se constituaient autour de lui sur la base d'une ambition esthétique commune, ou plus prosaïquement d'une tentative d'entrée groupée sur le marché de l'art. Il noua cependant des amitiés, quoique pas très vives, sans se rendre compte à quel point elles seraient éphémères. Il noua également quelques relations amoureuses, dont presque aucune non plus ne devait se prolonger. Le lendemain du jour où il obtint son diplôme, il se rendit compte qu'il allait maintenant être assez seul. Son travail des six dernières années avait abouti à un peu plus de onze mille photos. Stockées en format TIFF, avec une copie JPEG de plus basse résolution, elles tenaient aisément sur un disque dur de 640 Go, de marque Western Digital, qui pesait un peu plus de 200 grammes. Il rangea soigneusement sa chambre photographique, ses objectifs (il disposait d'un Rodenstock Apo-Sironar de 105 mm, qui ouvrait à 5,6, et d'un Fujinon de 180 mm, qui ouvrait également à 5,6), puis considéra le reste de ses affaires. Il y avait son ordinateur portable, son iPod, quelques vêtements, quelques livres : pas grand-chose en vérité, cela tiendrait facilement dans deux valises. Il faisait beau sur Paris. Il n'avait pas été malheureux dans cette chambre, pas très heureux non plus. Son loyer arrivait à expiration dans une semaine. Il hésita à sortir, à faire une dernière fois un tour dans le quartier, sur les bords du bassin de l'Arsenal – puis il appela son père pour qu'il l'aide à déménager.

Leur cohabitation dans la maison du Raincy, pour la première fois depuis très longtemps, pour la première fois en réalité depuis l'enfance de Jed, en dehors de certaines périodes de vacances scolaires, se révéla tout de suite à la fois facile et vide. Son père travaillait encore beaucoup, il était loin d'avoir lâché les rênes de son entreprise à l'époque, il était rare qu'il rentre avant vingt et une, voire vingt-deux heures ; il s'affalait devant la télévision pendant que Jed faisait réchauffer un des plats cuisinés qu'il avait achetés quelques semaines plus tôt, remplissant le coffre de la Mercedes, au Carrefour d'Aulnay-sous-Bois ; il essayait de varier, de se rapprocher d'un certain équilibre alimentaire, il avait également acheté du fromage et des fruits. Son père de toute façon prêtait peu d'attention à la nourriture ; il zappait mollement, aboutissant en général à l'un des fastidieux débats économiques de LCI. Il se couchait presque aussitôt après le repas ; le matin, il était parti avant même que Jed ne se lève. Les journées étaient belles et uniformément chaudes. Jed se promenait entre les arbres du parc, s'asseyait sous un grand tilleul, un livre de philosophie à la main, qu'il n'ouvrait généralement pas. Des souvenirs d'enfance lui revenaient, peu nombreux ; puis il rentrait suivre les retransmissions du Tour de France. Il aimait ces longs plans ennuyeux, en hélicoptère, qui suivaient le peloton avançant paresseusement dans la campagne française.

Anne, la mère de Jed, était issue d'une famille de la petite bourgeoisie juive – son père était un bijoutier de quartier. À l'âge de vingt-cinq ans elle avait épousé Jean-Pierre Martin, alors jeune architecte. C'était un mariage d'amour, et quelques années plus tard elle avait engendré un fils, prénommé Jed en hommage à son oncle, qu'elle avait beaucoup aimé. Puis, quelques jours avant le septième anniversaire de son fils, elle s'était suicidée – Jed ne l'avait appris que bien des années plus tard, par une indiscrétion de sa grand-mère paternelle. Elle était à l'époque âgée de quarante ans – et son mari de quarante-sept.

Jed ne gardait presque aucun souvenir de sa mère, et son suicide n'était pas un sujet qu'il pouvait aborder au cours de ce séjour dans la maison du Raincy, il savait qu'il devait attendre que son père en parle de lui-même – tout en sachant que ceci ne se produirait sans doute jamais, qu'il éviterait jusqu'au bout ce sujet, comme tous les autres.

Un point, cependant, devait être éclairci, et ce fut son père qui s'en chargea, un dimanche après-midi, alors qu'ils venaient de suivre ensemble une étape brève – le contre-la-montre de Bordeaux – qui n'avait pas apporté de changement décisif au classement général. Ils étaient dans la bibliothèque – de loin la plus belle pièce de la maison, au sol recouvert d'un parquet de chêne, laissée dans une légère pénombre par des fenêtres en vitrail, meublée de cuir anglais ; les étagères qui entouraient la pièce comptaient presque six mille volumes, surtout des traités scientifiques publiés au XIXe siècle. Jean-Pierre Martin avait acheté la maison un très bon prix, quarante ans auparavant, à un propriétaire qui avait un besoin urgent de liquidités, le quartier était sûr à l'époque, c'était une zone pavillonnaire élégante et il envisageait une vie de famille heureuse, la maison en tout cas aurait permis d'héberger une famille nombreuse et de recevoir fréquemment des amis, mais rien de tout cela ne s'était produit finalement.

Au moment où l'image revenait sur le visage souriant et prévisible de Michel Drucker, il coupa le son, se tourna vers son fils. « Tu envisages de poursuivre dans une carrière artistique ? » lui demanda-t-il ; Jed répondit par l'affirmative. « Et, pour l'instant, tu ne peux pas gagner ta vie ? » Il nuança sa réponse. À sa propre surprise il avait, au cours de l'année précédente, été contacté par deux agences de photographes. La première, spécialisée dans la photographie d'objets, avait des clients tels que le catalogue de la CAMIF ou La Redoute, parfois aussi elle revendait ses clichés à des agences de pub. La seconde se spécialisait dans la photographie culinaire ; des magazines comme *Notre Temps* ou *Femme Actuelle* faisaient régulièrement appel à ses services. Peu prestigieux, ces domaines étaient également peu rémunérateurs : prendre une photographie de VTT, ou de tartiflette au reblochon, rapportait beaucoup moins qu'une photographie équivalente de Kate Moss, ou même de George Clooney ; mais la demande était constante, soutenue, et pouvait assurer un revenu correct : donc Jed n'était pas, s'il voulait s'en donner la peine, absolument sans ressources ; et il estimait en outre souhaitable de maintenir une certaine pratique de photographe, limitée à la photographie pure. Il se contentait de livrer des plan-films, parfaitement définis et exposés, que l'agence scannait et modifiait à sa guise ; il préférait ne pas se lancer dans la retouche d'images, vraisemblablement soumise à différents impératifs commerciaux ou publicitaires, et se contenter de livrer des clichés techniquement parfaits, mais neutres.

« Je suis content que tu sois autonome, répondit son père. J'ai connu plusieurs types, dans ma vie, qui voulaient devenir artistes, et qui étaient soutenus par leurs parents ; aucun n'a réussi à percer. C'est curieux, on pourrait croire que le besoin de s'exprimer, de laisser une trace dans le monde, est une force puissante ; et pourtant en général ça ne suffit pas. Ce qui marche le mieux, ce qui pousse avec la plus grande violence les gens à se dépasser, c'est encore le pur et simple besoin d'argent.

« Je vais t'aider à acheter un appartement à Paris, quand même, poursuivit-il. Tu vas avoir besoin de voir des gens, de prendre des contacts. Et puis on peut dire que c'est un placement, le marché est plutôt déprimé en ce moment. »

Sur l'écran de télévision se produisait maintenant un comique que Jed parvenait presque à identifier. Il y eut un gros plan de Michel Drucker béat, hilare. Jed se dit soudain que son père avait peut-être simplement envie d'être seul ; le contact, entre eux, ne s'était jamais vraiment rétabli.

Deux semaines plus tard, Jed achetait l'appartement qu'il occupait encore, boulevard de l'Hôpital, dans le nord du XIIIᵉ arrondissement. La plupart des rues avoisinantes étaient dédiées à des peintres – Rubens, Watteau, Véronèse, Philippe de Champaigne – ce qu'on pouvait à la rigueur considérer comme un présage. Plus prosaïquement, il n'était pas loin des nouvelles galeries qui s'étaient montées autour du quartier de la Très Grande Bibliothèque. Il n'avait pas vraiment négocié mais s'était quand même renseigné sur le contexte, partout en France les prix s'effondraient, en particulier dans les zones urbaines, et pourtant les logements restaient vides, ne trouvaient pas d'acquéreur.

II

La mémoire de Jed ne conservait presque aucune image de sa mère ; mais, bien sûr, il avait vu des photos. C'était une jolie femme au teint pâle, aux longs cheveux noirs, sur certains clichés on pouvait même la dire franchement belle ; elle ressemblait un peu au portrait d'Agathe von Astighwelt conservé au musée de Dijon. Elle souriait rarement sur ces images, et même son sourire semblait encore recouvrir une angoisse. Bien entendu, on était sans doute influencé par l'idée de son suicide ; mais même en essayant de s'en abstraire il y avait en elle quelque chose d'un peu irréel, ou en tout cas d'intemporel ; on l'imaginait facilement dans un tableau du Moyen Âge, ou de la Renaissance primitive ; il paraissait par contre invraisemblable qu'elle ait pu être adolescente dans les années 1960, qu'elle ait pu posséder un *transistor* ou aller à des *concerts de rock*.

Pendant les premières années suivant sa mort, le père de Jed avait essayé de suivre le travail scolaire de son fils, avait programmé des activités le week-end, au McDonald's ou au musée. Puis, presque inéluctablement, les activités de sa firme avaient pris de l'ampleur ; son premier contrat dans le domaine des stations balnéaires clefs en main avait été un succès éclatant. Non seulement les délais et les devis initiaux avaient été respectés – ce qui était déjà, en soi, relativement rare – mais la réalisation avait été unanimement saluée pour son équilibre et son respect de l'environnement – il avait eu des articles dithyrambiques dans la presse régionale comme dans les revues d'architecture nationales, et jusqu'à une pleine page dans le cahier « Styles » de *Libération*. À Port-Ambarès, écrivait-on, il avait su se rapprocher de « l'essence de l'habitat méditerranéen ». Il n'avait fait à son avis qu'aligner des cubes de taille variable, d'un blanc mat uniforme, directement calqués sur les constructions traditionnelles marocaines, en les séparant par des massifs de lauriers-roses. Toujours est-il que les commandes, après ce premier succès, avaient afflué, et que de plus en plus il avait dû se déplacer à l'étranger. À l'entrée en sixième de Jed, il se résolut à le mettre en pension.

Il opta pour le collège de Rumilly, dans l'Oise, tenu par des jésuites. C'était une institution privée, mais pas de celles réservées à l'élite, d'ailleurs les frais de scolarité restaient raisonnables, l'enseignement n'était pas bilingue, les équipements sportifs n'avaient rien d'extravagant. Le public du collège de Rumilly n'était pas constitué par les ultrariches mais plutôt par des gens conservateurs, d'ancienne bourgeoisie (beaucoup de parents étaient militaires ou diplomates), pas des catholiques intégristes cependant – la plupart du temps, l'enfant avait été mis en pension à la suite d'un divorce qui tournait mal.

Austères et plutôt laids, les bâtiments offraient un confort raisonnable – en chambre à deux dans les petites classes, les élèves bénéficiaient d'une chambre individuelle dès leur entrée en troisième. Le point fort de l'établissement, l'atout majeur de son argumentaire, c'était le soutien pédagogique qu'il offrait à chacun de ses élèves – et le taux de réussite au baccalauréat s'était en effet, depuis la création de l'établissement, toujours maintenu au-dessus de 95 %.

C'est entre ces murs, et à de longues promenades sous le couvert extrêmement sombre des allées de sapins du parc, que Jed allait passer ses années d'adolescence, studieuses et tristes. Il ne se plaignait pas de son sort, et n'en imaginait pas d'autre. Les bagarres étaient parfois violentes entre élèves, les relations d'humiliation violentes et cruelles, et Jed, délicat et fluet, aurait été bien hors d'état de se défendre ; mais le bruit s'était répandu qu'il était orphelin, qui plus est orphelin de mère, et cette souffrance qu'ils ne connaissaient pas intimidait ses condisciples ; il y avait ainsi autour de lui comme un halo de respect craintif. Il n'avait pas d'ami proche, et ne recherchait pas l'amitié d'autrui. Il passait par contre des après-midi entières dans la bibliothèque, et à l'âge de dix-huit ans, son baccalauréat une fois obtenu, il avait une connaissance étendue, inhabituelle chez les jeunes gens de sa génération, du patrimoine littéraire de l'humanité. Il avait lu Platon, Eschyle et Sophocle ; il avait lu Racine, Molière et Hugo ; il connaissait Balzac, Dickens, Flaubert, les romantiques allemands, les romanciers russes. Plus surprenant encore, il était familier des principaux dogmes de la foi catholique, dont l'empreinte sur la culture occidentale avait été si profonde – alors que ses contemporains en savaient en général un peu moins sur la vie de Jésus que sur celle de Spiderman.

Cette impression qu'il donnait d'une gravité un peu désuète devait favorablement disposer les enseignants qui eurent à examiner son dossier d'admission aux Beaux-Arts ; ils avaient à l'évidence affaire à un candidat original, cultivé, sérieux, probablement travailleur. Le dossier en lui-même, intitulé « Trois cents photos de quincaillerie », témoignait d'une surprenante maturité esthétique. Évitant de mettre en avant l'éclat des métaux et le caractère menaçant des formes, Jed avait utilisé un éclairage neutre, peu contrasté, et photographié les articles de quincaillerie sur un fond de velours gris moyen. Écrous, boulons et clefs à molette apparaissaient ainsi comme autant de joyaux, à la luisance discrète.

Il avait par contre eu beaucoup de mal (et cette difficulté devait l'accompagner toute sa vie) à rédiger la note de présentation de ses photos. Après diverses tentatives de justification de son sujet il se réfugia dans le factuel pur, se bornant à souligner que les pièces de quincaillerie les plus rudimentaires, réalisées en acier, avaient déjà une précision d'usinage de l'ordre du 1/10 de millimètre. Plus près de la mécanique de précision proprement dite, les pièces entrant dans la composition des appareils photographiques de qualité, ou des moteurs de formule 1, étaient généralement réalisées en aluminium ou en alliage léger, et usinées au 1/100 de millimètre. Enfin, la mécanique de haute précision, employée par exemple en horlogerie ou en chirurgie dentaire, faisait intervenir le titane ; la tolérance des cotes était alors de l'ordre du micron. En somme, concluait Jed de manière abrupte et approximative, l'histoire de l'humanité pouvait en grande partie se confondre avec l'histoire de la maîtrise des métaux – l'âge des polymères et des plastiques, encore récent, n'ayant pas eu le temps selon lui de produire de réelle transformation mentale.

Des historiens d'art, plus versés dans le maniement du langage, notèrent plus tard que cette première vraie réalisation de Jed se présentait déjà, de même en un sens que toutes ses réalisations ultérieures, et ce malgré la variété de leurs supports, comme un *hommage au travail humain.*

Ainsi, Jed se lança dans une carrière artistique sans autre projet que celui – dont il n'appréhendait que rarement le caractère illusoire – de donner une description objective du monde. Malgré sa culture classique, il n'était nullement – contrairement à ce qui fut souvent écrit par la suite – habité par un respect religieux des maîtres anciens ; à Rembrandt et Vélasquez il préférait largement, dès cette époque, Mondrian et Klee.

Pendant les premiers mois qui suivirent son installation dans le XIIIe arrondissement il ne fit à peu près rien, que répondre aux commandes de photographies d'objets, d'ailleurs nombreuses, qui lui étaient faites. Et puis un jour, en déballant un disque dur multimédia Western Digital qui venait de lui être livré par porteur, et dont il devait fournir des clichés sous différents angles pour le lendemain, il comprit qu'il en avait fini avec la photographie d'objets – au moins sur le plan artistique. Comme si le fait qu'il en soit venu à photographier ces objets dans un but purement professionnel, commercial, invalidait toute possibilité de les utiliser dans un projet créateur.

Cette évidence brutale autant qu'inattendue le plongea dans une période dépressive d'intensité faible, au cours de laquelle sa principale distraction quotidienne devint le visionnage de *Questions pour un champion*, une émission animée par Julien Lepers. Par son acharnement, son effarante capacité de travail, cet animateur initialement peu doué, un peu stupide, au visage et aux appétits de bélier, qui envisageait plutôt, à ses débuts, une carrière de chanteur de variétés, et en gardait sans doute une nostalgie secrète, était peu à peu devenu une figure incontournable du paysage médiatique français. Les gens se reconnaissaient en lui, les élèves de première année de Polytechnique comme les institutrices à la retraite du Pas-de-Calais, les *bikers* du Limousin comme les restaurateurs du Var, il n'était ni impressionnant ni lointain, il se dégageait de lui une image moyenne, et presque sympathique, de la France des années 2010. Inconditionnel de Jean-Pierre Foucault, de son humanité, de sa rondeur matoise, Jed devait néanmoins convenir qu'il était, de plus en plus souvent, séduit par Julien Lepers.

Début octobre il reçut un coup de téléphone de son père, lui annonçant que sa grand-mère venait de mourir ; sa voix était lente, un peu accablée, mais à peine plus que d'habitude. La grand-mère de Jed ne s'était, il le savait, jamais remise

de la mort de son mari, qu'elle avait passionnément aimé, avec même une passion surprenante
dans un milieu rural et pauvre peu propice d'ordinaire aux épanchements romantiques. Après son
décès rien, pas même son petit-fils, n'était parvenu à la sortir d'une spirale de tristesse qui lui
avait fait peu à peu renoncer à toute activité, de
l'élevage de lapins à la fabrication de confitures,
et abandonner à la fin jusqu'au jardinage.

Le père de Jed devait se rendre dans la Creuse
dès le lendemain pour l'enterrement puis pour la
maison, les questions d'héritage ; il aurait aimé
que son fils l'accompagne. Il aurait même aimé en
réalité qu'il reste un peu plus, qu'il s'occupe de
toutes les formalités, il avait en ce moment beaucoup de travail à l'agence. Jed accepta immédiatement.

Le lendemain, son père passa le prendre dans
sa Mercedes. Vers onze heures ils s'engagèrent
sur l'autoroute A20, une des plus belles auto-
routes de France, une de celles qui traversent les
paysages ruraux les plus harmonieux ; l'atmosphère était limpide et douce, avec un peu de
brume à l'horizon. À quinze heures, ils s'arrêtèrent dans un relais un peu avant La Souterraine ;
à la demande de son père, pendant que celui-ci
faisait le plein, Jed acheta une carte routière
« Michelin Départements » de la Creuse, Haute-
Vienne. C'est là, en dépliant sa carte, à deux pas
des sandwiches pain de mie sous cellophane, qu'il
connut sa seconde grande révélation esthétique.
Cette carte était sublime ; bouleversé, il se mit à
trembler devant le présentoir. Jamais il n'avait
contemplé d'objet aussi magnifique, aussi riche

d'émotion et de sens que cette carte Michelin au 1/150 000 de la Creuse, Haute-Vienne. L'essence de la modernité, de l'appréhension scientifique et technique du monde, s'y trouvait mêlée avec l'essence de la vie animale. Le dessin était complexe et beau, d'une clarté absolue, n'utilisant qu'un code restreint de couleurs. Mais dans chacun des hameaux, des villages, représentés suivant leur importance, on sentait la palpitation, l'appel, de dizaines de vies humaines, de dizaines ou de centaines d'âmes – les unes promises à la damnation, les autres à la vie éternelle.

Le corps de sa grand-mère reposait déjà dans un cercueil de chêne. Elle était vêtue d'une robe sombre, les yeux clos, les mains jointes ; les employés des pompes funèbres n'attendaient qu'eux pour refermer le couvercle. Ils les laissèrent seuls, pendant une dizaine de minutes, dans la chambre. « C'est mieux pour elle... » dit son père après un temps de silence. Oui, probablement, pensa Jed. « Elle croyait en Dieu, tu sais » ajouta son père timidement.

Le lendemain, au cours de la messe d'enterrement, à laquelle tout le village assistait, puis devant l'église, au moment où ils recevaient les condoléances, Jed se dit qu'ils étaient, son père et lui, remarquablement adaptés à ce genre de circonstances. Pâles et las, tous deux vêtus d'un costume sombre, ils n'avaient aucune difficulté à exprimer la gravité, la tristesse résignée qui étaient de mise dans l'événement ; ils appréciaient même, sans pouvoir y adhérer, la note de discrète espérance apportée par le prêtre – un prêtre âgé lui aussi, un *vieux routier* des enterrements, qui

devaient être, vu la moyenne d'âge de la population, de loin son activité principale.

En revenant vers la maison, où était servi le
vin d'honneur, Jed se rendit compte que c'était
la première fois qu'il assistait à un enterrement
sérieux, *à l'ancienne*, un enterrement qui ne
cherchait pas à escamoter la réalité du décès.
Plusieurs fois à Paris, il avait assisté à des inci-
nérations ; la dernière était celle d'un camarade
des Beaux-Arts, qui avait été tué dans un accident
d'avion lors de ses vacances à Lombok ; il avait
été choqué que certains des assistants n'aient pas
éteint leur portable au moment de la crémation.

Son père repartit juste après, il avait un rendez-
vous professionnel le lendemain matin à Paris.
Jed sortit dans le jardin. Le soleil se couchait, les
feux arrière de la Mercedes s'éloignaient en direction de la nationale, et il repensa à Geneviève. Ils
avaient été amants pendant quelques années,
alors qu'il faisait ses études aux Beaux-Arts ; c'est
même avec elle, en réalité, qu'il avait perdu sa
virginité. Geneviève était malgache, et lui avait
parlé des curieuses coutumes d'exhumation pra-
tiquées dans son pays. Une semaine après le
décès on déterrait le cadavre, on défaisait les
linges qui l'entouraient et on prenait un repas en
sa présence, dans la salle à manger familiale ;
puis on l'enterrait de nouveau. On recommençait
au bout d'un mois, puis de trois, il ne se souvenait
plus très bien mais il lui semblait qu'il n'y avait
pas moins de sept exhumations successives, la
dernière se déroulant un an après le décès, avant
que le défunt ne soit définitivement considéré
comme mort, et ne puisse accéder à l'éternel

repos. Ce dispositif d'acceptation de la mort, et de la réalité physique du cadavre, allait exactement à l'inverse de la sensibilité occidentale moderne, se dit Jed, et fugitivement il regretta d'avoir laissé Geneviève sortir de sa vie. Elle était douce et paisible ; il était à l'époque victime de migraines ophtalmiques terribles, elle pouvait sans s'ennuyer rester des heures à son chevet, lui préparant à manger, lui apportant de l'eau et des médicaments. De tempérament, aussi, elle était plutôt *chaude*, et sur le plan sexuel elle lui avait tout appris. Jed aimait ses dessins, qui empruntaient un peu au *graf*, mais s'en distinguaient par le caractère enfantin, joyeux des personnages, par quelque chose aussi de plus arrondi dans l'écriture, et par la palette qu'elle employait – beaucoup de rouge de cadmium, de jaune indien, de terre de Sienne naturelle ou brûlée.

Pour financer ses études, Geneviève *faisait commerce de ses charmes*, comme on disait jadis ; Jed trouvait que cette expression surannée lui convenait mieux que le terme anglo-saxon d'*escort*. Elle prenait deux cent cinquante euros de l'heure, avec un supplément de cent euros pour l'anal. Il ne trouvait rien à objecter à cette activité, et lui proposa même de faire des photos érotiques pour améliorer la présentation de son site. Autant les hommes sont souvent jaloux, et parfois horriblement jaloux, des *ex* de leurs amantes, autant ils se demandent avec angoisse pendant des années, et parfois jusqu'à leur mort, si ce n'était pas *mieux* avec l'autre, si l'autre ne les faisait pas *mieux jouir*, autant ils acceptent facilement, sans le moindre effort, tout ce qu'a pu faire leur femme par le passé dans le cadre d'une activité de prostitution. Dès lors qu'elle se conclut par une transaction financière, toute activité sexuelle est excusée, rendue inoffensive, et en quelque sorte sanctifiée par l'antique malédiction du travail. Suivant les mois Geneviève gagnait entre cinq et dix mille euros, sans y consacrer davantage que quelques heures par semaine. Elle l'en faisait profiter en l'incitant à « ne pas faire d'histoires », et plusieurs fois ils prirent ensemble des vacances d'hiver, à l'île Maurice ou aux Maldives, qu'elle avait intégralement payées. Elle était si naturelle, si enjouée que jamais il n'en ressentit aucune gêne, jamais il ne se sentit, si peu que ce soit, dans la peau d'un *maquereau*.

Il ressentit par contre une vraie tristesse lorsqu'elle lui annonça qu'elle allait s'installer avec un de ses clients réguliers – un avocat d'affaires de trente-cinq ans, dont la vie ressemblait, d'après ce qu'elle en dit à Jed, trait pour trait à la vie des avocats d'affaires décrits dans les thrillers d'avocats d'affaires – américains généralement. Il savait qu'elle tiendrait sa parole, qu'elle resterait fidèle à son mari, et en somme au moment où il franchit pour la dernière fois la porte de son studio il savait qu'il ne la reverrait sans doute jamais. Quinze années s'étaient écoulées depuis lors ; son mari était vraisemblablement un époux comblé, et elle une mère de famille heureuse ; ses enfants étaient, il en était certain sans les connaître, polis et bien éduqués, et obtenaient d'excellents résultats scolaires. Les revenus de son mari, de l'avocat d'affaires, étaient-ils à présent supérieurs aux revenus de Jed en tant qu'artiste ? C'était une question difficile à trancher, mais peut-être la seule qui méritât d'être posée. « Toi, tu as la vocation d'artiste, tu en veux vraiment..., lui avait-elle dit lors de leur dernière rencontre. Tu es tout petit, tout mignon, tout gracile, mais tu as la volonté de faire quelque chose, tu as une ambition énorme, je l'ai vu tout de suite dans ton regard. Moi, je fais ça juste... (elle avait désigné d'un geste évasif et circulaire ses fusains accrochés au mur), je fais ça juste pour m'amuser. »

Jed avait gardé quelques-uns des dessins de Geneviève, et il continuait à leur trouver une réelle valeur. L'art devrait peut-être ressembler à cela, se disait-il parfois, une activité innocente et joyeuse, presque animale, il y avait eu des opinions dans ce sens, « bête comme un vrai peintre », « il peint comme l'oiseau chante » et ainsi de suite, peut-être l'art deviendrait-il comme ça une fois que l'homme aurait dépassé la question de la mort, et peut-être avait-il déjà été comme ça, par périodes, chez Fra Angelico par exemple, si proche du paradis, si plein de l'idée que son séjour terrestre n'était qu'une préparation temporaire, brumeuse, au séjour éternel auprès de son Seigneur Jésus. *Et maintenant je suis avec vous, tous les jours, jusqu'à la fin du monde.*

Le lendemain de l'enterrement, il reçut la visite du notaire. Ils n'en avaient pas parlé avec son père, il se rendit compte qu'ils n'avaient même pas abordé le sujet – pourtant le principal motif de son séjour – mais il lui parut tout de suite évident qu'il n'était pas question de vendre la maison, et il n'éprouva même pas le besoin de téléphoner à son père pour en discuter. Il se sentait bien dans cette maison, il s'y était tout de suite senti bien, c'était un endroit où l'on pouvait vivre. Il aimait la juxtaposition maladroite entre la partie rénovée, aux murs recouverts d'un enduit isolant de couleur blanche, et la partie ancienne, aux murs faits de pierres inégalement jointes. Il aimait la porte battante, impossible à vraiment fermer, qui donnait sur la route de Guéret, et l'énorme poêle de la cuisine, qu'on pouvait alimenter par du bois, du charbon, et sans doute par n'importe quelle sorte de combustible. Il était tenté dans cette maison de croire à des choses telles que l'amour, l'amour réciproque du couple qui irradie les murs d'une certaine chaleur, d'une chaleur douce qui se transmet aux futurs occupants pour leur apporter la paix de l'âme. À ce compte-là il aurait bien pu croire aux fantômes, ou à n'importe quoi.

Le notaire, quoi qu'il en soit, n'était nullement disposé à l'encourager à un projet de vente ; il aurait réagi différemment, avoua-t-il, il y a seulement deux ou trois ans. À l'époque les traders anglais, les jeunes-vieux traders anglais à la retraite, après avoir investi la Dordogne, se répandaient par nappes à destination du Bordelais et du Massif central, progressant rapidement en s'appuyant sur les positions acquises, et avaient déjà investi le Limousin central ; on pouvait attendre à brève échéance leur arrivée dans la Creuse, et un renchérissement concomitant des prix. Mais la chute de la Bourse de Londres, la crise des *subprimes* et l'effondrement des valeurs spéculatives avaient bien changé la donne : loin de songer à s'aménager des résidences de charme, les jeunes-vieux traders anglais avaient maintenant bien du mal à payer les traites de leur maison de Kensington, ils songeaient au contraire, de plus en plus souvent, à *revendre*, et pour tout dire les prix avaient chuté absolument. Il faudrait à présent, c'était du moins le diagnostic du notaire, attendre l'arrivée d'une nouvelle génération de riches, à la richesse plus solide, assise sur une production industrielle ; ce pourrait être des Chinois, ou des Vietnamiens qu'en savait-il, mais quoi qu'il en soit le mieux pour l'instant lui paraissait d'attendre, de maintenir la maison en l'état, de procéder éventuellement à quelques améliorations, toujours respectueuses de la tradition artisanale locale. Il était par contre inutile de procéder à des aménagements de prestige tels qu'une piscine, un jacuzzi ou une connexion Internet haut débit ; les nouveaux riches, une fois la maison acquise, préféraient toujours s'en charger eux-mêmes, il était absolument formel sur ce point, c'était l'expérience qui parlait, il avait quarante ans de notariat derrière lui.

Lorsque son père revint le chercher le week-end suivant tout était réglé, les affaires triées et rangées, les petits legs prévus par le testament distribués aux voisins. Ils avaient le sentiment que leur mère et grand-mère pouvait *reposer en paix*, comme on dit. Jed se détendit dans le siège en cuir Nappa alors que la classe S abordait l'entrée de l'autoroute avec un ronronnement de satisfaction mécanique. Pendant deux heures, ils traversèrent à vitesse modérée un paysage aux teintes automnales, ils parlaient peu mais Jed avait l'impression qu'il s'était établi entre eux une espèce d'entente, un accord sur la manière générale d'aborder la vie. Au moment où ils approchaient de l'échangeur de Melun-Centre, il comprit qu'il avait vécu, pendant cette semaine, une parenthèse paisible.

III

On a souvent présenté le travail de Jed Martin comme étant issu d'une réflexion froide, détachée, sur l'état du monde, on en a fait une sorte d'héritier des grands artistes conceptuels du siècle précédent. C'est pourtant dans un état de frénésie nerveuse qu'il acheta, dès son retour à Paris, toutes les cartes Michelin qu'il put trouver – un peu plus de cent cinquante. Rapidement, il se rendit compte que les plus intéressantes appartenaient aux séries « Michelin Régions », qui couvraient une grande partie de l'Europe, et surtout « Michelin Départements », limitée à la France. Tournant le dos à la photographie argentique, qu'il avait jusque-là exclusivement pratiquée, il fit l'acquisition d'un dos Betterlight 6000-HS, qui permettait la capture de fichiers 48 bits RGB dans un format de 6 000 x 8 000 pixels.

Pendant presque six mois il sortit très peu de chez lui, sinon pour une promenade quotidienne qui l'amenait jusqu'à l'hypermarché Casino du boulevard Vincent-Auriol. Ses contacts avec les autres étudiants des Beaux-Arts, déjà peu nombreux à l'époque de sa scolarité, se raréfièrent jusqu'à disparaître tout à fait, et c'est avec surprise qu'il reçut, au début du mois de mars, un mail lui proposant de prendre part à une exposition collective, *Restons courtois*, qui devait être organisée en mai par la fondation d'entreprise Ricard. Il accepta cependant, par retour de mail, sans vraiment se rendre compte que c'était justement son détachement presque ostensible qui avait créé autour de lui une ambiance de mystère, et que beaucoup de ses anciens condisciples avaient envie de savoir *où il en était*.

Le matin du vernissage, il se rendit compte qu'il n'avait pas prononcé une parole depuis presque un mois, à part le « Non » qu'il répétait tous les jours à la caissière (rarement la même, il est vrai) qui lui demandait s'il avait la carte Club Casino ; mais il se dirigea cependant, à l'heure dite, vers la rue Boissy-d'Anglas. Il y avait peut-être cent personnes, enfin il n'avait jamais su évaluer ce genre de chose, les invités en tout cas se chiffraient par dizaines, et il eut d'abord un mouvement d'inquiétude en constatant qu'il n'en reconnaissait aucun. Il craignit un instant de s'être trompé de jour ou d'exposition, mais son tirage photo était bien là, accroché à un mur du fond, correctement éclairé. Après s'être servi un verre de whisky il fit plusieurs fois le tour de la salle, suivant une trajectoire ellipsoïdale, feignant plus ou moins d'être absorbé dans ses réflexions alors que son cerveau ne parvenait à formuler aucune pensée hormis quand même la surprise de ce que l'image de ses anciens camarades ait aussi complètement disparu de sa mémoire, effacée, radicalement effacée, c'en était à se demander s'il appartenait au genre humain. Il aurait reconnu Geneviève au moins, oui, il était certain qu'il aurait reconnu son ancienne amante, c'était une certitude à laquelle il pouvait se raccrocher.

En terminant son troisième parcours, Jed remarqua une jeune femme qui fixait son tirage photo avec beaucoup d'attention. Il aurait été difficile de ne pas la remarquer : non seulement c'était de très loin la plus belle femme de la soirée, mais c'était sans doute la plus belle femme qu'il ait jamais vue. Avec son teint très pâle, presque translucide, ses cheveux d'un blond platine et ses pommettes saillantes, elle correspondait parfaitement à l'image de la beauté slave telle que l'ont popularisée les agences de mannequins et les magazines après la chute de l'URSS.

Lors de son parcours suivant, elle n'était plus là ; il l'aperçut de nouveau vers le milieu de son sixième circuit, souriante, un verre de champagne à la main, au milieu d'un petit groupe. Les hommes la buvaient des yeux avec une convoitise qu'ils n'essayaient même pas de dissimuler ; l'un d'entre eux avait la mâchoire à demi décrochée.

Lorsqu'il repassa, la fois suivante, devant son tirage photo, elle était de nouveau là, seule à présent. Il eut une seconde d'hésitation, puis prit la tangente et vint se planter à son tour devant l'image, qu'il considéra avec un hochement de tête.

Elle se tourna vers lui, le regarda pensivement pendant quelques secondes avant de demander :

« Vous êtes l'artiste ?

— Oui. »

Elle le regarda de nouveau, plus attentivement, pendant au moins cinq secondes, avant de dire :

« Je trouve que c'est très beau. »

Elle avait dit ça simplement, calmement, mais avec une vraie conviction. Incapable de trouver une réponse appropriée, Jed tourna son regard vers l'image. Il devait convenir qu'il était, en effet, assez content de lui. Pour l'exposition il avait choisi une partie de la carte Michelin de la Creuse, dans laquelle figurait le village de sa grand-mère. Il avait utilisé un axe de prise de vues très incliné, à trente degrés de l'horizontale, tout en réglant la bascule au maximum afin d'obtenir une très grande profondeur de champ. C'est ensuite qu'il avait introduit le flou de distance et l'effet bleuté à l'horizon, en utilisant des calques Photoshop. Au premier plan étaient l'étang du Breuil et le village de Châtelus-le-Marcheix. Plus loin, les routes qui sinuaient dans la forêt entre les villages de Saint-Goussaud, Laurière et Jabreilles-les-Bordes apparaissaient comme un territoire de rêve, féerique et inviolable. Au fond et à gauche de l'image, comme émergeant d'une nappe de brume, on distinguait encore nettement le ruban blanc et rouge de l'autoroute A20.

« Vous prenez souvent des photos de cartes routières ?

— Oui... Oui, assez souvent.

— Toujours des Michelin ?

— Oui. »

Elle réfléchit quelques secondes avant de lui demander :

« Vous avez fait beaucoup de photos de ce genre ?

— Un peu plus de huit cents. »

Cette fois elle le fixa, franchement interloquée, pendant au moins vingt secondes, avant de poursuivre :

« Il faut qu'on en parle. Il faut qu'on se voie pour en parler. Ça va peut-être vous surprendre, mais... je travaille chez Michelin. »

Elle sortit d'un minuscule sac Prada une carte de visite, qu'il considéra bêtement avant de la ranger : Olga Sheremoyova, service de la communication, Michelin France.

Il rappela le lendemain matin ; Olga lui proposa de dîner le soir même.

« Je ne dîne pas tellement..., objecta-t-il. Enfin, je veux dire, pas tellement au restaurant. Je crois même que je ne connais aucun restaurant à Paris.

— Moi, j'en connais beaucoup, répondit-elle avec fermeté. Je peux même dire... c'est un peu mon métier. »

Ils se retrouvèrent *Chez Anthony et Georges*, un minuscule restaurant d'une dizaine de tables situé rue d'Arras. Tout dans la salle, la vaisselle comme l'ameublement, avait été chiné chez des antiquaires et formait un mélange coquet et disparate de meubles copiés du XVIIIᵉ siècle français, de bibelots Art nouveau, de vaisselle et de porcelaine anglaises. Toutes les tables étaient occupées par des touristes, surtout américains et chinois – il y avait, aussi, une tablée de Russes. Olga fut accueillie comme une habituée par Georges, maigre, chauve et vaguement inquiétant, qui avait un peu un look d'ancien pédé cuir. Anthony, en cuisine, était *bear* sans excès – il devait probablement faire attention, mais sa carte trahissait une véritable obsession pour le foie gras. Jed les catalogua comme des pédés semi-modernes, soucieux d'éviter les excès et les fautes de goût classiquement associés à leur communauté, mais, quand même, se lâchant un peu de temps en temps – au moment de l'arrivée d'Olga, Georges lui avait demandé : « Je prends ton manteau, ma chérie ? », insistant sur le *ma chérie* avec un ton très Michou. Elle portait un manteau de fourrure, choix curieux pour la saison, mais en dessous Jed découvrit une minijupe très courte et un top bandeau de satin blanc, ornés de cristaux Swarovski ; elle était vraiment magnifique.

« Comment tu vas, ma douce ? » Anthony, un tablier de cuisine autour des reins, se dandinait devant leur table. « Tu aimes le poulet aux écrevisses ? On a reçu des écrevisses du Limousin, sublimes, absolument sublimes. – Bonjour, monsieur » ajouta-t-il à l'attention de Jed.

« Ça vous plaît ? demanda Olga à Jed une fois qu'il se fut éloigné.

— Je... oui. C'est typique. Enfin on a l'impression que c'est typique, mais on ne sait pas très bien de quoi. C'est dans le guide ? », il avait l'impression que c'était la question à poser.

« Pas encore. On va le rajouter dans l'édition de l'an prochain. Il y a eu un article dans *Condé Nast Traveller*, et dans le *Elle* chinois. »

Si elle travaillait en ce moment dans les bureaux parisiens de Michelin, Olga était en fait détachée par la holding *Compagnie Financière Michelin*, basée en Suisse. Dans une tentative de diversification assez logique, la firme avait récemment pris des participations importantes dans les chaînes *Relais et Châteaux*, et surtout *French Touch*, qui montait fortement en puissance depuis quelques années – tout en maintenant, pour des raisons déontologiques, une indépendance stricte par rapport aux rédactions des différents guides. La firme avait vite pris conscience que les Français n'avaient, dans l'ensemble, plus tellement les moyens de se payer des vacances en France, et en tout cas certainement pas dans les hôtels proposés par ces chaînes. Un questionnaire distribué dans les *French Touch* l'année passée avait montré que 75 % de la clientèle pouvait se répartir entre trois pays : Chine, Inde et Russie – le pourcentage montant à 90 % pour les établissements « Demeures d'exception », les plus prestigieux de la gamme. Olga avait été embauchée pour recentrer la communication afin de l'adapter aux attentes de cette nouvelle clientèle.

Le mécénat dans le domaine de l'art contemporain ne faisait pas tellement partie de la culture traditionnelle de Michelin, poursuivit-elle. La multinationale, domiciliée à Clermont-Ferrand depuis l'origine, dans le comité directeur de laquelle avait presque toujours figuré un descendant des fondateurs, avait la réputation d'une entreprise plutôt conservatrice, voire paternaliste. Son projet d'ouvrir à Paris un espace Michelin dédié à l'art contemporain avait beaucoup de mal à passer auprès des instances dirigeantes, alors qu'il se traduirait, elle en était certaine, par une importante montée en gamme de l'image de la compagnie en Russie et en Chine.

« Je vous ennuie ? s'interrompit-elle soudain. Je suis désolée, je ne parle que de business, alors que vous êtes un artiste...

— Pas du tout, répondit Jed avec sincérité. Pas du tout, je suis fasciné. Regardez, je n'ai même pas touché à mon foie gras... »

Il était en effet fasciné, mais plutôt par ses yeux, par le mouvement de ses lèvres quand elle parlait – elle avait un rouge à lèvres rose clair, légèrement nacré, qui allait très bien avec ses yeux.

Ils se regardèrent alors, sans parler, pendant quelques secondes, et Jed n'eut plus de doute : le regard qu'elle plongeait dans le sien était bel et bien un regard de *désir*. Et, à son expression, elle sut aussitôt qu'il savait.

« Bref..., reprit Olga, un peu embarrassée, bref pour moi c'est inespéré d'avoir un artiste qui prend pour sujet de ses œuvres les cartes Michelin.

— Mais, vous savez, je les trouve vraiment belles, ces cartes.

— Ça se voit. Ça se voit dans vos photos. »

Il n'était que trop facile alors de l'inviter chez lui pour lui montrer d'autres clichés. Au moment où le taxi s'engageait dans l'avenue des Gobelins, il fut quand même envahi par une gêne.

« J'ai peur que l'appartement ne soit un peu en désordre... » dit-il.

Évidemment elle répondit que ce n'était pas grave, mais en montant l'escalier son malaise s'accrut, et en ouvrant la porte il lui jeta un bref regard : elle avait quand même un peu tiqué. *En désordre* était vraiment un euphémisme. Autour de la table à tréteaux sur laquelle il avait installé sa chambre Linhof, l'ensemble du sol était recouvert de tirages, parfois sur plusieurs couches, il y en avait probablement des milliers. Il n'y avait qu'un étroit passage aménagé entre la table à tréteaux et le matelas, posé à même le sol. Et non seulement l'appartement était en désordre mais il était *sale*, les draps étaient presque bruns, et maculés de taches organiques.

« Oui, c'est un appartement de garçon... » dit Olga avec légèreté, puis elle s'avança dans la pièce et s'accroupit pour examiner un tirage, sa mini-jupe remonta largement sur ses cuisses, ses jambes étaient incroyablement longues et fines, comment pouvait-on avoir des jambes aussi longues et fines ? Jed n'avait jamais eu une érection pareille, ça faisait franchement mal, il tremblait sur place et avait l'impression qu'il allait bientôt s'évanouir.

« Je... » émit-il d'une voix croassante, méconnaissable. Olga se retourna et s'aperçut que c'était sérieux, elle reconnut immédiatement ce regard aveuglé, panique de l'homme qui n'en peut plus de désir, elle vint vers lui en quelques pas, l'enveloppa de son corps voluptueux et l'embrassa à pleine bouche.

IV

Il valait mieux, quand même, aller chez elle.
Évidemment, c'était tout à fait autre chose : un
deux-pièces ravissant, rue Guynemer, qui donnait
sur le jardin du Luxembourg. Olga faisait partie
de ces Russes attachants qui ont appris au cours
de leurs années de formation à admirer une certaine image de la France – galanterie, gastronomie, littérature et ainsi de suite – et se désolent
ensuite régulièrement de ce que le pays réel cor-
responde si mal à leurs attentes. On croit souvent
que les Russes ont accompli la grande révolution
qui leur a permis de se débarrasser du communisme dans l'unique but de consommer des
McDonald's et des films de Tom Cruise ; c'est
assez vrai, mais chez une minorité d'entre eux
existait, aussi, le désir de déguster du *Pouilly-
Fuissé* ou de visiter la *Sainte-Chapelle*. Par son
niveau d'études et sa culture générale, Olga
appartenait à cette élite. Son père, biologiste à
l'université de Moscou, était un spécialiste des
insectes – un lépidoptère sibérien portait même
son nom. Ni lui ni sa famille n'avaient vraiment
profité du grand dépeçage qui avait eu lieu au
moment de la chute de l'Empire ; ils n'avaient pas

non plus sombré dans la misère, l'université où il enseignait avait conservé des crédits décents, et après quelques années incertaines ils s'étaient stabilisés dans un statut raisonnablement *classe moyenne* – mais si Olga pouvait vivre sur un pied élevé à Paris, louer un deux-pièces rue Guynemer et s'habiller de vêtements de marque, elle le devait exclusivement à son salaire chez Michelin.

Après qu'ils furent devenus amants, un rythme s'installa assez vite. Le matin, Jed partait en même temps qu'elle de son appartement. Alors qu'elle montait dans sa Mini Park Lane pour aller à son travail avenue de la Grande-Armée, il prenait le métro pour rejoindre son atelier boulevard de l'Hôpital. Il rentrait le soir, généralement un peu avant elle.

Ils sortaient beaucoup. Arrivée depuis deux ans à Paris, Olga n'avait eu aucun mal à se créer un réseau de relations sociales très dense. Son activité professionnelle la conduisait à fréquenter la presse et les médias – plutôt dans les secteurs, à vrai dire peu *glamour*, de la chronique touristique et gastronomique. Mais, de toute façon, une fille de sa beauté aurait eu ses entrées n'importe où, aurait été admise dans n'importe quel cercle. Il était même surprenant qu'au moment où elle avait rencontré Jed elle n'ait pas eu d'amant attitré ; il était encore plus surprenant qu'elle ait jeté son dévolu sur lui. Certes, il était plutôt *joli garçon*, mais dans un genre petit et mince pas tellement recherché en général par les femmes – l'image de la brute virile qui *assure au pieu* revenait en force depuis quelques années, et c'était à vrai dire bien plus qu'un simple changement de mode, c'était le retour aux *fondamentaux* de la nature, de l'attraction sexuelle dans ce qu'elle a de plus élémentaire et de plus brutal, de même l'ère des mannequins anorexiques était bel et bien terminée, et les femmes exagérément plantureuses n'intéressaient plus que quelques Africains et quelques pervers, dans tous les domaines le troisième millénaire à ses débuts revenait, après diverses oscillations dont l'ampleur n'avait d'ailleurs jamais été bien grande, à l'adoration d'un type simple, éprouvé : beauté exprimée dans la plénitude chez la femme, dans la puissance physique chez l'homme. Une telle situation n'avantageait pas réellement Jed. Sa carrière d'artiste n'avait rien d'impressionnant non plus – il n'était à vrai dire même pas *artiste*, il n'avait jamais exposé, n'avait jamais eu d'article relatant son travail, expliquant son importance au monde, il était à l'époque à peu près inconnu de tous. Oui, le choix d'Olga était étonnant, et Jed s'en serait certainement étonné si sa nature lui avait permis de s'étonner de ce genre de choses, ou même de les remarquer.

En l'espace de quelques semaines, quoi qu'il en soit, il fut invité à plus de vernissages, d'avant-premières et de cocktails littéraires qu'il ne l'avait été durant toutes ses années d'études aux Beaux-Arts. Il assimila rapidement le comportement approprié. Il n'était pas nécessaire d'être obligatoirement brillant, le mieux était même le plus souvent de ne rien dire du tout, mais il était indispensable d'écouter son interlocuteur, de l'écouter avec gravité et empathie, relançant parfois la conversation d'un : « Vraiment ? » destiné à marquer l'intérêt et la surprise, ou d'un : « C'est sûr... » teinté d'une approbation compréhensive.

La petite taille de Jed, en outre, lui facilitait l'adoption d'une posture de soumission en général appréciée par les intervenants culturels – de même à vrai dire que par n'importe qui. C'était en somme un milieu facile d'accès, comme tous les milieux sans doute, et la courtoise neutralité de Jed, son silence sur ses propres œuvres, contribuaient grandement à le servir en donnant l'impression au demeurant justifiée qu'il s'agissait d'un artiste sérieux, d'un artiste *qui travaillait vraiment*. Flottant au milieu des autres dans un désintérêt poli, Jed adoptait un peu, sans le savoir, l'attitude *groove* qui avait fait le succès d'Andy Warhol en son temps, tout en la teintant d'une nuance de sérieux – qui était immédiatement interprété comme un sérieux concerné, un sérieux *citoyen* – devenue indispensable cinquante ans plus tard. Un soir de novembre, à l'occasion d'un prix littéraire quelconque, il fut même présenté à l'illustre Frédéric Beigbeder, alors au faîte de sa gloire médiatique. L'écrivain et publiciste, après avoir prolongé ses bises à Olga (mais d'une manière ostentatoire, si théâtrale qu'elle en devenait innocente par indication trop nette de *l'intention de jeu*) tourna vers Jed un regard intrigué, avant d'être happé par une actrice porno people qui venait de publier un livre d'entretiens avec un religieux tibétain. Hochant la tête régulièrement aux propos de l'ex-hardeuse, Beigbeder jetait des regards en coin à Jed comme pour le sommer de ne pas s'éclipser dans la foule, de plus en plus dense à mesure que disparaissaient les petits fours. Très amaigri, l'auteur d'*Au secours pardon* arborait à l'époque une barbe clairsemée, dans l'évidente intention de ressembler à un héros de roman russe. Enfin, la fille fut entreprise par un grand type un peu flasque et mi-gras, aux cheveux mi-longs, au regard mi-intelligent mi-bête, qui semblait exercer des responsabilités éditoriales chez Grasset, et Beigbeder put se dégager. Olga était à quelques mètres, entourée de son habituel nuage d'adorateurs masculins.

« Alors, c'est vous ? » demanda-t-il finalement à Jed, le regardant droit dans les yeux avec une intensité inquiétante – il ressemblait vraiment, là, à un héros de romans russes, le genre « Razoumikhine, ancien étudiant », c'était à s'y méprendre, l'éclat de son regard devait sans doute davantage à la cocaïne qu'à la ferveur religieuse mais y avait-il une différence ? se demanda Jed. « C'est vous qui l'avez eue ? » questionna de nouveau Beigbeder avec une intensité croissante. Ne sachant que dire, Jed garda le silence.

« Vous savez que vous êtes avec une des cinq plus belles femmes de Paris ? » Son ton était redevenu sérieux, professionnel, il connaissait visiblement les quatre autres. À cela non plus, Jed ne trouva rien à répondre. Que répondre, en général, aux interrogations humaines ?

Beigbeder soupira, parut d'un seul coup très las, et Jed se dit que la conversation allait redevenir facile ; qu'il allait pouvoir, comme d'habitude, écouter et approuver implicitement les conceptions et les anecdotes développées par son interlocuteur ; mais il n'en fut rien. Beigbeder s'intéressait à lui, il voulait en savoir plus sur lui, la chose était déjà en soi extraordinaire, Beigbeder était l'un des people les plus courtisés de Paris et déjà des gens s'étonnaient dans l'assistance, en tiraient probablement des conclusions, tournaient leurs regards vers eux. Jed s'en tira d'abord en disant qu'il faisait de la photographie, mais Beigbeder voulut en savoir plus : *quel genre* de photographie ? La réponse le laissa interdit : il connaissait des photographes de pub, des photographes de mode, et même quelques photographes de guerre (encore qu'il les eût plutôt rencontrés dans l'activité de *paparazzi* qu'ils exerçaient par ailleurs en s'en cachant plus ou moins, puisqu'il était en général considéré comme moins noble *dans la profession* de photographier les seins de Pamela Anderson que les restes éparpillés d'un kamikaze libanais, les objectifs utilisés sont pourtant en général les mêmes, et les réquisitions techniques presque similaires – il est difficile d'éviter que la main ne tremble au moment du déclenchement, et les ouvertures maximales ne s'accommodent que d'une luminosité déjà forte, voilà les problèmes qu'on rencontre avec les téléobjectifs de très fort grossissement), par contre des gens qui photographiaient des cartes routières, non, c'était nouveau pour lui. S'embrouillant un peu, Jed finit par lâcher que oui, dans un sens, on pouvait dire qu'il était *artiste*.

« Ha ha haaaa !... », l'écrivain partit d'un éclat de rire exagéré, faisant se retourner une dizaine de personnes, dont Olga. « Mais oui, bien sûr, il faut être *artiste* ! La littérature, comme plan, c'est complètement râpé ! Pour coucher avec les plus belles femmes, aujourd'hui, il faut être *artiste* ! Moi aussi, je veux devenir *ar-tis-te* ! »

Et de manière surprenante, écartant largement les bras, il entonna, très fort et presque juste, ce couplet du *Blues du businessman* :

J'aurais voulu être un artiiiiste
Pour avoir le monde à refaire
Pour pouvoir être un anarchiiiiste
Et vivre comme un millionnaire !...

Son verre de vodka tremblait entre ses mains. La moitié de la salle était tournée vers eux, maintenant. Il baissa les bras, ajouta d'une voix égarée : « Paroles de Luc Plamondon, musique de Michel Berger » et éclata en sanglots.

« Ça s'est bien passé, avec Frédéric... » lui dit Olga alors qu'ils revenaient à pied, longeant le boulevard Saint-Germain. « Oui... » répondit Jed, perplexe. Parmi ses lectures d'adolescence, dans son collège de jésuites, il y avait eu ces romans réalistes du XIXe siècle français où il arrive que des personnages de jeunes gens ambitieux *réussissent par les femmes* ; mais il était surpris de se retrouver dans une situation similaire, et à vrai dire il avait un peu oublié ces romans réalistes du XIXe siècle français, depuis quelques années il n'arrivait plus à lire que des Agatha Christie, et même plus spécifiquement, dans les romans d'Agatha Christie, ceux mettant en scène Hercule Poirot, ça ne pouvait guère l'aider dans les circonstances présentes.

Enfin il était *lancé*, et c'est presque facilement qu'Olga convainquit son directeur d'organiser la première exposition de Jed, dans un local de la firme avenue de Breteuil. Il visita l'espace, vaste mais assez triste, aux murs et au sol de béton gris ; ce dénuement lui parut plutôt une bonne chose. Il ne suggéra aucune modification, demandant juste l'installation, à l'entrée, d'un grand panneau supplémentaire. Il donna par contre des instructions très précises pour l'éclairage, et passa toutes les semaines pour vérifier qu'elles étaient suivies à la lettre.

La date du vernissage avait été fixée au 28 janvier, assez intelligemment – cela laissait le temps aux critiques de revenir des vacances d'hiver, puis d'organiser leur planning. Le budget alloué au buffet était très convenable. La première vraie surprise de Jed fut l'attachée de presse : fort des idées reçues, il s'était toujours imaginé les attachées de presse comme des *canons*, et fut surpris de se trouver en présence d'une petite chose souffreteuse, maigre et presque bossue, malencontreusement prénommée Marylin, vraisemblablement névrosée de surcroît – tout le temps de leur premier entretien elle tordit ses longs cheveux noirs et plats avec angoisse, composant peu à peu des nœuds indéfaisables avant d'arracher la mèche d'un coup sec. Son nez coulait constamment, et dans son sac à main aux dimensions énormes, plutôt un cabas, elle transportait une quinzaine de boîtes de mouchoirs jetables – à peu près sa consommation quotidienne. Ils se rencontrèrent dans le bureau d'Olga et c'en était gênant, de voir côte à côte cette créature somptueuse, aux formes indéfiniment désirables, et ce pauvre petit bout de femme, au vagin inexploré ; Jed se demanda même un instant si Olga ne l'avait pas choisie pour sa laideur, pour éviter autour de lui toute compétition féminine. Mais non, certainement non, elle était bien trop consciente de sa propre beauté, trop objective aussi pour se sentir en situation de compétition ou de concurrence dès lors qu'elle n'était pas objectivement menacée dans sa suprématie – et ceci ne s'était jamais produit dans sa vie réelle, même s'il avait pu lui arriver d'envier les pommettes de Kate Moss ou le cul de Naomi Campbell, fugitivement, lors d'un défilé de mode rediffusé par M6. Si Olga avait choisi Marylin, c'est parce que celle-ci avait la réputation d'être une excellente attachée de presse, la meilleure sans doute dans le domaine de l'art contemporain – au moins sur le marché français.

« Je suis très heureuse de travailler sur ce projet..., annonça Marylin d'une voix geignarde. Profondément heureuse. »

Olga se tassait sur elle-même pour essayer d'arriver à sa hauteur, se sentait atrocement gênée et finit par leur indiquer une petite salle de réunion à côté de son bureau. « Je vous laisse travailler... » dit-elle avant de disparaître avec soulagement. Marylin sortit un grand agenda de format 21 x 29,7 et deux boîtes de mouchoirs en papier avant de poursuivre :

« Au départ, j'ai fait des études de géographie. Puis j'ai bifurqué vers la géographie humaine. Et maintenant je suis dans l'humain tout court. Enfin, si on peut appeler ça des êtres humains... » tempéra-t-elle.

Elle voulut d'abord savoir s'il avait des « supports fétiches » en matière de presse écrite. Ce n'était pas le cas ; en réalité, Jed ne se souvenait pas d'avoir acheté, de sa vie, un journal ou un magazine. Il aimait la télévision, surtout le matin, on pouvait composer un zapping relaxant en passant des télétoons aux chroniques boursières ; parfois, lorsqu'un sujet l'intéressait particulièrement, il se connectait à Internet ; mais la presse écrite lui paraissait une survivance étrange, probablement condamnée à court terme, et dont l'intérêt en tout cas lui échappait totalement.

« D'accord…, commenta Marylin avec réserve. Donc, je suppose que j'ai plus ou moins carte blanche. »

V

Elle avait carte blanche en effet, et l'utilisa de
son mieux. Lorsqu'ils pénétrèrent dans la salle
de l'avenue de Breteuil le soir du vernissage, Olga
eut un choc. « Il y a du monde... » dit-elle finalement, impressionnée. « Oui, les gens sont
venus » confirma Marylin avec une satisfaction
sourde, qui semblait bizarrement se nuancer
d'une sorte de rancune. Il y avait une centaine
de personnes, mais ce qu'elle voulait dire c'est
qu'il y avait des gens importants, et ça comment
le savoir ? La seule personne que Jed connaissait
de vue était Patrick Forestier, le supérieur hiérarchique immédat d'Olga, et directeur de la communication de Michelin France, un polytechnicien
de modèle courant qui avait passé trois heures à
essayer de s'habiller *artistique*, passant en revue
toute sa garde-robe avant de se rabattre sur un
de ses costumes gris habituels – porté sans cravate.

L'entrée de la salle était barrée par un grand
panneau, laissant sur le côté des passages de deux
mètres, où Jed avait affiché côte à côte une photo
satellite prise aux alentours du ballon de Gueb-
willer et l'agrandissement d'une carte Michelin

« Départements » de la même zone. Le contraste était frappant : alors que la photo satellite ne laissait apparaître qu'une soupe de verts plus ou moins uniformes parsemée de vagues taches bleues, la carte développait un fascinant lacis de départementales, de routes pittoresques, de *points de vue*, de forêts, de lacs et de cols. Au-dessus des deux agrandissements, en capitales noires, figurait le titre de l'exposition : « LA CARTE EST PLUS INTÉRESSANTE QUE LE TERRITOIRE ».

Dans la salle proprement dite, sur de grands portants mobiles, Jed avait accroché une trentaine d'agrandissements photographiques – tous empruntés aux cartes Michelin « Départements », mais choisis dans les zones géographiques les plus variées, de la haute montagne au littoral breton, des zones bocagères de la Manche aux plaines céréalières de l'Eure-et-Loir. Toujours flanquée d'Olga et de Jed, Marylin s'arrêta sur le seuil, considérant la foule de journalistes, de personnalités et de critiques comme un prédateur considère le troupeau d'antilopes qui va boire.

« Pépita Bourguignon est là, dit-elle finalement avec un ricanement sec.

— Bourguignon ? s'enquit Jed.

— La critique d'art du *Monde*. »

Il faillit répéter stupidement : « du monde ? » avant de se souvenir qu'il s'agissait d'un journal du soir, et résolut de se taire, autant que possible, pour le restant de la soirée. Une fois séparé de Marylin, il n'eut aucun mal à déambuler paisiblement entre ses photos, sans que personne reconnaisse en lui *l'artiste*, et sans même chercher à écouter les commentaires. Il lui semblait, par rapport à d'autres vernissages, que le brouhaha était plutôt moins vif ; l'ambiance était concentrée, presque recueillie, beaucoup regardaient les œuvres, c'était probablement bon signe. Patrick Forestier était l'un des seuls à se montrer un convive exubérant : une coupe de champagne à la main, il tournait sur lui-même pour élargir son auditoire en se félicitant bruyamment de la « fin du malentendu entre Michelin et le monde de l'art ».

Trois jours plus tard, Marylin déboula dans la salle de réunion où Jed s'était installé, près du bureau d'Olga, pour attendre les réactions. Elle sortit de son cabas une boîte de mouchoirs en papier et le *Monde* du jour.

« Vous ne l'avez pas lu ? s'exclama-t-elle avec ce qui, chez elle, pouvait passer pour de la surexcitation. Alors, j'ai bien fait de venir. »

Signé de Patrick Kéchichian, l'article – une pleine page, avec une très belle reproduction en couleurs de sa photographie de la carte Dordogne, Lot – était dithyrambique. Dès ses premières lignes, il assimilait le point de vue de la carte – ou de l'image satellite – au point de vue de Dieu. « Avec cette profonde tranquillité des grands révolutionnaires, écrivait-il, l'artiste – un tout jeune homme – s'écarte, dès la pièce inaugurale par laquelle il nous donne à entrer dans son monde, de cette vision naturaliste et néo-païenne par où nos contemporains s'épuisent à retrouver l'image de l'Absent. Non sans une crâne audace, il adopte le point de vue d'un Dieu coparticipant, aux côtés de l'homme, à la (re)construction du monde. » Il parlait ensuite, longuement,

des œuvres, développant une connaissance surprenante de la technique photographique, avant
de conclure : « Entre l'union mystique au monde
et la théologie rationnelle, Jed Martin a choisi.
Le premier peut-être dans l'art occidental depuis
les grands renaissants, il a, aux séductions nocturnes d'une Hildegarde de Bingen, préféré les
constructions difficiles et claires du "bœuf muet",
comme ses condisciples de l'université de Cologne
avaient coutume de surnommer l'Aquinite. Si ce
choix est bien entendu contestable, la hauteur de
vues qu'il implique ne l'est guère. Voici une année
artistique qui s'annonce sous les plus prometteurs
auspices. »

« Ce n'est pas bête, ce qu'il dit... » commenta
Jed.

Elle le regarda avec indignation. « C'est
énorme, cet article ! répondit-elle avec sévérité.
Bon, c'est assez surprenant que ce soit
Kéchichian qui l'ait fait, d'habitude il ne s'occupe
que des livres. Pourtant, Pépita Bourguignon était
là... » Elle eut quelques secondes de perplexité
avant de conclure, définitive : « Enfin, je préfère
une pleine page de Kéchichian à une notule de
Bourguignon.

— Et maintenant, qu'est-ce qui va se passer ?

— Ça va tomber. Les articles vont tomber, de
plus en plus. »

Ils fêtèrent l'événement le soir même *Chez
Anthony et Georges*. « On parle beaucoup de
vous... » lui glissa Georges en aidant Olga à se
débarrasser de son manteau. Les restaurants
aiment les people, c'est avec la plus grande attention qu'ils suivent l'actualité culturelle et mon-

daine, ils savent que la présence de people dans leur établissement peut avoir un réel pouvoir d'attraction sur le segment de population abrutie-riche dont ils recherchent en tout premier lieu la clientèle ; et les people, en général, aiment les res-taurants, c'est une sorte de symbiose qui s'établit, tout naturellement, entre les restaurants et les people. Tout jeune mini-people, Jed adopta sans difficulté cette attitude de détachement modeste qui convenait à son nouveau statut, ce que Georges, expert en people intermédiaires, salua d'un coup d'œil appréciateur. Il n'y avait pas grand monde ce soir-là dans le restaurant, juste un couple coréen qui partit assez vite. Olga opta pour un gaspacho à l'aragula et un homard mi-cuit avec sa purée d'ignames, Jed pour une poêlée de Saint-Jacques *simplement saisies* et un soufflé de turbotin au carvi avec sa neige de passe-crassane. Au dessert Anthony vint les rejoindre, ceint de son tablier de cuisine, brandissant une bouteille de bas armagnac Castarède 1905. « Cadeau de la maison... », dit-il, essoufflé, avant de remplir leurs verres. Selon le Rothenstein et Bowles, ce millésime envoûtait par son ampli-tude, sa noblesse et son panache. Le finale de pruneau et de rancio était l'exemple type d'une eau-de-vie rassise, longue en bouche, avec une der-nière sensation de vieux cuir. Anthony avait un peu forci depuis leur dernière visite, c'était sans doute inévitable, la sécrétion de testostérone diminue avec l'âge, le taux de masse graisseuse augmente, il abordait l'âge critique.

Olga huma longuement, avec délices, le fumet de l'alcool, avant de tremper ses lèvres dans le breuvage, elle s'adaptait merveilleusement bien à la France, c'en était difficile de croire qu'elle avait vécu son enfance dans une HLM de la banlieue de Moscou.

« Comment se fait-il que les nouveaux cuisiniers, demanda-t-elle après une première gorgée, je veux dire les cuisiniers dont on parle, soient presque tous homosexuels ?

— Haaa !... » Anthony s'étira voluptueusement sur son siège, promenant sur la salle de son restaurant un regard ravi. « Alors là ma chérie c'est *le* grand secret, parce que les homosexuels ont toujours *a-do-ré* la cuisine, depuis l'origine, mais *personne* ne le disait, absolument *per-sonne*. Ce qui a beaucoup joué, je crois, c'est les trois étoiles de Frank Pichon. Qu'un cuisinier transsexuel puisse décrocher trois étoiles au Michelin, ça, c'était vraiment un signal fort !... » Il but une gorgée, sembla se replonger dans le passé. « Et puis, évidemment ! reprit-il avec une animation extraordinaire, évidemment ce qui a tout déclenché, la bombe atomique, ça a été l'outing de Jean-Pierre Pernaut !

— Oui, c'est sûr que l'outing de Jean-Pierre Pernaut, ça a été monstrueux..., convint Georges de mauvaise grâce. Mais tu sais, Tony..., poursuivit-il avec des tonalités sifflantes et querelleuses, au fond ce n'est pas la société qui refusait d'accepter les cuisiniers homosexuels, c'est les homosexuels qui refusaient de s'accepter en tant que cuisiniers. Regarde, nous, on n'a pas eu un article dans *Têtu*, rien, c'est *Le Parisien* qui a parlé du restaurant en premier. Dans le milieu gay traditionnel, ils trouvaient ça pas assez glamour de se lancer dans la cuisine. Pour eux c'était *popote*, c'était *popote*, exactement ! » Jed eut soudain l'intuition que la rancune évidente de Georges s'adressait, aussi, aux bourrelets naissants d'Anthony, qu'il commençait lui-même à regretter un obscur passé *cuir et chaînes*, préculinaire, enfin qu'il valait mieux changer de sujet. Il reprit alors habilement sur l'outing de Jean-Pierre Pernaut, sujet évident, énorme, lui-même en tant que téléspectateur avait été bouleversé, son : « Oui, c'est vrai, j'aime David » en direct devant les caméras de France 2 resterait à ses yeux un des moments incontournables de la télévision des années 2010, un consensus s'établit rapidement à ce sujet, Anthony resservit une tournée de bas armagnac. « Moi je me définis, avant tout, comme téléspectateur ! » lança Jed dans un élan fusionnel qui lui valut un regard surpris d'Olga.

VI

Un mois plus tard Marylin entra dans le bureau, son cabas encore plus chargé que d'habitude. Après s'être mouchée à trois reprises, elle posa devant Jed un dossier volumineux, retenu par des élastiques.

« C'est la presse... » précisa-t-elle, comme il ne réagissait pas.

Il considéra la chemise cartonnée d'un œil vide, sans l'ouvrir. « C'est comment ? demanda-t-il.

— Excellent. On a tout le monde. » Ça n'avait pas l'air de la réjouir plus que ça. Sous ses allures enchifrenées, cette petite femme était une guerrière, une spécialiste des *opérations commando* : ce qui la faisait vibrer c'était de déclencher le mouvement, de remporter son premier gros article ; ensuite, quand les choses se mettaient à tourner d'elles-mêmes, elle retombait dans son apathie nauséeuse. Elle parlait de plus en plus bas, et Jed l'entendit à peine ajouter : « Il y a juste Pépita Bourguignon qui n'a rien fait. »

« Bon..., conclut-elle tristement, c'était bien de travailler avec vous.

86

— On ne se reverra plus ?

— Si vous avez besoin de moi, si, bien sûr. Vous avez mon portable. »

Et elle prit congé, repartant vers un destin incertain – on avait l'impression, en fait, qu'elle allait se recoucher immédiatement et se préparer une tisane. En passant la porte, elle se retourna une dernière fois et ajouta d'une voix éteinte : « Je crois que c'était un des plus gros succès de ma vie. »

La critique était en effet, Jed s'en rendit compte en parcourant le dossier, exceptionnellement unanime dans la louange. Il arrive dans les sociétés contemporaines, malgré l'acharnement que mettent les journalistes à traquer et à repérer les modes en formation, voire si possible à les créer, que certaines d'entre elles se développent de manière anarchique, sauvage, et prospèrent avant d'avoir été nommées – cela arrive même en réalité de plus en plus souvent, depuis la diffusion massive d'Internet et l'effondrement concomitant des médias écrits. Le succès croissant, sur l'ensemble du territoire français, des cours de cuisine ; l'apparition récente de compétitions locales destinées à récompenser de nouvelles créations charcutières ou fromagères ; le développement massif, inexorable de la randonnée, et jusqu'à l'outing de Jean-Pierre Pernaut, tout concourait à ce fait sociologique nouveau : pour la première fois en réalité en France depuis Jean-Jacques Rousseau, la campagne était redevenue *tendance*. Ce fait, la société française sembla en prendre conscience brutalement, par l'intermédiaire de ses principaux quotidiens et magazines, dans les quelques semaines qui suivirent le vernissage de l'exposition de Jed. Et la carte Michelin, objet utilitaire, inaperçu par excellence, devint en l'espace de ces mêmes semaines le véhicule privilégié d'initiation à ce que *Libération* devait sans honte appeler la « magie du terroir ».

Le bureau de Patrick Forestier, dont les fenêtres permettaient d'apercevoir l'Arc de Triomphe, était ingénieusement modulaire : en déplaçant quelques éléments on pouvait y organiser une conférence, une projection, un brunch, le tout dans un espace finalement restreint de soixante-dix mètres carrés ; un four micro-ondes permettait de réchauffer des plats ; on pouvait également y dormir. Pour recevoir Jed, Forestier avait choisi l'option « petit-déjeuner de travail » ; des jus de fruits, des viennoiseries, du café attendaient sur une table basse.

Il ouvrit largement les bras pour l'accueillir ; c'est peu de dire qu'il rayonnait. « J'avais confiance... J'ai toujours eu confiance ! s'exclama-t-il, ce qui, selon Olga, qui avait briefé Jed avant le rendez-vous, était au minimum exagéré. Maintenant... il va falloir transformer l'essai ! (il agita ses bras en de rapides mouvements horizontaux qui étaient, Jed le comprit aussitôt, une imitation de passes de rugby). Asseyez-vous... » Ils prirent place sur les canapés qui entouraient la table basse ; Jed se servit un café. « *We are a team*, ajouta Forestier sans réelle nécessité.

« Nos ventes de cartes ont progressé de 17 % au cours du mois dernier, reprit-il. Nous pourrions, d'autres le feraient, donner un coup de pouce sur les prix ; nous ne le ferons pas. »

Il lui laissa le temps de mesurer la hauteur de vues qui présidait à cette décision commerciale avant d'ajouter :

« Ce qui est plus inattendu, c'est qu'il y a même des acheteurs pour les anciennes cartes Michelin, nous avons observé des enchères sur Internet. Et jusqu'il y a quelques semaines, ces anciennes cartes, nous nous contentions de les pilonner... ajouta-t-il, funèbre. Nous avons laissé dilapider un patrimoine dont personne dans la maison ne soupçonnait la valeur... jusqu'à vos magnifiques photos. » Il sembla sombrer dans une méditation accablée sur cet argent si sottement évaporé, peut-être plus généralement sur la destruction de valeur, mais il se reprit. « En ce qui concerne vos... (il chercha le mot approprié), en ce qui concerne vos *œuvres*, il faut frapper très fort ! » Il se redressa d'un coup sur son canapé, fugitivement Jed eut l'impression qu'il allait sauter à pieds joints sur la table basse et se frapper la poitrine des poings dans une imitation de Tarzan ; il cligna des yeux pour chasser la vision.

« J'ai eu une longue conversation avec Mlle Sheremoyova, avec qui, je crois... (il chercha à nouveau ses mots, c'est l'inconvénient avec les polytechniciens, ils reviennent un peu moins cher que les énarques à l'embauche, mais ils mettent davantage de temps à trouver leurs mots ; finalement, il s'aperçut qu'il était hors sujet). Bref, nous avons conclu qu'une commercialisation directe par nos réseaux était impensable. Il est hors de question pour nous de paraître aliéner votre indépendance artistique. Je crois, poursuivit-il, incertain, qu'habituellement le commerce d'œuvres d'art se fait par l'intermédiaire de *galeries*…

— Je n'ai pas de galeriste.

— C'est ce que j'avais cru comprendre. Aussi, j'ai pensé à la configuration suivante. Nous pourrions prendre en charge la conception d'un site Internet où vous présenteriez vos travaux, et les mettriez directement en vente. Naturellement le site serait à votre nom, Michelin n'y serait nulle part mentionné. Je crois qu'il est mieux que vous surveilliez vous-même la réalisation des tirages. Par contre, nous pouvons parfaitement nous charger de la logistique et de l'expédition.

— Je suis d'accord.

— C'est parfait, c'est parfait. Cette fois, je crois que nous sommes authentiquement dans le winwin ! s'enthousiasma-t-il. J'ai formalisé tout cela dans un projet de contrat, que je vous laisse bien entendu étudier. »

Jed sortit dans un long couloir très clair, au loin une baie vitrée donnait sur les arches de la Défense, le ciel était d'un bleu hivernal splendide, qui en paraissait presque artificiel ; un bleu de phtalocyanine, songea fugitivement Jed. Il marchait lentement, avec hésitation, comme s'il avançait dans une matière cotonneuse ; il savait qu'il venait d'aborder un nouveau tournant de sa vie. La porte du bureau d'Olga était ouverte ; elle lui sourit.

« Bon. C'est exactement ce que tu m'avais dit » résuma-t-il.

VII

Les études de Jed avaient été purement littéraires et artistiques, et il n'avait jamais eu l'occasion de méditer sur le mystère capitaliste par excellence : celui de la *formation du prix*. Il avait opté pour un papier Hahnemühle Canvas Fine Art, qui offrait une excellente saturation des couleurs et une très bonne tenue dans le temps. Mais avec ce papier le calibrage des couleurs était difficile à réaliser et très instable, le driver Epson n'était pas au point, il décida de se limiter à vingt agrandissements par photo. Un tirage lui revenait grosso modo à trente euros, il décida de les proposer à deux cents euros sur le site.

Lorsqu'il mit la première photo en ligne, un agrandissement de la région d'Hazebrouck, la série fut épuisée en un peu moins de trois heures. À l'évidence, le prix n'était pas adapté. En tâtonnant un peu, au bout de quelques semaines, il se stabilisa autour de deux mille euros pour un format 40 × 60. Voilà, ça y était, maintenant : il connaissait son *prix sur le marché*.

Le printemps s'installait sur la région parisienne, et il se dirigeait sans l'avoir autrement prémédité vers une confortable aisance. Au mois d'avril, ils constatèrent avec surprise que son revenu mensuel venait de dépasser celui d'Olga. Cette année-là, les ponts du mois de mai étaient exceptionnels : le 1er mai tombait un jeudi, le 8 également – ensuite il y avait comme d'habitude l'Ascension, et tout se terminait par le long week-end de la Pentecôte. Le nouveau catalogue *French Touch* venait de sortir. Olga avait supervisé sa rédaction, corrigeant parfois les textes proposés par les hôteliers, choisissant, surtout, les photos, en faisant refaire si celles proposées par l'établissement ne lui paraissaient pas suffisamment séduisantes.

Le soir tombait sur le jardin du Luxembourg, ils s'étaient installés sur le balcon et la température était douce ; les derniers cris d'enfants s'éteignaient dans le lointain, on allait bientôt fermer les grilles pour la nuit. De la France Olga ne connaissait au fond que Paris, se dit Jed en feuilletant le guide *French Touch* ; et lui-même, à vrai dire, guère davantage. À travers l'ouvrage la France apparaissait comme un pays enchanté, une mosaïque de terroirs superbes constellés de châteaux et de *manoirs*, d'une stupéfiante diversité mais où, partout, il faisait *bon vivre*.

« Tu aurais envie de partir en week-end ? proposa-t-il en reposant le volume. Dans un des hôtels décrits dans ton guide...

— Oui, c'est une bonne idée. » Elle réfléchit quelques secondes. « Mais alors, incognito. Sans dire que je travaille chez Michelin. »

Même dans ces conditions, se dit Jed, ils pouvaient s'attendre de la part des hôteliers à un accueil privilégié : jeune couple urbain riche sans enfants, esthétiquement très décoratif, encore dans la première phase de leur amour – et de ce fait prompts à s'émerveiller de tout, dans l'espoir de se constituer une réserve de *beaux souvenirs* qui leur serviraient au moment d'aborder les années difficiles, qui leur permettraient peut-être même de surmonter une *crise dans leur couple* – ils représentaient, pour tout professionnel de l'hôtellerie-restauration, l'archétype des clients idéaux.

« Où est-ce que tu voudrais aller en premier ? »

En y réfléchissant, Jed s'aperçut que la question était loin d'être simple. Beaucoup de régions, pour ce qu'il en savait, présentaient un intérêt réel. C'était peut-être vrai, se dit-il, que la France était un pays merveilleux – au moins du point de vue d'un touriste.

« On va commencer par le Massif central, trancha-t-il finalement. Pour toi, c'est parfait. Ce n'est peut-être pas ce qu'il y a de mieux, mais je crois que c'est très français ; enfin, que ça ne ressemble à rien d'autre que la France. »

Olga feuilletait le guide à son tour ; elle lui désigna un hôtel. Jed fronça les sourcils. « Les volets sont mal choisis... Sur de la pierre grise j'aurais mis des volets marron ou rouges, à la rigueur verts, mais sûrement pas bleus. » Il se plongea dans le texte de présentation ; sa perplexité s'accentua. « C'est quoi, ce galimatias ? "Au cœur d'un Cantal mâtiné de Midi où tradition rime avec décontraction et liberté avec respect... " Liberté et respect, ça rime même pas ! »

Olga lui prit le volume des mains, se plongea dans sa lecture. « Ah oui, j'ai compris !... "Martine et

Omar vous font découvrir l'authenticité des mets et vins", elle a épousé un Arabe, c'est pour ça le respect.

— Ça peut être pas mal, surtout s'il est marocain. C'est vachement bon, la cuisine marocaine. Ils font peut-être de la fusion food franco-marocaine, pastilla au foie gras, le genre.

— Oui, fit Olga, peu convaincue. Mais moi je suis une touriste, je veux du franco-français. Un truc franco-marocain ou franco-vietnamien, ça peut marcher pour un restaurant branché du canal Saint-Martin ; sûrement pas pour un hôtel de charme dans le Cantal. Je vais peut-être le virer du guide, cet hôtel... »

Elle n'en fit rien, mais cette conversation lui donna à penser, et quelques jours plus tard elle proposa à sa hiérarchie de mettre en place une enquête statistique sur les plats effectivement consommés dans les hôtels de la chaîne. Les résultats ne furent connus que six mois plus tard, mais devaient largement valider sa première intuition. La cuisine créative, ainsi que la cuisine asiatique, étaient unanimement rejetées. La cuisine d'Afrique du Nord n'était appréciée que dans le Grand Sud et la Corse. Quelle que soit la région, les restaurants se prévalant d'une image « traditionnelle » ou « à l'ancienne » enregistraient des additions supérieures de 63 % à l'addition médiane. Les cochonnailles et les fromages représentaient des valeurs sûres, mais surtout les plats s'articulant autour d'animaux bizarres, à connotation non seulement française mais régionale, tels que la palombe, l'escargot ou la lamproie, atteignaient des scores exceptionnels. Le directeur du segment *food luxe et intermédiaire*, qui rédigea la note de synthèse accompagnant le rapport, concluait sans ambages :

« *Nous avons probablement eu tort de nous concentrer sur les goûts d'une clientèle anglo-saxonne à la recherche d'une expérience gastronomique* light, *associant saveurs et sécurité sanitaire, soucieuse de la pasteurisation et du respect de la chaîne du froid. Cette clientèle, en réalité, n'existe pas : les touristes américains n'ont jamais été nombreux en France, et les Anglais sont en diminution constante ; le monde anglo-saxon pris dans son ensemble ne représente plus que 4,3 % de notre chiffre d'affaires. Nos nouveaux clients, nos clients réels, issus de pays plus jeunes et plus rudes, aux normes sanitaires récentes et de toute façon peu appliquées, sont au contraire à la recherche, lors de leur séjour en France, d'une expérience gastronomique* vintage, *voire* hardcore *; seuls les restaurants en mesure de s'adapter à cette nouvelle donne devraient mériter, à l'avenir, de figurer dans notre guide.* »

VIII

Ils vécurent plusieurs semaines de bonheur (ce n'était pas, ce ne pouvait plus être le bonheur exacerbé, fébrile des *jeunes*, il n'était plus question pour eux au cours d'un week-end de *s'exploser la tête* ni de *se déchirer grave* ; c'était déjà – mais ils étaient encore en âge de s'en amuser – la préparation à ce bonheur épicurien, paisible, raffiné sans snobisme, que la société occidentale propose aux représentants de ses classes moyennes-élevées en milieu de vie). Ils s'habituèrent à ce ton théâtral que prennent les serveurs des établissements primo-étoilés pour annoncer la composition des amuse-bouche et autres « mises en appétit » ; à cette manière aussi, élastique et déclamatoire, dont ils s'exclamaient : « Excellente continuation, messieurs dames ! » à chaque changement de plat, et qui rappelait à chaque fois à Jed ce « Bonne célébration ! » que leur avait lancé un jeune prêtre, grassouillet et probablement socialiste, alors qu'ils entraient sous le coup d'une impulsion irraisonnée, Geneviève et lui, dans l'église Notre-Dame-des-Champs, au moment de la messe du dimanche matin, juste après avoir fait l'amour dans le studio qu'elle occupait alors

96

boulevard du Montparnasse. Plusieurs fois par la suite il avait repensé à ce prêtre, physiquement il ressemblait un peu à François Hollande, mais contrairement au leader politique il s'était *fait eunuque pour Dieu*. Bien des années plus tard, après qu'il se fut lancé dans la « série des métiers simples », Jed avait envisagé à plusieurs reprises de se lancer dans le portrait de l'un de ces hommes qui, chastes et dévoués, de moins en moins nombreux, sillonnaient les métropoles pour y apporter le réconfort de leur foi. Mais il avait échoué, il n'avait même pas réussi à appréhender le sujet. Héritiers d'une tradition spirituelle millénaire que plus personne ne comprenait vraiment, autrefois placés au premier rang de la société, les prêtres étaient aujourd'hui réduits, à l'issue d'études effroyablement longues et difficiles qui impliquaient la maîtrise du latin, du droit canon, de la théologie rationnelle et d'autres matières presque incompréhensibles, à subsister dans des conditions matérielles misérables, ils prenaient le métro au milieu des autres hommes, allant d'un groupe de partage de l'Évangile à un atelier d'alphabétisation, disant la messe chaque matin pour une assistance clairsemée et vieillissante, toute joie sensuelle leur était interdite, et jusqu'aux plaisirs élémentaires de la vie de famille, obligés cependant par leur fonction de manifester jour après jour un optimisme indéfectible. Presque tous les tableaux de Jed Martin, devaient noter les historiens d'art, représentent des hommes ou des femmes exerçant leur profession dans un esprit de *bonne volonté*, mais ce qui s'y exprimait était une bonne volonté raisonnable, où la soumission aux impératifs professionnels vous garantissait en retour, dans des proportions variables, un mélange de satisfactions financières et de gratifications d'amour-propre. Humbles et désargentés, méprisés de tous, soumis à tous les tracas de la vie urbaine sans avoir accès à aucun de ses plaisirs, les jeunes prêtres urbains constituaient, pour qui ne partageait pas leur croyance, un sujet déroutant et inaccessible.

Le guide *French Touch*, à l'opposé, proposait une gamme de plaisirs limités mais attestables. On pouvait partager la satisfaction du propriétaire de *La Marmotte Rieuse* lorsqu'il concluait sa note de présentation par cette phrase sereine et assurée : « Chambres spacieuses avec terrasse (baignoires à jacuzzi), menus séduction, dix confitures maison au petit déjeuner : nous sommes bel et bien dans un hôtel de charme. » On pouvait se laisser entraîner par la prose poétique du gérant du *Carpe Diem* lorsqu'il présentait le séjour dans son établissement en ces termes : « Un sourire vous entraînera du jardin (espèces méditerranéennes) à votre suite, un lieu qui bousculera tous vos sens. Il vous suffira alors de fermer les yeux pour garder en mémoire les senteurs de paradis, les jets d'eau bruissant dans le hammam de marbre blanc pour ne laisser filtrer qu'une évidence : "Ici, la vie est belle." » Dans le cadre grandiose du château de Bourbon-Busset, dont les descendants perpétuaient avec élégance l'art du bien-recevoir, on pouvait contempler des souvenirs émouvants (émouvants pour la famille de Bourbon-Busset, probablement) remontant aux croisades ; certaines chambres étaient équipées de matelas à eau. Cette juxtaposition d'éléments *vieille France* ou *terroir* et d'équipements hédonistes contemporains produisait parfois un effet étrange, presque celui d'une faute de goût ; mais c'était peut-être ce mélange improbable, se dit Jed, que recherchait la clientèle de la chaîne, ou du moins son *cœur de cible*. Les promesses factuelles des notes de présentation étaient, quoi qu'il en soit, tenues. Le parc du *Château des Gorges du Haut-Cézallier* était censé abriter des biches, des chevreuils et un petit âne ; il y avait, effectivement, un petit âne. En flânant dans les jardins de *L'Auberge Verticale*, on était supposé apercevoir Miguel Santamayor, *cuisinier d'intuition* qui opérait une « synthèse hors normes de la tradition et du futurisme » ; on voyait en effet un type à la vague apparence de gourou s'agiter dans les cuisines, avant qu'à l'issue de sa « symphonie des légumes et des saisons » il ne vienne lui-même vous proposer un de ses *havanes de passion*.

Ils passèrent leur dernier week-end, celui de la Pentecôte, dans le château du Vault-de-Lugny, une *demeure d'exception* dont les chambres fastueuses s'ouvraient sur un parc de quarante hectares dont le plan original était attribué à Le Nôtre. La cuisine, selon le guide, « sublimait un terroir d'une richesse infinie » ; on était là en présence d'« un des plus beaux concentrés de la France ». C'est là, le lundi de Pentecôte, au petit déjeuner, qu'Olga annonça à Jed qu'elle retournait en Russie à la fin du mois. Elle dégustait à cet instant une confiture de fraises des bois, et des oiseaux indifférents à tout drame humain gazouillaient dans le parc originellement dessiné par Le Nôtre. Une famille de Chinois, à quelques mètres d'eux, se goinfrait de gaufres et de saucisses. Les saucisses au petit déjeuner avaient été originellement introduites au château du Vault-de-Lugny pour complaire aux désirs d'une clientèle anglo-saxonne traditionaliste, attachée à un breakfast protéique et gras ; elles avaient été mises en débat, au cours d'une brève mais décisive réunion d'entreprise ; les goûts encore incertains, maladroitement formulés, mais se portant apparemment vers les saucisses, de cette nouvelle clientèle chinoise, avaient conduit à conserver cette ligne d'approvisionnement. D'autres hôtels de charme bourguignons, ces mêmes années, parvenaient à une conclusion identique, et c'est ainsi que les *Saucisses et Salaisons Martenot*, installées dans la région depuis 1927, échappèrent au dépôt de bilan, et à la séquence « Social » du journal de FR3.

Olga cependant, une fille de toute façon *pas très protéines*, préférait la confiture de fraises des bois, et elle commençait à se sentir vraiment nerveuse parce qu'elle comprenait que sa vie allait se jouer là, en quelques minutes, et les hommes étaient si difficiles à cerner de nos jours, pas tellement au début les minijupes ça marchait toujours, mais ensuite ils devenaient de plus en plus bizarres. Michelin ambitionnait fortement de renforcer sa présence en Russie, ce pays était un de ses axes de développement prioritaires et son salaire allait être carrément multiplié par trois, elle aurait sous ses ordres une cinquantaine de personnes, c'était une mutation qu'elle ne pouvait en aucun cas refuser, aux yeux de la direction générale un refus aurait été non seulement incompréhensible mais même criminel, un cadre d'un certain niveau n'a pas seulement des obligations par rapport à l'entreprise mais aussi par rapport à lui-même, il se doit de soigner et de chérir sa carrière comme le Christ le fait pour l'Église, ou l'épouse pour son époux, il se doit tout du moins de prêter aux appels de sa carrière ce minimum d'attention sans lequel il montre à ses supérieurs consternés qu'il ne sera jamais digne de s'élever au-dessus d'une position subalterne.

Jed conservait un silence buté en tournant sa cuillère dans son œuf coque, jetait à Olga des regards par en dessous, comme un enfant puni.

« Tu peux venir en Russie..., dit-elle. Tu peux venir quand tu veux. »

Elle était jeune, ou plus exactement elle était *encore jeune*, elle s'imaginait encore que la vie offre des possibilités variées, qu'une relation humaine peut connaître au cours du temps des évolutions successives, contradictoires.

Un souffle de vent agitait les rideaux des portes-fenêtres donnant sur le parc. Le gazouillement des oiseaux s'amplifia brusquement, puis se tut. La tablée de Chinois avait disparu sans crier gare, ils s'étaient dématérialisés en quelque sorte. Jed se taisait toujours, puis il reposa sa cuillère.

« Tu mets du temps à répondre..., dit-elle. Petit Français..., ajouta-t-elle avec un reproche plein de douceur. Petit Français indécis... »

IX

Le dimanche 28 juin, en milieu d'après-midi, Jed accompagna Olga à l'aéroport de Roissy. C'était triste, quelque chose en lui comprenait qu'ils étaient en train de vivre un moment d'une tristesse mortelle. Le temps, beau et calme, ne favorisait pas l'apparition des sentiments appropriés. Il aurait pu interrompre le processus de déliaison, se jeter à ses pieds, la supplier de ne pas prendre cet avion ; il aurait probablement été écouté. Mais que faire ensuite ? Chercher un nouvel appartement (le bail de la rue Guynemer s'achevait à la fin du mois) ? Annuler le déménagement prévu pour le lendemain ? C'était possible, les difficultés techniques n'étaient pas énormes.

Jed n'était pas jeune, il ne l'avait à proprement parler jamais été ; mais il était un être humain relativement inexpérimenté. En matière d'êtres humains il ne connaissait que son père, et encore pas beaucoup. Cette fréquentation ne pouvait pas l'inciter à un grand optimisme, en matière de relations humaines. Pour ce qu'il avait pu en observer l'existence des hommes s'organisait autour du *travail*, qui occupait la plus grande partie de la vie, et s'accomplissait dans des organisations de dimension variable. À l'issue des années de travail s'ouvrait une période plus brève, marquée par le développement de différentes pathologies. Certains êtres humains, pendant la période la plus active de leur vie, tentaient en outre de s'associer dans des micro-regroupements, qualifiés de *familles*, ayant pour but la reproduction de l'espèce ; mais ces tentatives, le plus souvent, tournaient court, pour des raisons liées à la « nature des temps », se disait-il vaguement en partageant un expresso avec son amante (ils étaient seuls au comptoir du bar *Segafredo*, et plus généralement l'animation dans l'aéroport était faible, le brouhaha des inévitables conversations ouaté par un silence qui semblait consubstantiel à l'endroit, comme dans certaines cliniques privées). Ce n'était qu'une illusion, le dispositif général de transport des êtres humains, qui jouait un rôle si important aujourd'hui dans l'accomplissement des destinées individuelles, marquait simplement une légère pause avant d'entamer une séquence de fonctionnement à capacité maximale, lors de la période des premiers grands départs. Il était cependant tentant d'y voir un hommage, un hommage discret de la machinerie sociale à leur amour si vite interrompu.

Jed n'eut aucune réaction quand Olga, après un dernier baiser, se dirigea vers la zone de contrôle des passeports, et ce n'est qu'en rentrant chez lui, boulevard de l'Hôpital, qu'il comprit qu'il venait, presque à son insu, de franchir une nouvelle étape dans le déroulement de sa vie. Il le comprit à ceci que tout ce qui constituait, il y a quelques jours, son monde, lui apparaissait d'un seul coup complètement vide. Cartes routières et tirages photographiques s'étalaient par centaines sur le plancher, et tout cela n'avait plus aucun sens. Avec résignation il ressortit, acheta deux rouleaux de sacs-poubelle « gravats » à l'hypermarché Casino du boulevard Vincent-Auriol, puis rentra chez lui et commença à les remplir. C'est lourd le papier, songea-t-il, il allait lui falloir plusieurs voyages pour descendre les sacs. C'étaient des mois, des années de travail plutôt qu'il était en train de détruire ; il n'eut pourtant pas une seconde d'hésitation. Bien des années plus tard, lorsqu'il fut devenu célèbre – et même, à vrai dire, extrêmement célèbre –, Jed devait être interrogé à de nombreuses reprises sur ce que signifiait, à ses yeux, le fait d'être un *artiste*. Il ne devait rien trouver de très intéressant ni de très original à dire, à l'exception d'une seule chose, qu'il devait par conséquent répéter presque à chaque inter-view : être artiste, à ses yeux, c'était avant tout être quelqu'un de *soumis*. Soumis à des messages mystérieux, imprévisibles, qu'on devait donc faute de mieux et en l'absence de toute croyance reli-gieuse qualifier d'*intuitions* ; messages qui n'en commandaient pas moins de manière impérieuse, catégorique, sans laisser la moindre possibilité de s'y soustraire – sauf à perdre toute notion d'inté-grité et tout respect de soi-même. Ces messages pouvaient impliquer de détruire une œuvre, voire un ensemble entier d'œuvres, pour s'engager dans une direction radicalement nouvelle, ou même parfois sans direction du tout, sans disposer du moindre projet, de la moindre espérance de continuation. C'est en cela, et en cela seulement, que la condition d'artiste pouvait, quelquefois, être qualifiée de *difficile*. C'est en cela aussi, et en cela seulement, qu'elle se différenciait de ces professions ou *métiers* auxquels il allait rendre hommage dans la seconde partie de sa carrière, celle qui devait lui valoir une renommée mondiale.

Le lendemain il descendit les premiers sacs-poubelle, puis lentement, minutieusement, démonta sa chambre photographique avant de ranger le soufflet, les dépolis, les objectifs, le dos numérique, le corps de l'appareil dans leurs mallettes de transport. Le temps sur la région parisienne restait beau. En milieu d'après-midi il alluma sa télévision pour suivre le prologue du Tour de France, qui fut remporté par un coureur ukrainien à peu près inconnu. Une fois l'appareil éteint, il se dit qu'il devrait probablement téléphoner à Patrick Forestier.

Le directeur de la communication du groupe Michelin France accueillit la nouvelle sans réelle émotion. Si Jed décidait de ne plus réaliser de photos de cartes Michelin, rien ne pouvait l'obliger à continuer ; il pouvait arrêter à tout instant, c'était précisé en toutes lettres dans le contrat. Il donnait en réalité à peu près l'impression de s'en foutre, et Jed fut même surpris qu'il lui propose un rendez-vous pour le lendemain matin.

Peu après son arrivée dans le bureau de l'avenue de la Grande-Armée, il comprit que Forestier souhaitait en réalité s'épancher, exposer ses soucis professionnels à un interlocuteur complaisant. Avec la mutation d'Olga, il venait de perdre une collaboratrice intelligente, dévouée, polyglotte ;

et, chose à peine croyable, on ne lui proposait pour l'instant personne en remplacement. Il s'était « complètement fait enculer » par la direction générale, tels furent ses termes amers. Évidemment elle repartait en Russie, évidemment c'était son pays, évidemment ces putains de Russes achetaient des milliards de pneus, avec leurs putains de routes dégradées et leur putain de climat à la con, il n'empêche que Michelin restait une entreprise française, et que les choses ne se seraient pas passées comme ça, il y a encore quelques années. Les desiderata de la filière française, encore récemment, étaient des ordres, ou du moins étaient pris en compte avec une attention particulière, mais depuis que les investisseurs institutionnels étrangers avaient pris la majorité dans le capital du groupe c'était bien fini, tout cela. Oui, les choses avaient bien changé, répéta-t-il avec une délectation morose, évidemment les intérêts de Michelin France ne pesaient plus grand-chose par rapport à la Russie, sans même parler de la Chine, mais si ça devait continuer comme ça c'était à se demander s'il n'allait pas rentrer chez Bridgestone, ou même chez Goodyear. Enfin je vous dis ça entre nous, ajouta-t-il avec une crainte soudaine.

Jed l'assura de son entière discrétion, essaya de recentrer l'entretien sur son propre cas. « Ah oui, le site Internet... » Forestier semblait s'en souvenir juste à l'instant. « Eh bien, on va rajouter un message indiquant que vous considérez cette série d'œuvres comme terminée. Les tirages précédents resteront en vente, vous n'y voyez pas d'objection ? » Jed n'en voyait aucune. « D'ailleurs il ne reste plus grand-chose, ça s'est très bien vendu..., poursuivit-il d'une voix où renaissait un soupçon d'optimisme. Nous continuerons également à indiquer dans notre communication que les cartes Michelin ont été à la base d'un travail artistique unanimement salué par la critique, ça ne vous dérange pas non plus ? » Ça ne dérangeait nullement Jed.

Forestier était tout ragaillardi lorsqu'il le raccompagna à la porte de son bureau, et c'est en lui serrant chaleureusement la main qu'il conclut : « J'ai été très heureux de vous connaître. C'était win-win entre nous, win-win absolument. »

X

Il ne se passa rien, ou à peu près l'équivalent de rien, pendant plusieurs semaines ; et puis un matin, en revenant de faire ses courses, Jed vit un type d'une cinquantaine d'années, vêtu d'un jean et d'un vieux blouson de cuir, qui attendait devant l'entrée de son immeuble ; il avait l'air d'attendre depuis déjà pas mal de temps.

« Bonjour..., dit-il. Je suis désolé de vous aborder comme ça, mais je n'ai pas trouvé d'autre moyen. Plusieurs fois déjà, je vous ai vu passer dans le quartier. Vous êtes bien Jed Martin ? »

Jed acquiesça. La voix de son interlocuteur était celle d'un homme instruit, habitué à la parole ; il ressemblait à un situationniste belge, ou à un intellectuel prolétarien – avec des chemises Arrow tout de même ; pourtant, à ses mains fortes, usées, on devinait qu'il avait effectivement exercé un métier manuel.

« Je connais bien votre travail sur les cartes routières, je l'ai suivi presque depuis le début. Je suis dans le quartier, moi aussi. » Il lui tendit la main. « Je m'appelle Franz Teller. Je suis galeriste. »

En chemin vers sa galerie rue de Domrémy (il avait acheté un local juste avant que le quartier ne devienne plus ou moins à la mode ; cela avait été, dit-il, une des seules bonnes idées de sa vie), ils s'arrêtèrent pour boire quelque chose *Chez Claude*, rue du Château-des-Rentiers, qui devait plus tard devenir leur café habituel, et fournir à Jed l'occasion de son deuxième tableau de la « série des métiers simples ». L'établissement s'obstinait à servir des ballons de rouge ordinaire et des sandwiches pâté-cornichons aux derniers retraités « couches populaires » du XIIIe arrondissement. Ils mouraient un par un, avec méthode, sans être remplacés par de nouveaux clients.

« J'ai lu dans un article que, depuis la fin de la Seconde Guerre mondiale, 80 % des cafés avaient disparu en France » remarqua Franz en jetant un coup d'œil circulaire sur l'établissement. Non loin d'eux, quatre retraités poussaient silencieusement des cartes sur le Formica d'une table, selon des règles incompréhensibles, semblant appartenir à la préhistoire des jeux de cartes (la belote ? le *piquet* ?). Plus loin, une grosse femme couperosée but d'un trait son pastis. « Les gens se sont mis à déjeuner en une demi-heure, à boire de moins en moins d'alcool aussi ; et puis, le coup de grâce, ça a été l'interdiction de fumer.

— Je pense que ça va revenir, sous des formes différentes. Il y a eu une longue phase historique d'augmentation de la productivité, qui est en train d'arriver à son terme, en Occident tout du moins.

— Vous avez vraiment une manière étrange d'envisager les choses..., dit Franz après l'avoir longuement considéré. Ça m'avait intéressé, votre travail sur les cartes Michelin, vraiment intéressé ; pourtant, je ne vous aurais pas pris dans ma galerie. Vous étiez, je dirais, trop sûr de vous ; ça ne me paraissait pas tout à fait normal pour quelqu'un d'aussi jeune. Et puis, quand j'ai lu sur Internet que vous aviez décidé d'arrêter la série des cartes, je me suis décidé à venir vous voir. Pour vous proposer d'être l'un des artistes que je représente.

— Mais je ne sais pas du tout ce que je vais faire. Je ne sais même pas si je vais continuer dans l'art en général.

— Vous ne comprenez pas…, dit patiemment Franz. Ce n'est pas une forme d'art particulière, une *manière* qui m'intéresse, c'est une personnalité, un regard posé sur le geste artistique, sur sa situation dans la société. Si vous veniez demain avec une simple feuille de papier, arrachée d'un cahier à spirale, sur laquelle vous auriez écrit : *"Je ne sais même pas si je vais continuer dans l'art en général"*, j'exposerais sans hésiter cette feuille. Et, pourtant, je ne suis pas un intellectuel ; mais vous m'intéressez.

« Non non, je ne suis pas un intellectuel, insiste-t-il. J'essaie plus ou moins d'avoir une dégaine d'intellectuel des beaux quartiers, parce que c'est utile dans mon milieu, mais je n'en suis pas un, je n'ai même pas dépassé le bac. J'ai commencé en montant et en démontant des expositions, et puis j'ai acheté ce petit local, et j'ai eu quelques coups de chance avec des artistes. Mais j'ai toujours fait mes choix à l'intuition, uniquement. »

Ils visitèrent ensuite la galerie, plus grande que Jed ne l'aurait cru, haute de plafond, aux parois de béton soutenues par des poutrelles métalliques. « C'était une usine de construction mécanique, lui dit Franz. Ils ont fait faillite vers le milieu des années 1980, puis c'est resté vide assez longtemps, jusqu'à ce que j'achète. Il y a eu un gros travail de nettoyage, mais ça valait le coup. C'est un bel espace, je trouve. »

Jed acquiesça. Les cloisons de séparation amovibles avaient été rangées sur le côté, si bien que le plateau d'exposition avait sa dimension maximale – trente mètres sur vingt. Il était pour l'heure occupé par de grandes sculptures de métal sombre, dont le traitement aurait pu s'inspirer de la statuaire africaine traditionnelle, mais dont les sujets évoquaient nettement l'Afrique contemporaine : tous les personnages agonisaient, ou se massacraient à l'aide de machettes et de Kalachnikov. Ce mélange de violence des actions et de figé dans l'expression des acteurs produisait un effet particulièrement sinistre.

« Pour le stockage, poursuivit Franz, j'ai un hangar dans l'Eure-et-Loir. Les conditions d'hygrométrie ne sont pas terribles, la sécurité inexistante, bref ce sont de très mauvaises conditions de stockage ; enfin, jusqu'à présent, je n'ai pas eu de problème. »

Ils se séparèrent quelques minutes plus tard, laissant Jed extrêmement troublé. Il erra longuement dans Paris avant de rentrer chez lui, se perdant même à deux reprises. Et les semaines suivantes ce fut la même chose, il sortait, marchait sans but défini dans les rues de cette ville qu'il connaissait finalement mal, de temps en temps il faisait halte pour s'orienter dans une brasserie, il devait le plus souvent s'aider d'un plan.

Une après-midi d'octobre, remontant la rue des Martyrs, il fut soudain saisi d'un trouble sentiment de familiarité. Plus loin, il s'en souvenait, il y avait le boulevard de Clichy, avec ses sex-shops et ses boutiques de lingerie érotique. Aussi bien Geneviève qu'Olga avaient aimé, de temps à autre, acheter des tenues érotiques en sa compagnie, mais généralement ils allaient chez Rebecca Ribs, beaucoup plus bas sur le boulevard, non c'était autre chose.

Il s'arrêta au coin de l'avenue Trudaine, tourna son regard sur la droite et il sut. Quelques dizaines de mètres plus loin étaient situés les bureaux où son père avait travaillé dans les dernières années. Il n'y était venu qu'une fois, peu après le décès de sa grand-mère. Le cabinet venait de s'installer dans ses nouveaux locaux. Après le contrat du centre culturel de Port-Ambonne, ils avaient ressenti la nécessité d'une *montée en gamme*, le siège social devait maintenant être situé dans un *hôtel particulier*, de préférence dans une *cour pavée*, à la rigueur dans une *avenue plantée d'arbres*. Et l'avenue Trudaine, large, d'un calme presque provincial avec ses rangées de platanes, convenait parfaitement à un cabinet d'architectes d'un certain renom.

Jean-Pierre Martin était en réunion toute l'après-midi, lui apprit la réceptionniste. « Je suis son fils » insista doucement Jed. Elle hésita, puis décrocha son téléphone.

Son père fit irruption quelques minutes plus tard dans le hall, en bras de chemise, la cravate dénouée, tenant un mince dossier à la main. Il respirait bruyamment, sous le coup d'une émotion violente.

« Qu'est-ce qui se passe ? Il y a un accident ?

— Non, rien. Je passais juste dans le quartier.

— Je suis assez occupé, mais... attends. On va sortir prendre un café. »

La société traversait une période difficile, expliqua-t-il à Jed. Le nouveau siège social coûtait cher, et ils avaient raté un contrat important pour la rénovation d'une station balnéaire sur les bords de la mer Noire, il venait d'avoir une violente engueulade avec un des associés. Il respirait plus régulièrement, se calmait peu à peu.

« Pourquoi tu n'arrêtes pas ? » demanda Jed. Son père le regarda sans réagir, avec une expression d'incompréhension totale.

« Je veux dire que tu as gagné pas mal d'argent. Tu pourrais certainement te retirer, profiter un peu de la vie. » Son père le fixait toujours, comme si les mots n'arrivaient pas à son esprit, ou qu'il ne parvenait pas à leur donner un sens, puis au bout d'au moins une minute il demanda : « Mais qu'est-ce que je ferais ? », et sa voix était celle d'un enfant égaré.

Le printemps à Paris est souvent une simple prolongation de l'hiver – pluvieux, froid, boueux et sale. L'été y est le plus souvent désagréable : la ville est bruyante et poussiéreuse, les fortes chaleurs ne tiennent jamais longtemps, se concluent au bout de deux ou trois jours par un orage, suivi d'un rafraîchissement brutal. Il n'y a qu'à l'automne où Paris soit vraiment une ville agréable, offrant des journées ensoleillées et brèves, où l'air sec et limpide laisse une tonique sensation de fraîcheur. Pendant tout le mois d'octobre Jed continua ses promenades, si l'on peut qualifier de promenade une marche presque automatique où aucune impression extérieure ne parvenait à son cerveau, où aucune méditation ni aucun projet ne venaient, non plus, le remplir, et qui n'avait d'autre but que de l'amener le soir à un état suffisant de fatigue.

Une après-midi du début de novembre, vers dix-sept heures, il se retrouva en face de l'appartement qu'occupait Olga rue Guynemer. Cela devait arriver, se dit-il : piégé par ses automatismes, il avait suivi, à peu près à la même heure, le chemin qu'il avait emprunté tous les jours pendant des mois. Le souffle coupé, il rebroussa chemin vers le jardin du Luxembourg, s'affaissa sur le premier banc venu. Il était juste à côté de ce curieux pavillon en briques rouges, orné de mosaïques, qui occupe un des angles du jardin, au coin de la rue Guynemer et de la rue d'Assas. Au loin, le soleil couchant illuminait les marronniers d'une extraordinaire nuance orangée, chaude – presque un jaune indien, se dit Jed, et involontairement les paroles du *Jardin du Luxembourg* lui revinrent en mémoire :

> Encore un jour
> Sans amour
> Encore un jour
> De ma vie
>
> Le Luxembourg
> A vieilli
> Est-ce que c'est lui ?
> Est-ce que c'est moi ?
> Je ne sais pas.

Comme beaucoup de Russes Olga adorait Joe Dassin, surtout les chansons de son dernier disque, leur mélancolie résignée, lucide. Jed frissonnait, sentait monter une crise irrépressible et lorsque lui revinrent en mémoire les paroles de *Salut les amoureux*, il se mit à pleurer.

On s'est aimés comme on se quitte
Tout simplement, sans penser à demain
À demain qui vient toujours un peu trop vite,
Aux adieux qui quelquefois se passent
                        [un peu trop bien.

Dans le café à l'angle de la rue Vavin il commanda un bourbon, s'aperçut tout de suite de son erreur. Après le réconfort de la brûlure il fut de nouveau submergé par la tristesse, les larmes ruisselèrent sur son visage. Il jeta un regard inquiet autour de lui, mais heureusement personne ne lui prêtait attention, toutes les tables étaient occupées par des étudiants en droit qui parlaient de teufs ou d'« associés juniors », enfin ces choses qui intéressent les étudiants en droit, il pouvait pleurer tout à son aise.

Une fois sorti il se trompa de chemin, erra quelques minutes dans un état de semi-conscience hébétée et se retrouva devant le magasin Sennelier Frères, rue de la Grande-Chaumière. En vitrine étaient exposés des pinceaux, des toiles de format courant, des pastels et des tubes de couleur. Il entra et, sans réfléchir, acheta un coffret « peinture à l'huile » de base. De forme rectangulaire, en hêtre, intérieurement divisé en compartiments, il contenait douze tubes d'huile extra-fine Sennelier, un assortiment de pinceaux et un flacon de diluant.

C'est en ces circonstances que se produisit dans sa vie ce « retour à la peinture » qui devait faire l'objet de tant de commentaires..

XI

Par la suite, Jed ne devait pas rester fidèle à la marque Sennelier, et ses toiles de la maturité sont presque entièrement réalisées à l'aide des huiles Mussini de chez Schmincke. Il y a des exceptions, et certains verts, en particulier les verts cinabre qui donnent une lueur si magique aux forêts de pins californiennes qui descendent vers la mer dans « Bill Gates et Steve Jobs s'entretenant du futur de l'informatique », sont empruntés à la gamme d'huiles Rembrandt de la firme Royal Talens. Et, pour les blancs, il devait presque toujours employer les huiles Old Holland, dont il appréciait l'opacité.

Les premiers tableaux de Jed Martin, ont plus tard souligné les historiens d'art, pourraient facilement conduire à une fausse piste. En consacrant ses deux premières toiles, « Ferdinand Desroches, boucher chevalin », puis « Claude Vorilhon, gérant de bar-tabac », à des professions en perte de vitesse, Martin pourrait donner l'impression d'une nostalgie, pourrait sembler regretter un état antérieur, réel ou fantasmé, de la France. Rien, et c'est la conclusion qui a fini par se dégager de tous les travaux, n'était plus étranger à ses préoccupations réelles ; et si Martin se pencha en premier lieu sur deux professions sinistrées, ce n'était nullement qu'il voulût inciter à se lamenter sur leur disparition probable : c'était simplement qu'elles allaient, en effet, bientôt disparaître, et qu'il importait de fixer leur image sur la toile pendant qu'il en était encore temps. Dès son troisième tableau de la série des métiers, « Maya Dubois, assistante de télémaintenance », il devait se consacrer à une profession nullement sinistrée ni *ringarde*, une profession au contraire emblématique de la politique de *flux tendus* qui avait orienté l'ensemble du redéploiement économique de l'Europe occidentale au tournant du troisième millénaire.

Dans la première monographie qu'il consacre à Martin, Wong Fu Xin développe une curieuse analogie basée sur la colorimétrie. Les couleurs des objets du monde peuvent être représentées au moyen d'un certain nombre de couleurs primaires ; le nombre minimal, pour obtenir une représentation à peu près réaliste, est de trois. Mais on peut parfaitement bâtir une charte colorimétrique sur la base de quatre, cinq, six, voire davantage de couleurs primaires ; le spectre de la représentation n'en deviendra que plus étendu et plus subtil.

De la même manière, affirme l'essayiste chinois, les conditions de production d'une société donnée peuvent être reconstituées au moyen d'un certain nombre de professions types, dont le nombre selon lui (c'est un chiffre qu'il donne sans l'étayer en aucune manière) peut être fixé entre dix et vingt. Dans la part numériquement la plus importante de la série des « métiers », celle que les historiens d'art ont pris pour habitude d'intituler la « série des métiers simples », Jed Martin ne représente pas moins de quarante-deux professions types, offrant ainsi, pour l'étude des conditions productives de la société de son temps, un spectre d'analyse particulièrement étendu et riche. Les vingt-deux tableaux suivants, axés sur des confrontations et des rencontres, classiquement dénommés la « série des compositions d'entreprise », visant, eux, à donner une image, relationnelle et dialectique, du fonctionnement de l'économie dans son ensemble.

La réalisation des tableaux de la « série des métiers simples » prit à Jed Martin un peu plus de sept ans. Durant ces années il ne vit pas grand monde, ne noua aucune nouvelle relation – qu'elle soit sentimentale ou simplement amicale. Il eut des moments de bonheur sensoriel : une orgie de pâtes italiennes, à l'issue d'une razzia à l'hypermarché Casino du boulevard Vincent-Auriol ; telle ou telle soirée avec une escort-girl libanaise dont les prestations sexuelles justifiaient amplement les critiques dithyrambiques qu'elle recevait sur le site *Niamodel.com*. « Layla je t'aime, tu es le soleil de mes jours au bureau, ma petite étoile orientale », écrivaient les malheureux quinquagénaires, et Layla de son côté rêvait à des hommes musclés, virils, pauvres et forts, et ceci est la vie, en gros, telle qu'elle se présente. Facilement identifié comme un type « un peu bizarre mais gentil, pas du tout dangereux », Jed bénéficiait avec Layla de cette espèce d'*exception d'extraterritorialité* qui est depuis toujours accordée aux artistes par les *filles*. C'est peut-être un peu Layla, mais plus sûrement Geneviève, son ancienne amie malgache, qui est évoquée dans une de ses toiles les plus touchantes, « Aimée, escort-girl », traitée dans une palette exceptionnellement chaleureuse à base de terre d'ombre, d'orange indien et de jaune de Naples. Aux antipodes de la représentation à la Toulouse-Lautrec d'une prostituée fardée, chlorotique et malsaine, Jed Martin peint une jeune femme épanouie, à la fois sensuelle et intelligente, dans un appartement moderne inondé de lumière. Dos à la fenêtre ouverte sur un jardin public qu'on a pu identifier comme étant le square des Batignolles, simplement vêtue d'une minijupe moulante blanche, Aimée termine d'enfiler un minuscule top d'un jaune orangé qui ne recouvre que très partiellement sa magnifique poitrine.

Seul tableau érotique de Martin, c'est également le premier où l'on ait pu déceler des résonances ouvertement autobiographiques. Le second, « L'architecte Jean-Pierre Martin quittant la direction de son entreprise », fut peint deux ans plus tard, et marque le début d'une authentique période de frénésie créatrice qui devait durer un an et demi et prendre fin avec « Bill Gates et Steve Jobs s'entretenant du futur de l'informatique », sous-titré *La conversation de Palo Alto*, que beaucoup considèrent comme son chef-d'œuvre. Il est stupéfiant de penser que les vingt-deux tableaux de la « série des compositions d'entreprise », souvent complexes et de format large, furent réalisés en moins de dix-huit mois. Il est surprenant aussi que Jed Martin ait finalement achoppé sur une toile, « Damien Hirst et Jeff Koons se partageant le marché de l'art », qui aurait pu, à bien des égards, constituer le pendant de sa composition Jobs-Gates. Analysant cet échec, Wong Fu Xin y voit la raison de son retour, un an plus tard, à la « série des métiers simples » à travers son soixante-cinquième et dernier tableau. La clarté de la thèse de l'essayiste chinois emporte, ici, la conviction : désireux de donner une vision exhaustive du secteur productif de la société de son temps, Jed Martin devait nécessairement, à un moment ou à un autre de sa carrière, représenter un artiste.

DEUXIÈME PARTIE

I

Jed se réveilla en sursaut vers huit heures, au matin du 25 décembre ; l'aube pointait sur la place des Alpes. Il trouva une serpillière dans la cuisine, nettoya ses vomissures, puis contempla les débris gluants de « Damien Hirst et Jeff Koons se partageant le marché de l'art ». Franz avait raison, il était temps d'organiser une exposition, il tournait en rond depuis quelques mois, ça commençait à déteindre sur son humeur. On peut travailler en solitaire pendant des années, c'est même la seule manière de travailler à vrai dire ; vient toujours un moment où l'on éprouve le besoin de montrer son travail au monde, moins pour recueillir son jugement que pour se rassurer soi-même sur l'existence de ce travail, et même sur son existence propre, au sein d'une espèce sociale l'individualité n'est guère qu'une fiction brève.

Repensant aux exhortations de Franz il rédigea un mail de relance à Houellebecq, puis se prépara un café. Quelques minutes plus tard, il se relut avec écœurement. « En cette période de fêtes, que je suppose vous passez avec votre famille... » Qu'est-ce qui lui prenait d'écrire des conneries pareilles ? De notoriété publique Houellebecq était un solitaire à fortes tendances misanthropiques, c'est à peine s'il adressait la parole à son chien. « Je sais que vous êtes très sollicité, c'est donc en vous priant d'accepter mes excuses que je me permets d'insister à nouveau sur l'importance qu'aurait, à mes yeux comme à ceux de mon galeriste, votre participation au catalogue de ma future exposition. » Oui, ça c'était mieux, une dose de flagornerie ne nuit jamais. « Je vous joins quelques photographies de mes tableaux les plus récents, et me tiens à votre entière disposition pour vous présenter mon travail de manière plus complète, où et quand vous le souhaiterez. Je crois savoir que vous vivez en Irlande ; je peux parfaitement m'y rendre si cela vous est plus commode. » Bon, ça ira comme ça, se dit-il, et il cliqua sur la touche *Envoyer*.

La dalle du centre commercial Olympiades était déserte en ce matin de décembre, et les immeubles, quadrangulaires et élevés, ressemblaient à des glaciers morts. Alors qu'il s'engageait dans l'ombre froide projetée par la tour Omega, Jed repensa à Frédéric Beigbeder. Beigbeder était un familier de Houellebecq, il avait du moins cette réputation ; peut-être pourrait-il intervenir. Mais il n'avait qu'un ancien numéro de portable, et de toute façon Beigbeder ne répondrait sûrement pas, un jour de Noël.

Il répondit, pourtant. « Je suis avec ma fille, dit-il d'un ton courroucé. Mais je la ramène à sa mère tout à l'heure, ajouta-t-il pour atténuer le reproche.

— J'ai un service à vous demander.

— Ha ha ha ! » Beigbeder s'esclaffa avec une gaieté forcée. « Vous savez que vous êtes un type formidable ? Vous ne m'appelez pas pendant dix ans. Et puis vous me téléphonez le jour de Noël, pour me demander un service. Vous êtes un génie, probablement. Il n'y a qu'un génie pour être aussi égocentrique, limite autiste... D'accord, voyons-nous au Flore à sept heures », conclut, de manière inattendue, l'auteur d'*Un roman français*.

Jed arriva avec cinq minutes de retard, aperçut tout de suite l'écrivain à une table du fond. Autour de lui les tables voisines étaient inoccupées, formant une espèce de périmètre de sécurité d'un rayon de deux mètres. Des provinciaux pénétrant dans le café, et même certains touristes, se poussaient du coude en le montrant du doigt avec ravissement. Parfois un familier, pénétrant à l'intérieur du périmètre, l'embrassait avant de s'éclipser. Il y avait certes là un léger manque à gagner pour l'établissement (de même, l'illustre Philippe Sollers avait paraît-il de son vivant une table réservée à la Closerie des Lilas, qui ne pouvait être occupée par personne d'autre, qu'il décide ou non de venir y déjeuner). Cette minime perte de recettes était largement compensée par l'attraction touristique que représentait pour le café la présence régulière, attestable, de l'auteur de *99 francs* – présence pleinement conforme, en outre, à la vocation historique de l'établissement. Par ses positions courageuses en faveur de la légalisation de la drogue et de la création d'un statut des prostitués des deux sexes, par celles plus convenues sur les sans-papiers et les conditions de vie des prisonniers, Frédéric Beigbeder était peu à peu devenu une sorte de Sartre des années 2010, ceci à la surprise générale et un peu à la sienne propre, son passé le prédisposant plutôt à tenir le rôle d'un Jean-Edern Hallier, voire d'un Gonzague Saint-Bris. Compagnon de route exigeant du *Nouveau Parti Anticapitaliste* d'Olivier Besancenot, dont il avait récemment pointé les risques de dérives antisémites dans une interview au *Spiegel*, il avait réussi à faire oublier les origines – mi-bourgeoises, mi-aristocratiques – de sa famille, et même la présence de son frère au sein des instances dirigeantes du patronat français. Sartre lui-même, il est vrai, était loin d'être né dans une famille de miséreux.

Attablé devant une mauresque, l'auteur considérait avec mélancolie un pilulier de métal, presque vide, qui ne contenait plus qu'un vague restant de cocaïne. Apercevant Jed, il lui fit signe de s'asseoir à sa table. Un serveur s'approcha avec rapidité pour prendre la commande.

« Euh, je ne sais pas. Un Viandox ? ça existe encore ?

— Un Viandox..., répéta pensivement Beigbeder. Vous êtes vraiment un drôle de type...

— J'ai été surpris que vous vous souveniez de moi.

— Oh oui..., répondit l'écrivain d'un ton étrangement triste. Oh oui, je me souviens de vous... »

Jed exposa son affaire. Au nom de Houellebecq, il s'en rendit compte, Beigbeder eut une crispation légère. « Je ne vous demande pas son numéro de téléphone, ajouta Jed très vite, je vous demande juste si vous pouvez l'appeler pour lui parler de ma demande. »

Le serveur apporta le Viandox. Beigbeder se taisait, réfléchissait.

« D'accord, dit-il finalement. D'accord, je vais l'appeler. Avec lui, on ne sait jamais trop comment il va réagir ; mais en l'occurrence il se peut que ça lui rende service, à lui aussi.

— Vous pensez qu'il va accepter ?

— Ça, je n'en sais absolument rien.

— Qu'est-ce qui pourrait le décider, à votre avis ?

— Eh bien... Je vais peut-être vous surprendre, parce qu'il n'a pas du tout cette réputation : l'argent. En principe il s'en fout de l'argent, il vit avec que dalle ; mais son divorce l'a complètement séché. En plus, il avait acheté des appartements en Espagne au bord de la mer qui vont être expropriés sans indemnité, à cause d'une loi de protection du littoral à effet rétroactif – un truc de dingues. En réalité, je crois qu'il est un peu gêné en ce moment – c'est incroyable, non, avec tout ce qu'il a pu gagner ? Donc, voilà : si vous lui proposez pas mal d'argent, je pense que vous avez vos chances. »

Il se tut, termina sa mauresque d'un trait, en commanda une autre, considéra Jed avec un mélange de réprobation et de mélancolie. « Vous savez..., dit-il finalement, Olga. Elle vous aimait. »

Jed se tassa légèrement sur sa chaise. « Je veux dire..., poursuivit Beigbeder, elle vous aimait *vraiment*. » Il se tut, le considéra en hochant la tête avec incrédulité. « Et vous l'avez laissée repartir en Russie... Et vous ne lui avez jamais donné de nouvelles... L'amour... L'amour, c'est *rare*. Vous ne le saviez pas ? On ne vous l'avait jamais dit ?

« Je vous en parle, alors qu'évidemment ça ne me regarde pas, poursuivit-il, parce qu'elle va bientôt revenir en France. J'ai encore des amis à la télévision, et je sais que Michelin va créer une nouvelle chaîne sur la TNT, *Michelin TV*, axée sur la gastronomie, le terroir, le patrimoine, les paysages français, etc. C'est Olga qui la dirigera. Bon, sur le papier, le directeur général sera Jean-Pierre Pernaut ; mais, en pratique, c'est elle qui aura toute autorité sur les programmes. Voilà…, conclut-il d'un ton qui indiquait clairement que l'entretien était terminé, vous étiez venu pour me demander un petit service, et je vous en ai rendu un grand. »

Il jeta un regard acéré à Jed qui se levait pour partir. « À moins que vous ne considériez que le plus important, c'est votre exposition… » Il hocha de nouveau la tête, et c'est en marmonnant, d'une voix presque inaudible, qu'il ajouta avec dégoût : « Putains d'artistes… »

II

Le Sushi Warehouse de Roissy 2E proposait un choix exceptionnel d'eaux minérales norvégiennes. Jed se décida pour la Husqvarna, plutôt une eau du centre de la Norvège, qui pétillait avec discrétion. Elle était extrêmement pure – quoique, en réalité, pas davantage que les autres. Toutes ces eaux minérales ne se distinguaient que par un pétillement, une texture en bouche légèrement différents ; aucune d'entre elles n'était si peu que ce soit salée, ni ferrugineuse ; le point commun des eaux minérales norvégiennes semblait être la modération. Des hédonistes subtils, ces Norvégiens, se dit Jed en payant sa Husqvarna ; il était agréable, se dit-il encore, qu'il puisse exister tant de formes différentes de pureté.

Le plafond nuageux arriva très vite, et avec lui ce rien qui caractérise un voyage aérien au-dessus du plafond nuageux. Brièvement, à mi-parcours, il aperçut la surface gigantesque et ridée de la mer, comme une peau de vieux en phase terminale.

L'aéroport de Shannon, par contre, enchanta Jed par ses formes rectangulaires et nettes, la hauteur de ses plafonds, les étonnantes dimensions de ses couloirs – tournant au ralenti, il ne servait plus guère qu'aux compagnies *low cost* et aux transports de troupes de l'armée américaine, mais il avait visiblement été prévu pour un trafic cinq fois supérieur. Avec sa structure de piliers métalliques, sa moquette rase, il datait probablement du début des années 1960, voire de la fin des années 1950. Mieux encore qu'Orly, il évoquait cette période d'enthousiasme technologique dont le transport aérien était une des réalisations les plus innovantes et les plus prestigieuses. À partir du début des années 1970, avec les premiers attentats palestiniens – plus tard relayés, de manière plus spectaculaire et plus professionnelle, par ceux d'Al-Qaida – le voyage aérien était devenu une expérience infantilisante et concentrationnaire, que l'on souhaitait voir s'achever au plus vite. Mais à l'époque, se dit Jed en attendant sa valise dans l'immense hall d'arrivée – les chariots à bagages métalliques, carrés et massifs, étaient probablement d'époque, eux aussi –, à cette époque surprenante des *Trente Glorieuses*, le voyage aérien, symbole de l'aventure technologique moderne, était bien autre chose. Encore réservé aux ingénieurs et aux *cadres*, aux constructeurs du monde de demain, il était appelé, nul n'en doutait dans le contexte d'une social-démocratie triomphante, à devenir de plus en plus accessible aux couches populaires à mesure que se développeraient leur *pouvoir d'achat* et leur *temps libre* (ce qui s'était d'ailleurs finalement produit, mais à la suite d'un détour par l'ultra-libéralisme adéquatement symbolisé par les compagnies *low cost*, et au prix d'une

130

totale perte du prestige antérieurement associé au transport aérien).

Quelques minutes plus tard, Jed eut une confirmation de son hypothèse sur l'âge de l'aéroport. Le long couloir de sortie était décoré de photographies de personnalités éminentes ayant honoré l'aéroport de leur visite – essentiellement, des présidents des États-Unis d'Amérique et des papes. Jean-Paul II, Jimmy Carter, Jean XXIII, George Bush I et II, Paul VI, Ronald Reagan... aucun ne manquait à l'appel. Arrivé à l'extrémité du couloir, Jed eut la surprise de constater que le premier de ces visiteurs illustres n'avait pas été immortalisé au moyen d'une photo, mais bel et bien d'un *tableau*.

Debout sur le tarmac, John Fitzgerald Kennedy avait distancé le petit groupe des officiels – parmi lesquels on remarquait la présence de deux ecclésiastiques ; à l'arrière-plan, des hommes en gabardine appartenaient probablement aux services de sécurité américains. Le bras lancé vers l'avant et vers le haut – en direction de la foule massée derrière les barrières, pouvait-on imaginer – Kennedy souriait avec cet enthousiasme et cet optimisme crétins qu'il est si difficile aux non-Américains de contrefaire. Son visage, ceci dit, paraissait botoxé. Revenant en arrière, Jed examina attentivement l'ensemble des représentations de personnalités éminentes. Bill Clinton était tout aussi grassouillet et lisse que son plus illustre prédécesseur ; les présidents démocrates américains, il fallait bien en convenir, ressemblaient globalement à des botoxés lubriques.

Revenant vers le portrait de Kennedy, Jed fut cependant conduit à une conclusion d'un autre ordre. Le Botox n'existait pas à l'époque, et le contrôle des bouffissures graisseuses et des rides, aujourd'hui obtenu par des injections transcutanées, était alors opéré par le pinceau complaisant de l'artiste. Ainsi, à l'extrême fin des années 1950, voire au tout début des années 1960, était-il encore concevable de confier le soin d'illustrer et d'exalter les moments marquants d'un règne à des artistes peintres – au moins aux plus médiocres d'entre eux. On avait indubitablement affaire à une croûte, il suffisait de comparer le traitement du ciel à ce qu'auraient fait Turner ou Constable, même les aquarellistes anglais de seconde zone s'en sortaient mieux. Il n'empêche qu'il y avait dans ce tableau une sorte de vérité humaine et symbolique, au sujet de John Fitzgerald Kennedy, que n'atteignait aucune des photos de la galerie – même celle de Jean-Paul II, pourtant très en forme, pris sur la passerelle de l'avion au moment où il ouvrait largement les bras pour saluer une des dernières populations catholiques européennes.

L'hôtel Oakwood Arms, lui aussi, empruntait sa décoration à ces périodes pionnières de l'aviation commerciale : publicités d'époque Air France ou Lufthansa, photographies noir et blanc de Douglas DC-8 et de Caravelle fendant l'atmosphère limpide, de commandants de bord en grand uniforme posant fièrement dans leur cockpit. La ville de Shannon, avait appris Jed sur Internet, devait sa naissance à l'aéroport. Elle avait été construite dans les années 1960, sur un emplacement où n'avait jamais existé aucun peuplement, aucun village. L'architecture irlandaise, pour ce qu'il avait pu en voir, n'avait aucun caractère spécifique : c'était un mélange de maisonnettes en brique rouge, similaires à celles que l'on pouvait rencontrer dans les banlieues anglaises, et de vastes bungalows blancs, entourés d'un espace goudronné et bordés de pelouses, à l'américaine.

Il s'attendait plus ou moins à devoir laisser un message sur le répondeur de Houellebecq, ils n'avaient communiqué jusqu'à présent que par mails, et sur la fin par SMS ; pourtant celui-ci répondit, au bout de quelques sonneries.

« Vous reconnaîtrez facilement la maison, c'est la pelouse la plus mal tenue des alentours, lui avait dit Houellebecq. Et peut-être de toute l'Irlande » avait-il ajouté. Sur le moment il avait cru à une exagération, mais la végétation atteignait, en effet, des hauteurs phénoménales. Jed suivit un chemin dallé qui serpentait sur une dizaine de mètres entre les massifs de chardons et de ronces, jusqu'au terre-plein goudronné sur lequel stationnait un SUV Lexus RX 350. Comme on pouvait s'y attendre, Houellebecq avait choisi l'option bungalow : c'était une grande bâtisse blanche et neuve, aux toits d'ardoise – une maison parfaitement banale, en réalité, mis à part l'état répugnant de la pelouse.

Il sonna, attendit une trentaine de secondes et l'auteur des *Particules élémentaires* vint lui ouvrir, en chaussons, vêtu d'un pantalon de velours côtelé et d'une confortable veste d'intérieur en laine écrue. Il considéra longuement, pensivement Jed avant de reporter son regard sur la

pelouse dans une méditation morose qui paraissait lui être habituelle.

« Je ne sais pas me servir d'une tondeuse,
conclut-il. J'ai peur de me faire trancher les
doigts par les lames, il paraît que ça arrive très
souvent. Je pourrais acheter un mouton, mais je
ne les aime pas. Il n'y a pas plus con qu'un mouton. »

Jed le suivit dans des pièces dallées, vides de
meubles, avec çà et là quelques cartons de déménagement. Les murs étaient recouverts d'un
papier peint uni, blanc cassé ; une légère pellicule
de poussière recouvrait le sol. La maison était
très vaste, il devait y avoir au moins cinq
chambres ; il ne faisait pas très chaud, seize
degrés pas davantage ; Jed eut l'intuition que
toutes les chambres, à l'exception de celle où
Houellebecq dormait, devaient être vides.

« Vous venez de vous installer ici ?
— Oui. Enfin, ça fait trois ans. »

Ils arrivèrent enfin dans une pièce un peu plus
chaleureuse, une sorte de petite serre de forme
carrée, aux murs vitrés sur trois côtés, ce que les
Anglais appellent un *conservatory*. Elle était meublée d'un canapé, d'une table basse et d'un fauteuil ; un tapis oriental au rabais décorait le sol.
Jed avait emmené deux portfolios de format A3 ;
le premier comportait une quarantaine de photos
retraçant sa carrière antérieure – essentiellement
extraites de sa série « quincaillerie » et de sa
période « cartes routières ». Le second portfolio
contenait soixante-quatre clichés, qui représentaient l'intégralité de sa production picturale,
depuis « Ferdinand Desroches, boucher cheva-

lin » jusqu'à « Bill Gates et Steve Jobs s'entretenant du futur de l'informatique ».

« Vous aimez la charcuterie ? demanda l'écrivain.

— Oui... Disons que je n'ai rien contre.

— Je vais préparer du café. »

Il se leva avec vivacité et revint une dizaine de minutes plus tard, portant deux tasses et une cafetière italienne.

« Je n'ai ni lait, ni sucre, annonça-t-il.

— Ça ne fait rien. Je n'en prends pas. »

Le café était bon. Le silence se prolongea, absolu, pendant deux à trois minutes.

« J'aimais beaucoup la charcuterie, dit finalement Houellebecq, mais j'ai décidé de m'en passer. Vous comprenez, je ne pense pas qu'il devrait être permis à l'homme de tuer des cochons. Je vous ai dit tout le mal que je pensais des moutons ; et je persiste dans mon jugement. La vache elle-même, et sur ce point je suis en désaccord avec mon ami Benoît Duteurtre, me paraît très surfaite. Mais le porc est un animal admirable, intelligent, sensible, capable d'une affection sincère et exclusive pour son maître. Et son intelligence, réellement, surprend, on n'en connaît même pas exactement les limites. Savez-vous qu'on a pu leur enseigner à maîtriser les opérations simples ? Enfin au moins l'addition, et je crois la soustraction chez certains spécimens très doués. L'homme est-il en droit de sacrifier un animal capable de s'élever jusqu'aux bases de l'arithmétique ? Franchement, je ne le crois pas. »

Sans attendre de réponse, il se plongea dans l'examen du premier portfolio de Jed. Après avoir rapidement observé les photos de boulons et d'écrous, il demeura, pendant un temps qui parut à Jed infini, devant les représentations de cartes routières ; de temps à autre, de manière imprévisible, il tournait une page. Jed jeta un coup d'œil discret à sa montre : il s'était écoulé un peu plus d'une heure depuis son arrivée. Le silence était total ; puis, dans le lointain, se détacha le ronronnement caverneux d'un compresseur de frigidaire.

« Ce sont d'anciens travaux, hasarda finalement Jed. Je les ai juste apportés pour situer mon travail. L'exposition... porte uniquement sur le contenu du second classeur. »

Houellebecq leva vers lui un regard vide, il semblait avoir oublié ce que faisait Jed chez lui, la raison de sa présence ; pourtant, obéissant, il ouvrit le second classeur. Une demi-heure s'écoula encore avant qu'il ne le referme d'un geste sec, avant d'allumer une cigarette. Jed remarqua alors qu'il n'avait pas du tout fumé, pendant tout le temps qu'il regardait ses photographies.

« Je vais accepter, dit-il. Vous savez, je n'ai jamais fait ça ; mais je savais que ça arriverait, à un moment ou à un autre de ma vie. Beaucoup d'écrivains, si vous y regardez de près, ont écrit sur des peintres ; et cela depuis des siècles. C'est curieux. Il y a une chose que je me demande en regardant votre travail depuis tout à l'heure : pourquoi avoir abandonné la photographie ? Pourquoi être revenu à la peinture ? »

Jed réfléchit longtemps avant de répondre. « Je ne suis pas très sûr de savoir, avoua-t-il finalement. Mais le problème des arts plastiques, il me semble, poursuivit-il avec hésitation, c'est l'abondance des sujets. Par exemple, je pourrais parfaitement considérer ce radiateur comme un sujet pictural valable. » Houellebecq se retourna vivement en jetant au radiateur un regard suspicieux, comme si celui-ci allait s'ébrouer de joie à l'idée d'être peint ; rien de tel ne se produisit.

« Vous, je ne sais pas si vous pourriez faire quelque chose, sur le plan littéraire, avec le radiateur, insista Jed. Enfin si, il y a Robbe-Grillet, il aurait simplement décrit le radiateur... Mais, je ne sais pas, je ne trouve pas ça tellement intéressant... » Il s'enlisait, avait conscience d'être confus et peut-être maladroit, Houellebecq aimait-il Robbe-Grillet ou non il n'en savait rien, mais surtout il se demandait lui-même, avec une sorte d'angoisse, pourquoi il avait bifurqué vers la peinture, qui lui posait encore, plusieurs années après, des problèmes techniques insurmontables, alors qu'il maîtrisait parfaitement les principes et l'appareillage de la photographie.

« Oublions Robbe-Grillet, trancha son interlocuteur à son vif soulagement. Si, éventuellement, avec ce radiateur, on pourrait faire quelque chose... Par exemple, je crois avoir lu sur Internet que votre père était architecte...

— Oui, c'est exact ; je l'ai représenté dans un de mes tableaux, le jour où il a abandonné la direction de son entreprise.

— Les gens achètent rarement ce type de radiateurs à titre individuel. Les clients sont en général des entreprises de construction, comme celle que dirigeait votre père, et ils achètent des radiateurs par dizaines, voire par centaines d'exemplaires. On pourrait très bien imaginer un thriller avec un important marché portant sur des milliers de radiateurs – pour équiper, par exemple, toutes les salles de classe d'un pays –, des pots-de-vin, des interventions politiques, la commerciale très sexy d'une firme de radiateurs roumains. Dans ce cadre il pourrait très bien y avoir une longue description, sur plusieurs pages, de ce radiateur, et de modèles concurrents. »

Il parlait vite maintenant, allumait cigarette sur cigarette, il donnait l'impression de fumer pour se calmer, pour ralentir le fonctionnement de son cerveau. Jed songea fugitivement que, compte tenu des activités du cabinet, son père avait plutôt été en position d'acheter massivement des climatiseurs ; sans doute l'avait-il fait.

« Ces radiateurs sont en fonte, poursuivit Houellebecq avec animation ; probablement en fonte grise, à taux de carbone élevé, dont la dangerosité a maintes fois été soulignée dans des rapports d'experts. On pourrait considérer comme scandaleux que cette maison récente ait été équipée de radiateurs aussi anciens, de radiateurs au rabais en quelque sorte, et en cas d'accident, par exemple d'une explosion des radiateurs, je pourrais vraisemblablement me retourner contre les constructeurs. Je suppose que, dans un cas de ce genre, la responsabilité de votre père aurait été engagée ?

— Oui, sans aucun doute.

— Voilà un sujet magnifique, foutrement intéressant même, un *authentique drame humain* ! s'enthousiasma l'auteur de *Plateforme*. A priori la fonte ça vous a un petit côté XIXe siècle, aristocratie ouvrière des hauts-fourneaux, absolument désuet en somme, et pourtant on fabrique encore de la fonte, pas en France évidemment, plutôt dans des pays du genre Pologne ou Malaisie. On pourrait très bien, aujourd'hui, retracer dans un roman le parcours du minerai de fer, la fusion réductrice du fer et du coke métallurgique, l'usinage du matériau, la commercialisation enfin – ça pourrait venir en ouverture du livre, comme une généalogie du radiateur.

— Dans tous les cas, il me semble que vous avez besoin de personnages...

— Oui, c'est vrai. Même si mon vrai sujet était les processus industriels, sans personnages je ne pourrais rien faire.

— Je crois que c'est la différence fondamentale. Tant que je me suis contenté de représenter des objets, la photographie me convenait parfaitement. Mais, quand j'ai décidé de prendre pour sujet des êtres humains, j'ai senti qu'il fallait que je me remette à la peinture ; je ne pourrais pas vous dire exactement pourquoi. À l'inverse, je ne parviens plus du tout à trouver d'intérêt aux natures mortes ; depuis l'invention de la photographie, je trouve que ça n'a plus aucun sens. Enfin, c'est un point de vue personnel... » conclut-il sur un ton d'excuse.

Le soir tombait. Par la fenêtre donnant vers le sud, on distinguait des prairies qui descendaient vers l'estuaire du Shannon ; au loin, un banc de brume flottait sur les eaux, réfractant faiblement les rayons du soleil couchant.

« Par exemple, ce paysage..., poursuivit Jed. Bon, je sais bien qu'il y a eu de très belles aquarelles impressionnistes au XIXe siècle ; pourtant, si j'avais à représenter ce paysage aujourd'hui, je prendrais simplement une photo. Si par contre il y a un être humain dans le décor, ne serait-ce qu'un paysan dans le lointain qui répare ses clôtures, alors je serais tenté de recourir à la peinture. Je sais que cela peut paraître absurde ; certains vous diront que le sujet n'a aucune importance, que c'est même ridicule de vouloir faire dépendre le traitement du sujet traité, que la seule chose qui compte est la manière dont le tableau ou la photographie se décompose en figures, en lignes, en couleurs.

— Oui, le point de vue formaliste... ça existe chez les écrivains aussi ; c'est même plus répandu en littérature que dans les arts plastiques, il me semble. »

Houellebecq se tut, baissa la tête, releva le regard vers Jed ; il sembla d'un seul coup envahi par des pensées extrêmement tristes. Il se leva et partit en direction de la cuisine ; il revint quelques minutes plus tard, portant une bouteille de vin rouge argentin et deux verres.

« On va dîner ensemble, si vous voulez. Le restaurant de l'Oakwood Arms est pas mal. Il y a les plats traditionnels irlandais – du saumon fumé, de l'Irish stew, des choses assez insipides et primaires en fait ; mais il y a aussi des kebabs et des tandooris, leur cuisinier est pakistanais.

— Il n'est même pas six heures, s'étonna Jed.

— Oui, je crois que ça ouvre à six heures et demie. On mange tôt, vous savez, dans ce pays ; mais ce n'est jamais assez tôt pour moi. Ce que je préfère, maintenant, c'est la fin du mois de décembre ; la nuit tombe à quatre heures. Alors je peux me mettre en pyjama, prendre mes somnifères et aller au lit avec une bouteille de vin et un livre. C'est comme ça que je vis, depuis des années. Le soleil se lève à neuf heures ; bon, le temps de se laver, de prendre des cafés, il est à peu près midi, il me reste quatre heures de jour à tenir, le plus souvent j'y parviens sans trop de dégâts. Mais au printemps c'est insupportable, les couchers de soleil sont interminables et magnifiques, c'est comme une espèce de putain d'opéra, il y a sans arrêt de nouvelles couleurs, de nouvelles lueurs, j'ai essayé une fois de rester ici tout le printemps et l'été et j'ai cru mourir, chaque soir j'étais au bord du suicide, avec cette nuit qui ne tombait jamais. Depuis, début avril, je vais en Thaïlande et j'y reste jusqu'à la fin août, début de journée six heures fin de journée six heures, c'est plus simple, équatorial, administratif, il fait une chaleur à crever mais la climatisation marche bien, c'est la morte-saison touristique, les bordels tournent au ralenti mais ils sont quand même ouverts et ça me va, ça me convient, les prestations restent excellentes ou très bonnes.

— Là, j'ai l'impression que vous jouez un peu votre propre rôle...

— Oui, c'est vrai, convint Houellebecq avec une spontanéité surprenante, ce sont des choses qui ne m'intéressent plus beaucoup. Je vais arrêter bientôt de toute façon, je vais retourner dans le Loiret ; j'ai vécu mon enfance dans le Loiret, je faisais des cabanes en forêt, je pense que je peux retrouver une activité du même ordre. La chasse au ragondin ? »

Il conduisait rapidement, souplement sa Lexus, avec un plaisir visible. « Quand même elles sucent sans capote, ça c'est bien... » marmonna encore vaguement, comme le souvenir d'un rêve défunt, l'auteur des *Particules élémentaires*, avant de se garer sur le parking de l'hôtel ; puis ils pénétrèrent dans la salle de restaurant, vaste et bien éclairée. En entrée il prit un cocktail de crevettes, Jed opta pour un saumon fumé. Le serveur polonais déposa devant eux une bouteille de chablis tiède.

« Ils n'y arrivent pas..., geignit le romancier. Ils n'arrivent pas à servir le vin blanc à température.

— Vous vous intéressez aux vins ?

— Ça me donne une contenance ; ça fait français. Et puis il faut s'intéresser à quelque chose, dans la vie, je trouve que ça aide.

— Je suis un peu surpris..., avoua Jed. Je m'attendais en vous rencontrant à quelque chose... enfin, disons, de plus difficile. Vous avez la réputation d'être très dépressif. Je croyais par exemple que vous buviez beaucoup plus.

— Oui... » Le romancier étudiait à nouveau la carte des vins avec attention. « Si vous prenez le gigot d'agneau ensuite, il faudra choisir autre chose : peut-être un vin argentin de nouveau ? Vous savez, ce sont les journalistes qui m'ont fait la réputation d'un ivrogne ; ce qui est curieux, c'est qu'aucun d'entre eux n'ait jamais réalisé que si je buvais beaucoup en leur présence, c'était uniquement pour parvenir à les supporter. Comment est-ce que vous voudriez soutenir une conversation avec une fiotte comme Jean-Paul Marsouin sans être à peu près ivre mort ? Comment est-ce que vous voudriez rencontrer quelqu'un qui travaille pour *Marianne* ou *Le Parisien libéré* sans être pris d'une envie de dégueuler immédiate ? La presse est quand même d'une stupidité et d'un conformisme insupportables, vous ne trouvez pas ? insista-t-il.

— Je ne sais pas, à vrai dire, je ne la lis pas.

— Vous n'avez jamais ouvert un journal ?

— Si, probablement... » fit Jed avec bonne volonté, mais de fait il n'en gardait aucun souvenir ; il parvenait à visualiser des piles de *Figaro Magazine* disposées sur une table basse, dans la salle d'attente de son dentiste ; mais cela faisait déjà longtemps que ses problèmes dentaires étaient résolus. Il n'avait en tout cas jamais *éprouvé le besoin* d'acheter un journal. À Paris l'air ambiant est comme saturé d'information, on aperçoit qu'on le veuille ou non les titres dans les kiosques, on entend les conversations dans la queue des supermarchés. Lorsqu'il s'était rendu dans la Creuse pour l'enterrement de sa grand-mère, il s'était rendu compte que la densité atmosphérique d'information diminuait nettement à mesure que l'on s'éloignait de la capitale ; et que plus généralement les choses humaines perdaient de leur importance, peu à peu tout disparaissait, hormis les plantes.

« Je vais écrire le catalogue de votre exposition, poursuivit Houellebecq. Mais êtes-vous sûr que ce soit une bonne idée pour vous ? Je suis vraiment détesté par les médias français, vous savez, à un point incroyable ; il ne se passe pas de semaine sans que je me fasse chier sur la gueule par telle ou telle publication.

— Je sais, j'ai regardé sur Internet avant de venir.

— En vous associant à moi, vous n'avez pas peur de vous griller ?

— J'en ai parlé avec mon galeriste ; il pense que ça n'a aucune importance. On ne vise pas tellement le marché français, pour cette exposition. De toute façon il n'y a presque pas d'acheteurs français pour l'art contemporain, en ce moment.

— Qui achète ?

— Les Américains. C'est la nouveauté depuis deux ou trois ans, les Américains recommencent à acheter, et un petit peu aussi les Anglais. Mais ce sont surtout les Chinois, et les Russes. »

Houellebecq le regarda comme s'il pesait le pour et le contre. « Alors, si ce sont les Chinois et les Russes qui comptent, vous avez peut-être raison..., conclut-il. Excusez-moi, ajouta-t-il en se levant brusquement, j'ai besoin d'une cigarette, je n'arrive pas à penser sans tabac. »

Il sortit sur le parking et revint cinq minutes plus tard, au moment où le serveur apportait leurs plats. Il attaqua son agneau Biryani avec enthousiasme, mais considéra avec suspicion le plat de Jed. « Je suis sûr qu'ils ont mis de la sauce à la menthe avec votre gigot..., commenta-t-il. Ça on n'y peut rien, c'est l'influence anglaise. Pourtant, les Anglais ont aussi colonisé le Pakistan. Mais ici c'est pire, ils se sont mélangés aux autochtones. » Sa cigarette lui avait visiblement fait du bien. « Ça compte beaucoup, pour vous, cette exposition, n'est-ce pas ? poursuivit-il.

— Oui, énormément. J'ai l'impression que, depuis que j'ai commencé ma série des métiers, personne ne comprend plus où je veux en venir. Sous prétexte que je pratique la peinture sur toile, et même cette forme particulièrement datée qu'est la peinture à l'huile, je suis toujours classé dans une sorte de mouvement qui prône le retour à la peinture, alors que je ne connais pas ces gens, je ne me sens pas la moindre affinité avec eux.

— Il y a un retour à la peinture, en ce moment ?

— Plus ou moins, enfin c'est une des tendances. Retour à la peinture, ou à la sculpture, enfin retour à l'objet. Mais, à mon avis, c'est surtout pour des raisons commerciales. Un objet, c'est plus facile à stocker et à revendre qu'une installation, ou qu'une performance. À vrai dire je n'ai jamais fait de performance, mais j'ai l'impression d'avoir quelque chose en commun avec ça. D'un tableau à l'autre j'essaie de construire un espace artificiel, symbolique, où je puisse représenter des situations qui aient un sens pour le groupe.

— C'est un peu ce qu'essaie de faire le théâtre, aussi. Sauf que vous n'êtes pas obsédé par le corps... J'avoue d'ailleurs que c'est reposant.

— Non, c'est en train de passer un peu, d'ailleurs, cette obsession du corps. Enfin au théâtre pas encore, mais dans les arts visuels oui. Ce que je fais, en tout cas, se situe entièrement dans le social.

— Bon, je vois... Je vois à peu près ce que je peux faire. Il vous faut le texte pour quand ?

— L'inauguration de l'exposition est prévue en mai, il nous faudrait le texte du catalogue fin mars. Ça vous laisse deux mois.

— Ce n'est pas énorme.

— Ça n'a pas besoin d'être très long. Cinq ou dix pages, ça ira très bien. Si vous voulez faire plus, vous pouvez, bien sûr.

— Je vais essayer... Enfin c'est de ma faute, j'aurais dû répondre à vos mails avant.

— Pour la rémunération, je vous l'ai dit, on a prévu dix mille euros. Franz, mon galeriste, m'a dit que je pouvais, à la place, vous proposer un tableau, mais je trouve ça gênant, c'est délicat pour vous de refuser. Donc, a priori, on va dire dix mille euros ; mais si vous préférez un tableau c'est d'accord.

— Un tableau..., dit pensivement Houellebecq. En tout cas, j'ai des murs pour l'accrocher. C'est la seule chose que j'aie vraiment, dans ma vie : des murs. »

III

À midi, Jed dut libérer sa chambre d'hôtel ; son vol pour Paris ne repartait qu'à 19 h 10. Bien qu'on soit dimanche, le centre commercial voisin était ouvert ; il acheta une bouteille de whisky local, la caissière s'appelait Magda et lui demanda s'il avait la carte de fidélité Dunnes Store. Il traîna quelques minutes dans les allées d'une propreté étincelante, croisant des bandes de jeunes qui allaient d'un fast-food à une salle de jeux vidéo. Après avoir pris un jus de fruits orange-kiwi-fraise au Ronnies Rocket, il estima qu'il en savait assez sur le Skycourt Shopping Center, et commanda un taxi pour l'aéroport ; il était un peu plus de treize heures.

L'Estuary Café avait ces mêmes qualités de sobriété et d'ampleur qu'il avait remarquées dans le reste de l'édifice : les tables rectangulaires, en bois sombre, étaient très espacées, bien davantage que dans un restaurant de luxe aujourd'hui ; elles avaient été conçues pour que six personnes puissent s'y asseoir à l'aise. Jed se souvint alors que les années 1950 avaient été, aussi, celles du *baby boom*.

Il commanda un coleslaw allégé et un poulet Korma, s'installa à l'une des tables, accompagnant son repas de petites gorgées de whisky tout en étudiant le plan des vols au départ de l'aéroport de Shannon. Aucune capitale d'Europe occidentale n'était desservie, à l'exception de Paris et de Londres, respectivement par Air France et British Airways. Il n'y avait par contre pas moins de six lignes à destination de l'Espagne et des Canaries : Alicante, Gérone, Fuerteventura, Malaga, Reus et Ténériffe. Tous ces vols étaient assurés par Ryanair. La compagnie *low cost* desservait également six destinations en Pologne : Cracovie, Gdansk, Katowice, Lodz, Varsovie et Wroclaw. La veille au dîner, Houellebecq lui avait dit qu'il y avait énormément d'immigrants polonais en Irlande, c'était un pays qu'ils choisissaient de préférence à tout autre, sans doute à cause de sa réputation du reste bien usurpée de sanctuaire du catholicisme. Ainsi, le libéralisme redessinait la géographie du monde en fonction des attentes de la clientèle, que celle-ci se déplace pour se livrer au tourisme ou pour gagner sa vie. À la surface plane, isométrique de la carte du monde se substituait une topographie anormale où Shannon était plus proche de Katowice que de Bruxelles, de Fuerteventura que de Madrid. Pour la France, les deux aéroports retenus par Ryanair étaient Beauvais et Carcassonne. S'agissait-il de deux destinations particulièrement touristiques ? Ou devenaient-elles touristiques du simple fait que Ryanair les avait choisies ? Méditant sur le pouvoir et la topologie du monde, Jed sombra dans un assoupissement léger.

Il était au milieu d'un espace blanc, apparemment illimité. On ne distinguait pas de ligne d'horizon, le sol d'un blanc mat se confondant, très loin, avec le ciel d'un blanc identique. À la surface du sol se distinguaient, irrégulièrement disposés, de place en place, des blocs de texte aux lettres noires formant de légers reliefs ; chacun des blocs pouvait comporter une cinquantaine de mots. Jed comprit alors qu'il se trouvait dans un livre, et se demanda si ce livre racontait l'histoire de sa vie. Se penchant sur les blocs qu'il rencontrait sur sa route, il eut d'abord l'impression que oui : il reconnaissait des noms comme Olga, Geneviève ; mais aucune information précise ne pouvait en être tirée, la plupart des mots étaient effacés ou rageusement barrés, illisibles, et de nouveaux noms apparaissaient, qui ne lui évoquaient absolument rien. Aucune direction temporelle ne pouvait, non plus, être définie : progressant en ligne droite, il rencontra plusieurs fois le nom de Geneviève, réapparaissant après celui d'Olga – alors qu'il était certain, absolument certain, qu'il n'aurait jamais l'occasion de revoir Geneviève, et qu'Olga faisait, peut-être, encore partie de son avenir.

Il fut réveillé par les haut-parleurs annonçant l'embarquement du vol pour Paris. Dès son arrivée boulevard de l'Hôpital, il téléphona à Houellebecq – qui, de nouveau, décrocha presque immédiatement.

« Voilà, dit-il, j'ai réfléchi. Plutôt que de vous offrir un tableau j'aimerais faire votre portrait, et vous l'offrir ensuite. »

Puis il attendit ; au bout du fil, Houellebecq gardait le silence. Il cligna des yeux ; l'éclairage de l'atelier était brutal. Au centre de la pièce, le sol était encore jonché par les débris déchiquetés de « Damien Hirst et Jeff Koons se partageant le marché de l'art ». Comme le silence se prolongeait, Jed ajouta : « Ça ne remettrait pas en cause votre rémunération ; ça viendrait en plus des dix mille euros. J'ai vraiment envie de faire votre portrait. Je n'ai jamais représenté d'écrivain, je sens qu'il faut que je le fasse. »

Houellebecq se taisait toujours, et Jed commença à s'inquiéter ; puis finalement, après au moins trois minutes de silence, d'une voix terriblement empâtée par l'alcool, il répondit :

« Je ne sais pas. Je ne me sens pas capable de poser pendant des heures.

— Ah, mais ça n'a aucune importance ! C'est complètement fini aujourd'hui les séances de pose, plus personne n'accepte, les gens sont tous surbookés ou se l'imaginent ou feignent de l'être je n'en sais rien, mais je ne connais absolument personne qui accepterait de rester immobile pendant une heure. Non, si je fais votre portrait je reviendrai vous rendre visite, je prendrai des photos de vous. Beaucoup de photos : des photos générales mais aussi de l'endroit où vous travaillez, de vos instruments de travail. Et aussi des photos de détail de vos mains, du grain de votre peau. Ensuite, je me débrouillerai avec tout ça de mon côté.

— Bon…, répondit l'écrivain sans enthousiasme. C'est d'accord.

— Il y a un jour, une semaine spéciale où vous êtes libre ?

— Pas vraiment. La plupart du temps, je ne fais rien. Rappelez-moi quand vous avez l'intention de venir. Bonsoir. »

Le lendemain matin, à la première heure, Jed appela Franz, qui réagit avec enthousiasme et lui proposa de passer immédiatement à la galerie. Il jubilait, se frottait littéralement les mains, Jed l'avait rarement vu aussi excité.

« Maintenant, on va vraiment pouvoir mettre sur pied quelque chose... Et je te garantis que ça va faire du bruit. On peut déjà s'occuper de choisir l'attachée de presse. J'avais pensé à Marylin Prigent.

— Marylin ?

— Tu la connais ?

— Oui, c'était elle qui s'était occupée de ma première exposition, je me souviens très bien d'elle. »

Curieusement, Marylin s'était plutôt arrangée en vieillissant. Elle avait un peu maigri, s'était fait couper les cheveux très court – avec des cheveux ternes et plats comme les siens c'était la seule chose à faire, dit-elle, elle avait fini par se résoudre à suivre les conseils des magazines féminins –, elle était vêtue d'un pantalon et d'un blouson de cuir très ajustés, l'un dans l'autre elle avait un look fausse lesbienne intello qui pouvait éventuellement séduire des garçons d'un tempérament plutôt passif. Elle ressemblait en réalité un peu à Christine Angot – en plus sympathique tout de même. Et puis, surtout, elle avait réussi à se débarrasser de ce reniflement quasi permanent qui la caractérisait.

« Ça m'a pris des années, dit-elle. J'ai passé mes vacances à faire des cures dans toutes les stations thermales imaginables, mais finalement on a trouvé un traitement. Une fois par semaine je fais des inhalations au soufre, et ça marche ; enfin, jusqu'à présent, ce n'est pas revenu. »

Sa voix elle-même était plus forte, plus claire, et elle parlait maintenant de sa vie sexuelle avec un sans-gêne qui stupéfia Jed. Comme Franz la complimentait sur son bronzage, elle répondit qu'elle revenait de ses vacances d'hiver en Jamaïque. « J'ai super bien baisé, ajouta-t-elle, putain, les mecs, ils sont géniaux. » Il haussa les sourcils, surpris, mais changeant déjà de sujet elle avait sorti de son sac – un sac élégant, maintenant, de marque Hermès, en cuir fauve – un gros cahier à spirale bleu.

« Non, ça, c'est une chose qui n'a pas changé, dit-elle à Jed en souriant. Toujours pas de PDA... Mais je me suis modernisée quand même. » Elle tira d'une poche intérieure de son blouson une clef USB. « Là-dessus il y a tous les articles, scannés, de ton expo Michelin. Ça va beaucoup nous servir. » Franz hocha la tête en lui jetant un regard impressionné, incrédule.

Elle se renversa dans son siège, s'étira. « J'ai essayé de suivre un peu ce que tu faisais..., dit-elle à Jed – elle le tutoyait maintenant, ça aussi c'était nouveau. Je pense que tu as très bien fait de ne pas exposer plus tôt, la plupart des critiques auraient eu du mal à suivre ton virage – je ne parle même pas de Pépita Bourguignon, de toute façon elle n'a jamais rien compris à ton travail. »

Elle alluma un cigarillo – encore une nouveauté – avant de poursuivre. « Comme tu n'as pas exposé, ils n'ont pas eu à se prononcer. S'ils ont à faire une bonne critique maintenant, ils n'auront pas l'impression de se renier. Mais c'est vrai, là je suis d'accord avec vous, qu'il faut essayer de viser tout de suite les magazines anglo-saxons ; et c'est là que le nom de Houellebecq peut nous aider. Vous avez prévu de tirer le catalogue à combien ?

— Cinq cents exemplaires, dit Franz.

— C'est pas assez ; tire à mille. J'ai besoin de trois cents rien que pour le service de presse. Et on autorisera la reproduction d'extraits, même très larges, un peu partout ; il faudra voir avec Houellebecq ou Samuelson, son agent, pour qu'ils ne fassent pas de difficultés. Franz m'a dit, pour le portrait de Houellebecq. C'est une très bonne idée, vraiment. En plus, au moment de l'expo, ce sera ta dernière œuvre en date ; c'est excellent. ça va donner un gros impact supplémentaire au truc, j'en suis persuadée. »

« Elle est bluffante, cette fille..., remarqua Franz après son départ. Je la connaissais de réputation, mais je n'avais jamais travaillé avec elle.

— Elle a pas mal changé, dit Jed. Enfin, sur le plan personnel. Professionnellement, par contre, pas du tout. C'est impressionnant quand même à quel point les gens coupent leur vie en deux parties qui n'ont aucune communication, qui n'interagissent absolument pas l'une sur l'autre. Je trouve stupéfiant qu'ils y réussissent aussi bien.

— C'est vrai que tu t'es beaucoup occupé du travail... du métier que font les gens, reprit Franz une fois qu'ils furent installés *Chez Claude*. Beaucoup plus qu'aucun autre artiste que je connaisse.

— Qu'est-ce qui définit un homme ? Quelle est la question que l'on pose en premier à un homme, lorsqu'on souhaite s'informer de son état ? Dans certaines sociétés, on lui demande d'abord s'il est marié, s'il a des enfants ; dans nos sociétés, on s'interroge en premier lieu sur sa profession. C'est sa place dans le processus de production, et pas son statut de reproducteur, qui définit avant tout l'homme occidental. »

Franz vida pensivement, à petites gorgées, son verre de vin. « J'espère que Houellebecq va faire un bon texte..., dit-il finalement. C'est une grosse partie qu'on joue, tu sais. C'est très difficile de faire accepter une évolution artistique aussi radicale que la tienne. Et encore, je crois que c'est dans les arts plastiques qu'on est le plus favorisés. En littérature, en musique, c'est carrément impossible de changer de direction, on est certain de se faire lyncher. D'un autre côté si tu fais toujours la même chose on t'accuse de te répéter et d'être sur le déclin, mais si tu changes on t'accuse d'être un touche-à-tout incohérent. Je sais que, dans ton cas, ça a un sens d'être revenu à la peinture, en même temps qu'à la représentation d'êtres humains. Je serais incapable de préciser lequel, et probablement toi non plus ; mais je sais que ce n'est pas gratuit. Seulement ce n'est qu'une intuition, et pour avoir des articles ça ne suffit pas, il faut produire un discours théorique quelconque. Et, ça, je ne suis pas capable de le faire ; et toi non plus. »

Les jours suivants ils essayèrent de définir un parcours, un ordre de présentation des pièces, et s'en tinrent finalement à la succession chronologique pure. Le dernier tableau était donc « Bill Gates et Steve Jobs s'entretenant du futur de l'informatique », une place restant libre pour le portrait de Houellebecq à réaliser. En fin de semaine Jed essaya de joindre l'écrivain, mais cette fois il ne décrocha pas son téléphone, et il n'avait pas de répondeur. Après quelques tentatives à des heures variées, il lui adressa un mail ; puis un deuxième, puis un troisième quelques jours plus tard, toujours sans réponse.

Au bout de deux semaines Jed commença à s'inquiéter vraiment, multiplia les SMS et les mails. Houellebecq finit par le rappeler. Sa voix était atone, presque morte. « Je suis désolé, dit-il, je traverse certains problèmes personnels. Enfin, vous pouvez venir prendre vos photos. »

IV

Le vol qui partait de Beauvais à 13 h 25 pour rejoindre Shannon le lendemain était proposé, sur le site Ryanair.com, à 4,99 euros, et Jed crut d'abord à une erreur. En allant plus loin dans les écrans de réservation il constata qu'il y avait des frais, des taxes complémentaires ; le prix final s'élevait à 28,01 euros, ce qui demeurait modique.

Une navette rejoignait l'aéroport de Beauvais à partir de la porte Maillot. En montant dans l'autocar il remarqua qu'il y avait surtout des jeunes, des étudiants probablement, qui partaient en voyage, ou qui en revenaient – on était à l'époque des vacances de février. Des retraités également, et quelques femmes arabes, accompagnées d'enfants jeunes. Il y avait en réalité à peu près tout le monde à l'exception des membres actifs, productifs de la société. Jed constata également qu'il se sentait plutôt à sa place dans cette navette, qui lui donnait la sensation de *partir en vacances* – alors que la dernière fois, dans le vol Air France, il avait eu l'impression de *se déplacer pour son travail*.

Dépassant les banlieues difficiles ou résidentielles qui s'étendent au nord de Paris, l'autocar fila rapidement au milieu de champs de blé et de betteraves, sur une autoroute presque déserte. Des corbeaux isolés, énormes, traversaient l'atmosphère grise. Personne ne parlait autour de lui, même les enfants étaient calmes, et peu à peu Jed se sentit gagné par une espèce de paix.

Cela faisait déjà dix ans, se dit-il ; dix années pendant lesquelles il avait œuvré de manière obscure, très solitaire finalement. Travaillant seul, sans jamais montrer ses tableaux à personne – à l'exception de Franz, qui de son côté se livrait il le savait à de discrètes présentations privées, sans jamais lui rendre compte des résultats –, ne se rendant à aucun vernissage, aucun débat, et presque à aucune exposition, Jed s'était peu à peu laissé glisser, au cours de ces dernières années, en dehors du statut d'artiste professionnel. Il s'était peu à peu, aux yeux du monde et même dans une certaine mesure à ses propres yeux, transformé en *peintre du dimanche*. Cette exposition allait brusquement le faire rentrer à nouveau dans le milieu, dans le circuit, et il se demanda s'il en avait vraiment envie. Pas davantage sans doute qu'on n'a envie, au premier abord, sur la côte bretonne, de plonger dans une mer agitée, froide – tout en sachant qu'au bout de quelques brasses on trouvera délicieuse et tonique la fraîcheur des vagues.

En attendant sur les bancs du petit aéroport le départ du vol, Jed ouvrit le mode d'emploi de l'appareil photo qu'il avait acheté la veille à la FNAC. Le Nikon D3x qu'il utilisait d'ordinaire pour les clichés préparatoires à ses portraits lui était apparu trop imposant, trop professionnel. Houellebecq avait la réputation de nourrir une haine bien ancrée à l'encontre des photographes ; il avait senti qu'un appareil plus ludique, plus familial serait mieux approprié.

D'emblée, la firme Samsung le félicitait, non sans une certaine emphase, d'avoir choisi le modèle ZRT-AV2. Ni Sony, ni Nikon n'auraient songé à le féliciter : ces firmes étaient trop arrogantes, trop campées dans leur professionnalisme ; à moins qu'il ne s'agisse de l'arrogance caractéristique des Japonais ; ces entreprises japonaises bien établies étaient de toute façon imbuvables. Les Allemands essayaient dans leurs notices de maintenir la fiction d'un choix raisonné, fidèle, et lire le mode d'emploi d'une Mercedes demeurait un réel plaisir ; mais au niveau du rapport qualité-prix la fiction enchantée, la social-démocratie des gremlins ne tenait décidément plus la route. Demeuraient les Suisses, et leur politique de prix extrêmes, qui pouvait en tenter certains. Jed avait, en certaines circonstances, envisagé d'acheter un produit suisse, généralement un appareil photo Alpa, et en une autre occasion une montre ; le différentiel de prix, de 1 à 5 par rapport à un produit normal, l'avait rapidement découragé. Décidément, le meilleur moyen pour un consommateur de *s'éclater* en ces années 2010 était de se tourner vers un produit coréen : pour l'automobile Kia et Hyundai, pour l'électronique LG et Samsung.

Le modèle Samsung ZRT-AV2 combinait, selon l'introduction du manuel, les innovations technologiques les plus ingénieuses – telles que par exemple la détection automatique des sourires –

à la légendaire facilité d'utilisation qui faisait la réputation de la marque.

Après ce passage lyrique, le reste devenait plus factuel, et Jed feuilleta rapidement, cherchant juste à repérer les informations essentielles. Il était visible qu'un optimisme raisonné, ample et fédérateur, avait présidé à la conception du produit. Fréquente dans les objets technologiques modernes, cette tendance n'était cependant pas une fatalité. Au lieu par exemple des programmes « FEU D'ARTIFICE », « PLAGE », « BÉBÉ1 » et « BÉBÉ2 » proposés par l'appareil en *mode scène*, on aurait parfaitement pu rencontrer « ENTERREMENT », « JOUR DE PLUIE », « VIEILLARD1 » et « VIEILLARD2 ».

Pourquoi « BÉBÉ1 » et « BÉBÉ2 » ? s'interrogea Jed. En se reportant page 37 de la notice, il comprit que cette fonction permettait de régler les dates de naissance de deux bébés différents, afin d'intégrer leur âge aux paramètres électroniques joints aux clichés. D'autres informations étaient données page 38 : ces programmes, assurait le manuel, étaient conçus pour restituer le teint « sain et frais » des bébés. De fait, leurs parents auraient probablement été déçus de ce que, sur leurs photos d'anniversaire, BÉBÉ1 et BÉBÉ2 apparussent avec un visage fripé, jaunâtre ; mais Jed ne connaissait pas, personnellement, de bébés ; il n'aurait pas davantage l'occasion d'utiliser le programme « ANIMAL DOMEST », et guère le programme « FÊTE » ; finalement, cet appareil n'était peut-être pas fait pour lui.

Une pluie régulière tombait sur Shannon, et le chauffeur de taxi était un imbécile malfaisant.

« *Gone for holidays?* » questionna-t-il, comme s'il se réjouissait par avance de sa déconvenue. « *No, working* » répondit Jed, qui ne voulait pas lui donner cette joie, mais l'autre, visiblement, ne le crut pas. « *What kind of job you're doing?* » questionna-t-il, sous-entendant clairement par son intonation qu'il estimait improbable qu'on lui confie un travail quelconque. « *Photography* » répondit Jed. L'autre renifla, admettant sa défaite.

Il tambourina pendant au moins deux minutes à sa porte, sous une pluie battante, avant que Houellebecq ne vienne lui ouvrir. L'auteur des *Particules élémentaires* était vêtu d'un pyjama rayé gris qui le faisait vaguement ressembler à un bagnard de feuilleton télévisé ; ses cheveux étaient ébouriffés et sales, son visage rouge, presque couperosé, et il puait un peu. L'incapacité à faire sa toilette est un des signes les plus sûrs de l'établissement d'un état dépressif, se souvint Jed.

« Je suis désolé de forcer votre porte, je sais que ça ne va pas très bien. Mais je suis impatient de me mettre à mon tableau de vous... » dit-il, et il produisit un sourire qu'il espérait *désarmant*. « *Sourire désarmant* » est une expression qu'on rencontre encore dans certains romans, et qui doit donc correspondre à une réalité quelconque. Mais Jed ne se sentait malheureusement pas, pour sa part, suffisamment naïf pour pouvoir être *désarmé* par un sourire ; et, soupçonnait-il, Houellebecq pas davantage. L'auteur du *Sens du combat* se recula cependant d'un mètre, juste assez pour lui permettre de s'abriter de la pluie, sans cependant lui ouvrir vraiment l'accès à son intérieur.

« J'ai amené une bouteille de vin. Une bonne bouteille !... » s'exclama Jed avec un enthousiasme un peu faux, à peu près comme on propose des caramels aux enfants, tout en la sortant de son sac de voyage. C'était un Château Ausone 1986, qui lui avait quand même coûté 400 euros – une douzaine de vols Paris-Shannon par Ryanair.

« Une seule bouteille ? » demanda l'auteur de *La Poursuite du bonheur* en allongeant le cou vers l'étiquette. Il puait un peu, mais moins qu'un cadavre ; les choses auraient pu se passer plus mal, après tout. Puis il se retourna sans un mot, après avoir agrippé la bouteille ; Jed interpréta ce comportement comme une invitation.

La pièce principale, le living-room, était la dernière fois, pour autant qu'il s'en souvienne, vide ; elle était maintenant meublée d'un lit et d'un téléviseur.

« Oui, dit Houellebecq, après votre visite je me suis rendu compte que vous étiez le premier visiteur à entrer dans cette maison, et que vous seriez probablement le dernier. Alors je me suis dit, à quoi bon maintenir la fiction d'une pièce de réception ? Pourquoi ne pas installer, carrément, ma chambre dans la pièce principale ? Après tout, je passe la plupart de mes journées couché ; je mange le plus souvent au lit, en regardant des dessins animés sur Fox TV ; ce n'est pas comme si j'organisais des *dîners*. »

Des bouts de biscotte et des lambeaux de mortadelle jonchaient effectivement les draps, tachés de vin et brûlés par places.

« On va aller dans la cuisine, quand même..., proposa l'auteur de *Renaissance*.

— Je suis venu pour prendre des photos.

— Votre appareil photo ne marche pas dans les cuisines ? »

« J'ai replongé... J'ai complètement replongé au niveau charcuterie » poursuivit sombrement Houellebecq. En effet la table était parsemée d'emballages de chorizo, de mortadelle, de pâté de campagne. Il tendit à Jed un tire-bouchon, et sitôt la bouteille ouverte avala un premier verre d'un trait, sans humer le bouquet du vin, sans même se livrer à un simulacre de dégustation. Jed prit une douzaine de gros plans, essayant de varier les angles.

« J'aimerais bien avoir des photos de vous dans votre bureau... là où vous travaillez. »

L'écrivain émit un grognement peu enthousiaste, mais se leva et le précéda dans un couloir. Les cartons de déménagement empilés le long des murs n'avaient toujours pas été ouverts. Il avait pris du ventre depuis la dernière fois, mais son cou, ses bras étaient toujours aussi décharnés ; il ressemblait à une vieille tortue malade.

Le bureau était une grande pièce rectangulaire aux murs nus, à peu près vide à l'exception de trois tables de jardin en plastique vert bouteille alignées contre un mur. Sur la table centrale étaient posés un iMac 24 pouces et une imprimante laser Samsung ; des feuilles de papier, imprimées ou manuscrites, jonchaient les autres tables. Le seul luxe était un fauteuil de direction au dossier élevé, muni de roulettes, en cuir noir.

Jed prit quelques photos de l'ensemble de la pièce. En le voyant s'approcher des tables, Houellebecq eut un sursaut nerveux.

« Ne vous inquiétez pas, je ne vais pas regarder vos manuscrits, je sais que vous détestez ça. Quand même..., il réfléchit un instant, j'aimerais bien voir comment ça se présente, vos annotations, vos corrections.

— J'aimerais mieux pas.

— Je ne vais pas regarder le contenu, pas du tout. C'est juste pour avoir une idée de la géométrie de l'ensemble, je vous promets que sur le tableau personne ne reconnaîtra les mots. »

Avec réticence, Houellebecq sortit quelques feuilles. Il y avait très peu de ratures, mais de nombreux astérisques au milieu du texte, accompagnés de flèches qui conduisaient à d'autres blocs de texte, les uns dans la marge, d'autres sur des feuilles séparées. À l'intérieur de ces blocs, de forme grossièrement rectangulaire, de nouveaux astérisques renvoyaient à de nouveaux blocs, cela formait comme une arborescence. L'écriture était penchée, presque illisible. Houellebecq ne quitta pas Jed des yeux tout le temps qu'il prenait ses clichés, et soupira avec un soulagement visible lorsqu'il s'écarta de la table. En quittant la pièce, il referma soigneusement derrière lui.

« Ce n'est pas le texte sur vous, je n'ai pas encore commencé, dit-il en revenant vers la cuisine. C'est une préface pour une réédition de Jean-Louis Curtis en *Omnibus*, il faut que je la rende. Vous voulez un verre de vin ? » Il parlait avec un enjouement exagéré maintenant, sans doute pour faire oublier la fraîcheur initiale de son accueil. Le Château Ausone était presque terminé. Il ouvrit d'un geste large un placard, découvrant une quarantaine de bouteilles.

« Argentine ou Chili ?

— Chili, pour changer.

— Jean-Louis Curtis est totalement oublié aujourd'hui. Il a écrit une quinzaine de romans, des nouvelles, un recueil de pastiches extraordinaire... *La France m'épuise* contient, à mon avis, les pastiches les plus réussis de la littérature française : ses imitations de Saint-Simon, de Chateaubriand sont parfaites ; il se débrouille très bien aussi avec Stendhal et Balzac. Et pourtant aujourd'hui il n'en reste rien, plus personne ne le lit. C'est injuste, c'était plutôt un bon auteur, dans un genre un peu conservateur, un peu classique, mais il essayait de faire honnêtement son travail, enfin ce qu'il estimait être son travail. *La Quarantaine* est un livre très réussi, je trouve. Il y a une vraie nostalgie, une sensation de perte dans le passage de la France traditionnelle au monde moderne, on peut parfaitement revivre ce moment en le lisant ; il est rarement caricatural, à part dans certains personnages de prêtres de gauche parfois. Et puis *Un jeune couple* est un livre très surprenant. S'attaquant exactement au même sujet que Georges Perec dans *Les Choses*, il parvient à ne pas être ridicule en comparaison, et c'est déjà énorme. Évidemment il n'a pas la virtuosité de Perec, mais qui l'a eue, en son siècle ? On peut s'étonner aussi de le voir prendre fait et cause pour les jeunes, pour les tribus de hippies qui paraît-il traversaient l'Europe à l'époque, sac au dos, en rejetant la "société de consommation", comme on disait alors ; son rejet de la société de consommation est pourtant aussi fort que le leur, et repose sur des bases largement plus solides, comme la suite ne l'a que trop montré. À l'inverse Georges Perec accepte la société de consommation, il la considère à juste titre comme le seul horizon possible, ses considérations sur le bonheur d'Orly sont à mes yeux absolument convaincantes. C'est bien à tort au fond qu'on a catalogué Jean-Louis Curtis comme *réactionnaire*, c'est juste un bon auteur un peu triste, persuadé que l'humanité ne peut guère changer, dans un sens comme dans l'autre. Un amoureux de l'Italie, pleinement conscient de la cruauté du regard latin sur le monde. Enfin je ne sais pas pourquoi je vous raconte tout ça, vous vous en foutez de Jean-Louis Curtis, vous avez tort d'ailleurs, ça devrait vous intéresser, chez vous aussi je sens une sorte de nostalgie, mais cette fois c'est une nostalgie du monde moderne, de l'époque où la France était un pays industriel, je me trompe ? » Il sortit du réfrigérateur du chorizo, du saucisson, du pain de campagne.

« C'est vrai, répondit Jed après un long temps de réflexion. J'ai toujours aimé les produits industriels. Je n'aurais jamais envisagé de photographier, par exemple... un saucisson. » Il tendit la main vers la table, s'excusa aussitôt. « Enfin il est très bon, je ne veux pas dire ça, j'ai plaisir à le manger... Mais le photographier, non. Il y a ces irrégularités d'origine organique, ces veinules de gras différentes d'une tranche à l'autre. C'est un peu... décourageant. »

Houellebecq hocha la tête, écartant les bras comme s'il entrait dans une transe tantrique – il était, plus probablement, ivre, et tentait d'assurer son équilibre sur le tabouret de cuisine où il s'était accroupi. Lorsqu'il reprit la parole sa voix était douce, profonde, emplie d'une émotion naïve. « Dans ma vie de consommateur, dit-il, j'aurai connu trois produits parfaits : les chaussures Paraboot Marche, le combiné ordinateur portable – imprimante Canon Libris, la parka Camel Legend. Ces produits je les ai aimés, passionnément, j'aurais passé ma vie en leur présence, rachetant régulièrement, à mesure de l'usure naturelle, des produits identiques. Une relation parfaite et fidèle s'était établie, faisant de moi un consommateur heureux. Je n'étais pas absolument heureux, à tous points de vue, dans la vie, mais au moins j'avais cela : je pouvais, à intervalles réguliers, racheter une paire de mes chaussures préférées. C'est peu mais c'est beaucoup, surtout quand on a une vie intime assez pauvre. Eh bien cette joie, cette joie simple, ne m'a pas été laissée. Mes produits favoris, au bout de quelques années, ont disparu des rayonnages, leur fabrication a purement et simplement été stoppée – et dans le cas de ma pauvre parka Camel Legend, sans doute la plus belle parka jamais fabriquée, elle n'aura vécu qu'une seule saison… » Il se mit à pleurer, lentement, à grosses gouttes, se resservit un verre de vin. « C'est brutal, vous savez, c'est terriblement brutal. Alors que les espèces animales les plus insignifiantes mettent des milliers, parfois des millions d'années à disparaître, les produits manufacturés sont rayés de la surface du globe en quelques jours, il ne leur est jamais accordé de seconde chance, ils ne peuvent que subir, impuissants, le diktat irresponsable et fasciste des responsables des lignes de produit qui savent naturellement mieux que tout autre ce que veut le consommateur, qui prétendent capter une *attente de nouveauté* chez le consommateur, qui ne font en réalité que transformer sa vie en une quête épuisante et désespérée, une errance sans fin entre des linéaires éternellement modifiés.

— Je comprends ce que vous voulez dire, intervint Jed, je sais que beaucoup de gens ont eu le cœur brisé lors de l'arrêt de la fabrication du Rolleiflex double objectif. Mais peut-être alors... Peut-être faudrait-il réserver sa confiance et son amour aux produits extrêmement onéreux, bénéficiant d'un statut mythique. Je ne m'imagine pas, par exemple, Rolex arrêtant la production de l'Oyster Perpetual Day-Date.

— Vous êtes jeune... Vous êtes terriblement jeune... Rolex fera comme tous les autres. » Il se saisit de trois rondelles de chorizo, les disposa sur un bout de pain, engloutit l'ensemble, puis se resservit un verre de vin. « Vous venez d'acheter un nouvel appareil photo, m'avez-vous dit... Montrez-moi la notice. »

Il parcourut pendant deux minutes le mode d'emploi du Samsung ZRT-AV2, hochant la tête comme si chacune des lignes confirmait ses sombres prédictions. « Eh bien oui..., dit-il finalement en lui rendant. C'est un beau produit, un produit moderne ; vous pouvez l'aimer. Mais il vous faut savoir que dans un an, deux ans tout au plus, il sera remplacé par un nouveau produit, aux caractéristiques prétendument améliorées.

« Nous aussi, nous sommes des produits..., poursuivit-il, des produits culturels. Nous aussi, nous serons frappés d'obsolescence. Le fonctionnement du dispositif est identique – à ceci près qu'il n'y a pas, en général, d'amélioration technique ou fonctionnelle évidente ; seule demeure l'exigence de nouveauté à l'état pur.

« Mais cela n'est rien, cela n'est rien... », poursuivit-il avec légèreté. Il commença à découper un deuxième saucisson, puis, le couteau à la main, s'interrompit pour entonner d'une voix puissante : « Aimer, rire et chanter !... » D'un geste large il balaya la bouteille de vin, qui s'écrasa sur le carrelage.

« Je vais ramasser, intervint Jed en se levant d'un bond.

— Non, laissez, c'est pas grave.

— Si, il y a des éclats de verre, on pourrait se couper. Vous avez une serpillière ? » Il regarda autour de lui, Houellebecq dodelinait de la tête sans répondre. Dans un coin, il aperçut une balayette et une pelle en plastique.

« Je vais ouvrir une autre bouteille... », intervint l'écrivain. Il se leva, traversa la cuisine en zigzaguant entre les bouts de verre que Jed ramassait de son mieux.

« On a déjà beaucoup bu... Personnellement, j'ai fait toutes mes photos.

— Allez, vous allez pas partir maintenant ! On commence juste à s'amuser... "Aimer, rire et chanter !... " entonna-t-il de nouveau avant d'avaler d'un trait un verre de vin chilien. "Foucra bouldou ! Bistroye ! Bistroye !" », ajouta-t-il avec conviction. Depuis quelque temps déjà, l'illustre écrivain avait contracté cette manie d'employer des mots bizarres, parfois désuets ou franchement impropres, quand ce n'étaient pas des néologismes enfantins à la manière du capitaine Haddock. Ses rares amis restants, comme ses éditeurs, lui passaient cette faiblesse,

comme on passe à peu près tout à un vieux décadent fatigué.

« C'est ronflant, cette idée que vous avez eue
de faire mon portrait, vraiment ronflant...

— Vraiment ? » s'étonna Jed. Il termina de
ramasser les morceaux de verre, fourra le tout
dans un sac-poubelle spécial gravats (Houellebecq, apparemment, n'en possédait pas d'autres),
se rassit à la table et prit une tranche de saucisson.

« Vous savez..., poursuivit-il sans se démonter,
j'ai bien l'intention de réussir ce tableau. Ces dix
dernières années, j'ai essayé de représenter des
gens appartenant à toutes les couches de la
société, du boucher chevalin au PDG d'une multinationale. Mon seul échec, ça a été quand j'ai
tenté de représenter un artiste – plus précisément
Jeff Koons, je ne sais pas pourquoi. Enfin j'ai
aussi échoué dans le cas d'un prêtre, je n'ai pas
su comment aborder le sujet, mais dans le cas
de Jeff Koons c'est pire, j'avais commencé le
tableau, j'ai été obligé de le détruire. Je ne veux
pas rester sur cet échec – et, avec vous, je crois
que j'y parviendrai. Il y a quelque chose dans
votre regard, je ne saurais pas dire quoi, mais je
crois que je peux le transcrire... »

Le mot de *passion* traversa soudain l'esprit de
Jed, et d'un seul coup il se retrouva dix ans en
arrière, au cours de son dernier week-end avec
Olga. C'était sur la terrasse du château de Vault-
de-Lugny, le dimanche de la Pentecôte. La terrasse dominait l'immense parc, dont les arbres
étaient agités par une brise légère. La nuit tombait, la température était d'une douceur idéale.
Olga semblait plongée dans la contemplation de

son pressé de homard, elle n'avait rien dit depuis au moins une minute lorsqu'elle releva la tête, le regarda droit dans les yeux et lui demanda :

« Est-ce que tu sais, au fond, pourquoi tu plais aux femmes ? »

Il marmonna une réponse indistincte.

« Parce que tu plais aux femmes, insista Olga, je suppose que tu as eu l'occasion de t'en rendre compte. Tu es plutôt mignon, mais ce n'est pas ça, la beauté c'est presque un détail. Non, c'est autre chose...

— Dis-moi.

— C'est très simple : c'est parce que tu as un regard intense. Un regard passionné. Et c'est cela, avant tout, que les femmes recherchent. Si elles peuvent lire dans le regard d'un homme une énergie, une passion, alors elles le trouvent séduisant. »

Le laissant méditer sur cette conclusion elle but une gorgée de Meursault, goûta son entrée. « Évidemment..., dit-elle un peu plus tard avec une légère tristesse, quand cette passion ne s'adresse pas à elles, mais à une œuvre artistique, elles sont incapables de s'en rendre compte... enfin au début. »

Dix ans plus tard, considérant Houellebecq, Jed prenait conscience qu'il y avait dans son regard, à lui aussi, une passion, quelque chose d'halluciné, même. Il avait dû susciter des passions amoureuses, peut-être violentes. Oui, d'après tout ce qu'il savait des femmes, il paraissait probable que certaines d'entre elles aient pu s'éprendre de ce débris torturé qui dodelinait maintenant de la tête devant lui en dévorant des tranches de pâté de campagne, manifestement devenu indifférent à tout ce qui pouvait s'apparenter à une relation amoureuse, et vraisemblablement aussi à toute relation humaine.

« C'est vrai, je n'éprouve qu'un faible sentiment de solidarité à l'égard de l'espèce humaine..., dit Houellebecq comme s'il avait deviné ses pensées. Je dirais que mon sentiment d'appartenance diminue un peu tous les jours. Pourtant j'aime bien vos derniers tableaux, même s'ils représentent des êtres humains. Ils ont quelque chose... de général, je dirais, qui va au-delà de l'anecdote. Enfin, je ne veux pas anticiper sur mon texte, sinon je n'écrirai rien. Au fait ça ne vous ennuie pas trop, si je n'ai pas fini fin mars ? Je ne suis vraiment pas très en forme en ce moment.

— Aucun problème. On retardera l'exposition ; on attendra le temps qu'il faudra. Vous savez, vous êtes devenu important pour moi, et en plus ça s'est fait rapidement, aucun être humain n'avait jamais produit cet effet sur moi ! s'exclama Jed avec une animation extraordinaire.

« Ce qui est curieux, vous savez..., poursuivit-il plus calmement, un portraitiste, on s'attend qu'il mette en avant la singularité du modèle, ce qui fait de lui un être humain unique. Et c'est ce que je fais dans un sens, mais d'un autre point de vue j'ai l'impression que les gens se ressemblent beaucoup plus qu'on ne le dit habituellement, surtout quand je fais les méplats, les maxillaires, j'ai l'impression de répéter les motifs d'un puzzle. Je sais bien que les êtres humains c'est le sujet du roman, de la *great occidental novel*, un des grands sujets de la peinture aussi, mais je ne peux pas m'empêcher de penser que les gens sont beaucoup moins différents entre eux qu'ils ne le croient en général. Qu'il y a trop de complications dans la société, trop de distinctions, de catégories...

— Oui, c'est un peu *byzantinesque*..., convint de bonne volonté l'auteur de *Plateforme*. Mais je n'ai pas l'impression que vous soyez vraiment un portraitiste. Le portrait de Dora Maar par Picasso, qu'est-ce qu'on en a à foutre ? De toute façon Picasso c'est laid, il peint un monde hideusement déformé parce que son âme est hideuse, et c'est tout ce qu'on peut trouver à dire de Picasso, il n'y a aucune raison de favoriser davantage l'exhibition de ses toiles, il n'a rien à apporter, il n'y a chez lui aucune lumière, aucune innovation dans l'organisation des couleurs ou des formes, enfin il n'y a chez Picasso absolument rien qui mérite d'être signalé, juste une stupidité extrême et un barbouillage priapique qui peut séduire certaines sexagénaires au compte en banque élevé. Le portrait de Ducon, appartenant à la Guilde des Marchands, par Van Dyck, là c'est autre chose ; parce que ce n'est pas Ducon qui intéresse Van Dyck, c'est la Guilde des Marchands. Enfin, c'est ce que je comprends dans vos tableaux, mais peut-être que je me plante complètement, de toute façon si mon texte ne vous plaît pas vous n'aurez qu'à le foutre à la poubelle. Excusez-moi, je deviens agressif, c'est les mycoses... » Sous le regard effaré de Jed il commença à se gratter les pieds, furieusement, jusqu'à ce que des gouttes de sang commencent à perler. « J'ai des mycoses, des infections bactériennes, un eczéma atopique généralisé, c'est une véritable infection, je suis en train de pourrir sur place et tout le monde s'en

fout, personne ne peut rien pour moi, j'ai été hon-
teusement abandonné par la médecine, qu'est-ce
qu'il me reste à faire ? Me gratter, me gratter sans
relâche, c'est ça qu'est devenue ma vie maintenant : une interminable séance de grattage... »

Puis il se redressa, un peu soulagé, avant
d'ajouter : « Je suis un peu fatigué maintenant, je
crois que je vais aller me reposer.

— Bien entendu ! » Jed se leva avec empresse-
ment. « Je vous suis déjà très reconnaissant de
m'avoir consacré tout ce temps » conclut-il avec
la sensation de s'en être plutôt bien tiré.

Houellebecq le raccompagna jusqu'à la porte.
Au dernier moment, juste avant qu'il ne s'enfonce
dans la nuit, il lui dit : « Vous savez, je me rends
compte de ce que vous êtes en train de faire, j'en
connais les conséquences. Vous êtes un bon
artiste, sans entrer dans les détails on peut dire
ça. Le résultat, c'est que j'ai été pris en photo des
milliers de fois, mais s'il y a une image de moi,
une seule, qui persistera dans les siècles à venir,
ce sera votre tableau. » Il eut soudain un sourire
juvénile, et cette fois réellement *désarmant*.
« Vous voyez, je prends la peinture au sérieux... »
dit-il. Puis il referma la porte.

V

Jed trébucha dans une poussette, se rattrapa de justesse au portique de détection d'objets métalliques, se recula pour reprendre sa place dans la file. Il n'y avait à part lui que des familles, chacune de deux ou trois enfants. Devant lui, un blondinet d'environ quatre ans geignait, réclamant on ne savait trop quoi, puis d'un seul coup il se jeta à terre en hurlant, tremblant de rage ; sa mère échangea un regard épuisé avec son mari, qui tenta de relever la vicieuse petite charogne. Il est impossible d'écrire un roman, lui avait dit Houellebecq la veille, pour la même raison qu'il est impossible de vivre : en raison des pesanteurs qui s'accumulent. Et toutes les théories de la liberté, de Gide à Sartre, ne sont que des immoralismes conçus par des célibataires irresponsables. Comme moi, avait-il ajouté en attaquant sa troisième bouteille de vin chilien.

Il n'y avait pas de places désignées dans l'avion, et au moment de l'embarquement il tenta de s'agréger à un groupe d'adolescents, mais il fut retenu au pied de l'escalier métallique – son bagage à main était trop volumineux, il dut le remettre au personnel navigant – et se retrouva près de l'allée centrale, coincé entre une petite fille de cinq ans qui s'agitait sur son siège, réclamant constamment des bonbons, et une femme obèse, aux cheveux ternes, tenant sur ses genoux un bébé qui commença à hurler peu après le décollage ; une demi-heure plus tard, il fallut lui changer ses couches.

À la sortie de l'aéroport de Beauvais-Tillé il s'arrêta, posa son sac de voyage, respira lentement pour se reprendre. Les familles chargées de poussettes et d'enfants s'engouffraient dans l'autocar à destination de la porte Maillot. Juste à côté il y avait un petit véhicule blanc, aux larges surfaces vitrées, portant le sigle des Transports Urbains du Beauvaisis. Jed s'approcha, s'informa : c'était la navette pour Beauvais, lui apprit le chauffeur ; le trajet coûtait deux euros. Il prit un ticket ; il était le seul passager.

« Je vous dépose à la gare ? demanda-t-il un peu plus tard.

— Non, dans le centre. »

L'employé lui jeta un regard surpris ; le tourisme beauvaisis, apparemment, ne semblait pas vraiment bénéficier des retombées de l'aéroport. Un effort avait été fait pourtant, comme à peu près dans toutes les villes de France, pour aménager des rues piétonnières dans le centre, avec des panneaux d'information historique et culturelle. Les premières traces de fréquentation du site de Beauvais pouvaient être datées de 65 000 ans avant notre ère. Camp fortifié par les Romains, la ville prit le nom de Caesaromagus, puis de Bellovacum, avant d'être détruite en 275 par les invasions barbares.

Située à un carrefour de routes commerciales, entourée de terres à blé d'une grande richesse, Beauvais connut dès le XIe siècle une prospérité considérable, et un artisanat textile s'y développa – les draps de Beauvais étaient exportés jusqu'à Byzance. C'est en 1225 que le comte-évêque Milon de Nanteuil lança le projet de la cathédrale Saint-Pierre (trois étoiles Michelin, *vaut le voyage*) qui, inachevée, n'en possède pas moins les voûtes gothiques les plus élevées d'Europe. Le déclin de Beauvais, accompagnant celui de l'industrie textile, devait s'amorcer dès la fin du XVIIIe siècle ; il n'avait pas vraiment cessé depuis, et Jed trouva sans difficulté une chambre à l'hôtel Kyriad. Il crut même être le seul client jusqu'à l'heure du dîner. Alors qu'il entamait sa blanquette de veau – le plat du jour – il vit entrer un Japonais isolé, d'une trentaine d'années, qui jetait des regards effarés autour de lui, et vint s'installer à la table voisine.

La proposition d'une blanquette de veau plongea le Japonais dans l'angoisse ; il se rabattit sur une entrecôte qu'il vit arriver quelques minutes plus tard et tâta tristement, irrésolu, du bout de sa fourchette. Jed se doutait qu'il allait essayer d'engager la conversation ; c'est ce qu'il fit, en anglais, après avoir suçoté quelques frites. Le pauvre homme était employé par Komatsu, une entreprise de machines-outils qui avait réussi à placer un de ses automates textiles dernière génération auprès de l'ultime entreprise de draperie en activité dans le département. La programmation de la machine était tombée en panne, et il était venu pour essayer de la réparer. Pour un déplacement de cet ordre, se lamenta-t-il, sa firme envoyait auparavant trois ou quatre techniciens, enfin deux au grand minimum ; mais les restrictions budgétaires étaient terribles, et il se retrouvait seul, à Beauvais, face à un client furieux et une machine à la programmation défectueuse.

Il était, en effet, dans une sale situation, convint Jed. Mais ne pouvait-il pas, au moins, être aidé par téléphone ? « *Time difference...* » dit tristement le Japonais. Peut-être, vers une heure du matin, réussirait-il à joindre quelqu'un au Japon, à l'ouverture des bureaux ; mais jusque-là il était seul, et il n'avait même pas de chaînes câblées japonaises dans sa chambre. Il considéra un instant son couteau à viande, comme s'il envisageait d'improviser un seppuku, puis se décida à entamer son entrecôte.

Dans sa chambre, tout en regardant *Thalassa* sans le son, Jed ouvrit son portable. Franz avait laissé trois messages. Il décrocha dès la première sonnerie.

« Alors ? Ça s'est passé comment ?

— Bien. À peu près bien. Sauf que je pense qu'il sera un peu en retard pour le texte.

— Ah non, ça c'est pas possible. J'en ai besoin fin mars, sinon je ne peux pas imprimer le catalogue.

— Je lui ai dit... » Jed hésita, se lança. « Je lui ai dit que ce n'était pas grave ; qu'il prenne tout le temps dont il a besoin. »

Franz émit une sorte de borborygme incrédule, puis se tut avant de reprendre la parole d'une voix tendue, à la limite de l'explosion.

« Écoute, il faut qu'on se voie pour en parler. Tu peux passer à la galerie maintenant ?

« — Non, là, je suis à Beauvais.

— À *Beauvais* ? Mais qu'est-ce que tu fous à *Beauvais* ?

— Je prends un peu de recul. C'est bien, de prendre du recul à Beauvais. »

Il y avait un train à 8 h 47, et le trajet pour la gare du Nord durait un peu plus d'une heure. À onze heures Jed était à la galerie, faisant face à un Franz découragé. « Tu n'es pas mon seul artiste, tu sais..., dit-il d'un ton de reproche. Si l'exposition ne peut pas avoir lieu en mai, je suis obligé de décaler jusqu'à décembre. »

L'arrivée de Marylin, dix minutes plus tard, rétablit un peu de bonne humeur. « Oh moi décembre ça me va très bien, annonça-t-elle d'emblée, avant de reprendre avec une jovialité carnassière : Ça me laissera plus de temps pour travailler les magazines anglais ; il faut s'y prendre très en amont, avec les magazines anglais.

— Bon, alors décembre..., concéda Franz, morose et battu.

— Je suis... », commença Jed en élevant légèrement les mains, avant de s'arrêter. Il allait dire : « Je suis l'artiste », ou une phrase de ce genre, d'une emphase un peu ridicule, mais il se reprit et ajouta simplement : « Il faut que j'aie le temps de faire le portrait de Houellebecq, aussi. Je veux que ce soit un bon tableau. Je veux que ce soit mon meilleur tableau. »

VI

Dans « Michel Houellebecq, écrivain », soulignent la plupart des historiens d'art, Jed Martin rompt avec cette pratique des fonds réalistes qui avait caractérisé l'ensemble de son œuvre tout au long de la période des « métiers ». Il rompt difficilement, et on sent que cette rupture lui coûte beaucoup d'efforts, qu'il s'efforce par différents artifices de maintenir autant que faire se peut l'illusion d'un fond réaliste possible. Dans le tableau, Houellebecq est debout face à un bureau recouvert de feuilles écrites ou demi-écrites. Derrière lui, à une distance qu'on peut évaluer à cinq mètres, le mur blanc est entièrement tapissé de feuilles manuscrites collées les unes contre les autres, sans le moindre interstice. Ironiquement, soulignent les historiens d'art, Jed Martin semble dans son travail accorder une énorme importance au texte, se polariser sur le texte détaché de toute référence réelle. Or, tous les historiens de la littérature le confirment, si Houellebecq aimait au cours de sa phase de travail punaiser les murs de sa chambre avec différents documents, il s'agissait le plus souvent de photos, représentant les endroits où il situait les scènes de ses romans ;

et rarement de scènes écrites ou demi-écrites. En le représentant au milieu d'un univers de papier, Jed Martin n'a pourtant probablement pas souhaité prendre position sur la question du réalisme en littérature ; il n'a pas davantage cherché à rapprocher Houellebecq d'une position formaliste que celui-ci avait du reste explicitement rejetée. Sans doute a-t-il été, plus simplement, entraîné par une pure fascination plastique devant l'image de ces blocs de texte ramifiés, reliés, s'engendrant les uns les autres comme un gigantesque polype.

Peu de gens de toute façon, au moment de la présentation du tableau, prêtèrent attention au fond, éclipsé par l'incroyable expressivité du personnage principal. Saisi à l'instant où il vient de repérer une correction à effectuer sur une des feuilles posées sur le bureau devant lui, l'auteur paraît en état de transe, possédé par une furie que certains n'ont pas hésité à qualifier de démoniaque ; sa main portant le stylo correcteur, traitée avec un léger flou de mouvement, se jette sur la feuille « avec la rapidité d'un cobra qui se détend pour frapper sa proie », comme l'écrit de manière imagée Wong Fu Xin, qui procède probablement là à un détournement ironique des clichés d'exubérance métaphorique traditionnellement associés aux auteurs d'Extrême-Orient (Wong Fu Xin se voulait, avant tout, poète ; mais ses poèmes ne sont presque plus lus, et ne sont même plus aisément disponibles ; alors que ses essais sur l'œuvre de Martin restent une référence incontournable dans les milieux de l'histoire de l'art). L'éclairage, beaucoup plus contrasté que dans les tableaux antérieurs de Martin, laisse dans l'ombre une grande partie du corps de l'écrivain, se concentrant uniquement sur le haut du visage et sur les mains aux doigts crochus, longs, décharnés comme les serres d'un rapace. L'expression du regard apparut à l'époque si étrange qu'elle ne pouvait, estimèrent alors les critiques, être rapprochée d'aucune tradition picturale existante, mais qu'il fallait plutôt la rapprocher de certaines images d'archives ethnologiques prises au cours de cérémonies vaudoues.

Jed téléphona à Franz le 25 octobre pour lui annoncer que son tableau était terminé. Depuis quelques mois ils ne s'étaient pas beaucoup vus ; contrairement à ce qu'il faisait souvent il ne l'avait pas appelé pour lui montrer des travaux préparatoires, des esquisses. Franz de son côté s'était concentré sur d'autres expositions, qui avaient plutôt bien marché, sa galerie était assez en vue depuis quelques années, sa cote montait peu à peu – sans que cela se traduise encore par des ventes substantielles.

Franz arriva vers dix-huit heures. La toile était au centre de l'atelier, tendue sur un châssis standard de 116 centimètres sur 89, bien éclairée par une rampe d'halogènes. Franz s'assit sur une chaise de toile pliante, juste en face, et la considéra sans mot dire pendant une dizaine de minutes.

« Bon…, lâcha-t-il finalement. T'es chiant par moments, mais t'es un bon artiste. Je dois reconnaître que ça valait le coup d'attendre. C'est un bon tableau ; un très bon tableau, même. Tu es sûr que tu veux lui en faire cadeau ?

— J'ai promis.

— Et le texte, il arrive bientôt ?

— Avant la fin du mois.

— Mais vous êtes en contact, ou pas ?

— Pas vraiment. Il m'a juste envoyé un mail en août pour me dire qu'il revenait s'installer en France, qu'il avait réussi à racheter sa maison d'enfance dans le Loiret. Mais il précisait que ça ne changeait rien, que j'aurais le texte fin octobre. Je lui fais confiance. »

VII

En effet, au matin du 31 octobre, Jed reçut un mail accompagné d'un texte sans titre, d'une cinquantaine de pages, qu'il transféra immédiatement à Marylin et à Franz, tout en s'inquiétant : est-ce que ce n'était pas trop long ? Celle-ci le rassura immédiatement : au contraire, lui dit-elle, c'était toujours préférable « d'avoir du volume ».

Même s'il est plutôt considéré aujourd'hui comme une curiosité historique, ce texte de Houellebecq – le premier de cette importance consacré à l'œuvre de Martin – n'en contient pas moins certaines intuitions intéressantes. Au-delà des variations de thèmes et de techniques, il affirme pour la première fois l'unité du travail de l'artiste, et découvre une profonde logique au fait qu'après avoir consacré ses années de formation à traquer l'essence des produits manufacturés du monde, il s'intéresse, dans une deuxième partie de sa vie, à leurs producteurs.

Le regard que Jed Martin porte sur la société de son temps, souligne Houellebecq, est celui d'un ethnologue bien plus que d'un commentateur politique. Martin, insiste-t-il, n'a rien d'un artiste engagé, et même si « L'introduction en

Bourse de l'action Beate Uhse », une de ses rares scènes de foule, peut évoquer la période expressionniste, nous sommes très loin du traitement grinçant, caustique d'un George Grosz ou d'un Otto Dix. Ses traders en jogging et sweat-shirt à capuche qui acclament avec une lassitude blasée la grande industrielle du porno allemand sont les héritiers directs des bourgeois en jaquette qui se croisent, interminablement, dans les réceptions mises en scène par le Fritz Lang des *Mabuse* ; ils sont traités avec le même détachement, la même froideur objective. Dans ses titres comme dans sa peinture elle-même, Martin est toujours simple et direct : il décrit le monde, ne s'autorisant que rarement une notation poétique, un sous-titre servant de commentaire. Il le fait, pourtant, dans une de ses œuvres les plus abouties, « Bill Gates et Steve Jobs s'entretenant du futur de l'informatique », qu'il a choisi de sous-titrer *La conversation de Palo Alto*.

Enfoncé dans un siège en osier, Bill Gates écartait largement les bras en souriant à son interlocuteur. Il était vêtu d'un pantalon de toile, d'une chemisette kaki à manches courtes, les pieds nus dans des tongs. Ce n'était plus le Bill Gates en costume bleu marine de l'époque où Microsoft affermissait sa domination sur le monde, et où lui-même, détrônant le sultan de Brunei, s'élevait au rang de première fortune mondiale. Ce n'était pas encore le Bill Gates concerné, douloureux, visitant des orphelinats sri-lankais ou appelant la communauté internationale à la vigilance devant la recrudescence de la variole dans les pays de l'Ouest africain. C'était un Bill Gates intermédiaire, décontracté, manifestement heureux d'avoir abandonné son poste de *chairman* de la première entreprise mondiale de logiciels, un Bill Gates en vacances en somme. Seules les lunettes à la monture métallique, aux verres fortement grossissants, pouvaient rappeler son passé de *nerd*.

Face à lui, Steve Jobs, quoique assis en tailleur sur le canapé de cuir blanc, semblait paradoxalement une incarnation de l'austérité, du *Sorge* traditionnellement associés au capitalisme protestant. Il n'y avait rien de californien dans la manière dont sa main droite enserrait sa mâchoire comme pour l'aider dans une réflexion difficile, dans le regard plein d'incertitude qu'il posait sur son interlocuteur ; et même la chemise hawaiienne dont Martin l'avait affublé ne parvenait pas à dissiper l'impression de tristesse générale produite par sa position légèrement voûtée, par l'expression de désarroi qu'on lisait sur ses traits.

La rencontre, de toute évidence, avait lieu chez Jobs. Mélange de meubles blancs au design épuré et de tentures ethniques aux couleurs vives : tout dans la pièce évoquait l'univers esthétique du fondateur d'Apple, aux antipodes de la débauche de gadgets high-tech, à la limite de la science-fiction, qui caractérisait selon la légende la maison que le fondateur de Microsoft s'était fait construire dans la banlieue de Seattle. Entre les deux hommes, un jeu d'échecs aux pièces artisanales en bois était posé sur une table basse ; ils venaient d'interrompre la partie dans une position très défavorable pour les noirs – c'est-à-dire pour Jobs.

Dans certaines pages de son autobiographie, *La Route du futur*, Bill Gates laisse parfois transparaître ce qu'on pourrait considérer comme un cynisme complet – en particulier dans le passage où il avoue tout uniment qu'il n'est pas forcément avantageux, pour une entreprise, de proposer les produits les plus innovants. Le plus souvent il est préférable d'observer ce que font les entreprises concurrentes (et il fait alors clairement référence, sans le citer, à son concurrent Apple), de les laisser sortir leurs produits, affronter les difficultés inhérentes à toute innovation, essuyer les plâtres en quelque sorte ; puis, dans un deuxième temps, d'inonder le marché en proposant des copies à bas prix des produits de la concurrence. Ce cynisme apparent n'est pourtant pas, souligne Houellebecq dans son texte, la vérité profonde de Gates ; celle-ci s'exprime plutôt dans ces passages surprenants, et presque touchants, où il réaffirme sa foi dans le capitalisme, dans la mystérieuse « main invisible » ; sa conviction absolue, inébranlable, que quels que soient les vicissitudes et les apparents contre-exemples le marché, au bout du compte, a toujours raison, le bien du marché s'identifie toujours au bien général. C'est alors que Bill Gates apparaît, dans sa vérité profonde, comme un être de foi, et c'est cette foi, cette candeur du capitaliste sincère que Jed Martin a su rendre en le représentant, les bras largement ouverts, chaleureux et amical, ses lunettes brillant dans les derniers rayons du soleil couchant sur l'océan Pacifique. Jobs au contraire, amaigri par la maladie, son visage soucieux, piqué d'une barbe clairsemée, douloureusement posé sur sa main droite, évoque un de ces évangélistes itinérants au moment où, se retrouvant pour la dixième fois peut-être à débiter ses prêches devant une assistance clairsemée et indifférente, il est tout à coup envahi par le doute.

C'était pourtant Jobs, immobile, affaibli, en position perdante, qui donnait l'impression d'être le maître du jeu ; tel était, souligne Houellebecq dans son texte, le profond paradoxe de cette toile. Dans son regard brillait toujours cette flamme qui n'est pas seulement celle des prédicateurs et des prophètes, mais aussi celle de ces inventeurs si souvent décrits par Jules Verne. À regarder plus attentivement la position d'échecs représentée par Martin, on se rendait compte qu'elle n'était pas nécessairement perdante ; et que Jobs pouvait, en se lançant dans un sacrifice de la reine, conclure en trois coups par un audacieux mat fou-cavalier. De même on avait l'impression qu'il pouvait, par l'intuition fulgurante d'un nouveau produit, imposer subitement au marché de nouvelles normes. Par la baie vitrée derrière les deux hommes on distinguait un paysage de prairies, d'un vert émeraude presque surréel, descendant en pente douce jusqu'à une rangée de falaises, où elles rejoignaient une forêt de conifères. Plus loin l'océan Pacifique déroulait ses vagues mordorées, interminables. Des petites filles, au loin sur la pelouse, avaient entamé une partie de frisbee. Le soir tombait, magnifiquement, dans l'explosion d'un soleil couchant que Martin avait voulu presque improbable dans sa magnificence orangée, sur la Californie du Nord, et le soir tombait sur la partie la plus avancée du monde ; c'était cela aussi, cette tristesse indéfinie des adieux, que l'on pouvait lire dans le regard de Jobs.

Deux partisans convaincus de l'économie de marché ; deux soutiens résolus, aussi, du Parti démocrate, et pourtant deux facettes opposées du capitalisme, aussi différentes entre elles qu'un banquier de Balzac pouvait l'être d'un ingénieur de Verne. *La conversation de Palo Alto*, soulignait Houellebecq en conclusion, était un sous-titre par trop modeste ; c'est plutôt *Une brève histoire du capitalisme* que Jed Martin aurait pu intituler son tableau ; car c'est bien cela qu'il était, en effet.

VIII

Après quelques tergiversations, le vernissage fut fixé au 11 décembre, un mercredi – c'était le jour idéal, selon Marylin. Fabriqués en urgence dans une imprimerie italienne, les catalogues arrivèrent juste à temps. C'étaient des objets élégants, et même luxueux – il ne fallait pas lésiner là-dessus, avait tranché Marylin, à laquelle Franz était de plus en plus soumis, ça en devenait curieux, il la suivait partout, de pièce en pièce, comme un bichon, quand elle passait ses coups de fil.

Après avoir déposé une pile de catalogues près de l'entrée, vérifié l'accrochage de l'ensemble des toiles, ils n'avaient plus rien à faire jusqu'à l'ouverture, prévue à dix-neuf heures, et le galeriste commença à donner des signes de nervosité palpables ; il avait revêtu une curieuse blouse brodée de paysanne slovaque par-dessus son jean Diesel noir. Marylin, très cool, vérifiait quelques détails sur son portable, circulait d'un tableau à l'autre, Franz sur ses talons. *It's a game, it's a million dollar game.*

Vers dix-huit heures trente, Jed commença à être fatigué par les évolutions des deux comparses

189

et annonça qu'il allait faire un tour. « Juste un tour dans les rues, je vais marcher un petit peu dans les rues, ne vous inquiétez pas, ça fait du bien de marcher. »

La remarque témoignait d'un optimisme exagéré, il s'en rendit compte dès qu'il prit pied sur le boulevard Vincent-Auriol. Des voitures passaient rapidement en l'éclaboussant, il faisait froid et la pluie tombait à verse, c'était tout ce qu'on pouvait accorder, ce soir-là, au boulevard Vincent-Auriol. Un hypermarché Casino, une station-service Shell demeuraient les seuls centres d'énergie perceptibles, les seules propositions sociales susceptibles de provoquer le désir, le bonheur, la joie. Ces lieux de vie, Jed les connaissait déjà : l'hypermarché Casino il en avait été un client régulier, pendant des années, avant de switcher vers le Franprix du boulevard de l'Hôpital. Quant à la station-service Shell il la connaissait bien, elle aussi : il avait apprécié, bien des dimanches, de pouvoir s'y ravitailler en Pringles et en bouteilles d'Hépar, mais c'était inutile ce soir, un cocktail avait été prévu bien évidemment, on avait fait appel à un *traiteur*.

Il pénétra pourtant, au milieu de dizaines d'autres clients, dans la grande surface, et put tout de suite constater différentes améliorations. Près de la zone librairie, un rayon presse proposait maintenant un choix important de quotidiens et de magazines. L'offre en pâtes fraîches italiennes s'était encore étoffée, rien décidément ne semblait pouvoir stopper la progression des pâtes fraîches italiennes ; et surtout les propositions food court du magasin s'étaient enrichies d'un magnifique Salad Bar en libre-service, flambant

190

neuf, qui alignait une quinzaine de variétés, dont certaines paraissaient délicieuses. Voilà qui lui donnait envie de revenir ; qui lui donnait *diantrement* envie de revenir, aurait dit Houellebecq, dont Jed tout à coup regretta douloureusement l'absence, face au Salad Bar où quelques femmes d'âge moyen supputaient, dubitatives, la valeur calorique des compositions proposées. Il savait que l'écrivain partageait son goût pour la grande distribution, la *vraie* distribution aimait-il à dire, que comme lui il appelait de ses vœux, dans un futur plus ou moins utopique et lointain, la fusion des différentes chaînes de magasins dans un hypermarché total, qui recouvrirait l'ensemble des besoins humains. Comme il aurait été bon de visiter ensemble cet hypermarché Casino refait à neuf, de se pousser du coude en se signalant l'un à l'autre l'apparition de segments de produits inédits, ou un nouvel étiquetage nutritionnel particulièrement exhaustif et clair !...

Était-il en train d'être gagné par un *sentiment d'amitié* pour Houellebecq ? Le mot aurait été exagéré, et Jed ne pensait de toute façon pas être en mesure d'éprouver un sentiment de cet ordre : il avait traversé l'adolescence, la première jeunesse sans être la proie d'amitiés bien vives, alors que ces périodes de la vie sont considérées comme particulièrement propices à leur éclosion ; il était peu vraisemblable que l'amitié lui vienne maintenant, *sur le tard*. Mais enfin il avait, finalement, apprécié leur rencontre, et surtout il aimait bien son texte, il le trouvait même d'une qualité d'intuition surprenante, compte tenu de l'évidente absence de culture picturale de l'auteur. Bien entendu, il l'avait invité au vernissage ;

Houellebecq avait répondu qu'il « essaierait de passer », ce qui voulait dire que les chances de le voir étaient à peu près nulles. Lorsqu'il l'avait eu au téléphone, il était très excité par l'aménagement de sa nouvelle maison : quand il était revenu, deux mois auparavant, en une sorte de pèlerinage sentimental, dans le village où il avait passé son enfance, la maison où il avait grandi se trouvait être en vente. Il avait considéré cela comme « absolument miraculeux », un signe du destin, et l'avait aussitôt achetée, sans même discuter le prix, avait déménagé ses affaires – dont la plupart, il est vrai, n'avait jamais quitté ses cartons d'origine – et s'occupait à présent de la meubler. Enfin il n'avait parlé que de ça, et le tableau de Jed semblait être le dernier de ses soucis ; Jed avait cependant promis de le lui apporter, une fois passés le vernissage et les premiers jours de l'exposition, où se présentaient parfois quelques journalistes retardataires.

Vers dix-neuf heures vingt, au moment où Jed revint vers la galerie, il aperçut par les baies vitrées une cinquantaine de personnes qui circulaient dans les travées, entre les toiles. Les gens étaient venus à l'heure, c'était probablement bon signe. Marylin le vit de loin, agita le poing dans sa direction en signe de victoire.

« Y a du lourd…, dit-elle au moment où il la rejoignit. Du très lourd. »

En effet, à quelques mètres, il aperçut Franz en conversation avec François Pinault flanqué d'une ravissante jeune femme, probablement d'origine iranienne, qui l'assistait pour la direction de sa fondation artistique. Son galeriste avait l'air de peiner, agitait les bras de manière désordonnée, et fugitivement Jed eut envie de venir à son secours, avant de se ressouvenir de ce qu'il savait depuis toujours, et que Marylin lui avait carrément redit quelques jours plus tôt : il n'était jamais meilleur que dans le silence.

« C'est pas fini..., poursuivit l'attachée de presse. Tu vois le type en gris, là-bas ? » Elle désignait un jeune homme d'une trentaine d'années, au visage intelligent, extrêmement bien habillé, dont le costume, la cravate et la chemise formaient un délicat nuancier de tons gris clair. Il s'était arrêté devant « Le journaliste Jean-Pierre Pernaut animant une conférence de rédaction », un tableau relativement ancien de Jed, le premier où il avait représenté son sujet en compagnie de collègues de travail. Cela avait été, il s'en souvenait, un tableau particulièrement difficile à exécuter, l'expression des collaborateurs de Jean-Pierre Pernaut écoutant les directives de leur leader charismatique avec un curieux mélange de vénération et de dégoût n'avait pas été facile à rendre, il y avait passé presque six mois. Mais ce tableau l'avait libéré, c'est aussitôt après qu'il s'était lancé dans « L'architecte Jean-Pierre Martin quittant la direction de son entreprise », et en réalité dans toutes ses grandes compositions ayant pour cadre le monde du travail.

« Ce mec, c'est l'acheteur de Roman Abramovitch pour l'Europe, précisa Marylin. Je l'avais déjà vu à Londres, à Berlin, mais jamais à Paris ; jamais dans une galerie d'art contemporain, en tout cas.

« C'est bon si t'as une situation de concurrence potentielle dès le soir du vernissage, poursuivit-elle. C'est un petit monde, ils se connaissent, ils vont commencer à supputer, à imaginer des prix. Donc, évidemment, il faut au moins deux personnes. Et là... » Elle eut un sourire charmant, mutin, qui la faisait ressembler à une toute jeune fille, et qui surprit Jed. « Là, il y en a trois... Tu vois le type là-bas, devant le tableau Bugatti ? » Elle désignait un vieil homme au visage épuisé et légèrement boursouflé, à la petite moustache grise, vêtu d'un costume noir mal coupé. « C'est Carlos Slim Helu. Mexicain, d'origine libanaise. Il ne paie pas de mine, je sais bien ; mais il a gagné énormément d'argent dans les télécommunications : selon les évaluations, c'est la troisième ou la quatrième fortune mondiale. Et il est collectionneur... »

Ce que Marylin désignait sous le nom de *tableau Bugatti* était en réalité « L'ingénieur Ferdinand Piëch visitant les ateliers de production de Molsheim », où était en effet produite la Bugatti Veyron 16.4, voiture la plus rapide – et la plus chère – du monde. Dotée d'un moteur de seize cylindres en W d'une puissance de 1001 chevaux, complété par quatre turbopropulseurs, elle passait de 0 à 100 km/heure en 2,5 secondes, et atteignait une vitesse de pointe de 407 km/heure. Aucun pneumatique disponible sur le marché n'était capable de résister à de telles accélérations, et Michelin avait dû, pour cette voiture, développer des gommes spécifiques.

Slim Helu demeura devant le tableau pendant au moins cinq minutes, se déplaçant très peu, s'écartant et se rapprochant de quelques centimètres. Il avait choisi, nota Jed, la distance de vision idéale pour ce format de toile ; de toute évidence, c'était un vrai collectionneur.

Puis le milliardaire mexicain se retourna et gagna la sortie ; il n'avait salué, ni parlé à personne. Au passage, François Pinault lui jeta un regard acéré ; face à un tel concurrent, en effet, l'homme d'affaires breton n'aurait pas pesé lourd. Sans lui rendre son regard, Slim Helu monta à l'arrière d'une limousine Mercedes noire qui stationnait devant la galerie.

L'envoyé de Roman Abramovitch se rapprocha à son tour du *tableau Bugatti*. C'était, en effet, une œuvre curieuse. Quelques semaines avant de l'entreprendre, Jed avait acheté au marché aux puces de Montreuil, pour un prix dérisoire – le prix du papier usagé, pas davantage –, des cartons d'anciens numéros de *Pékin-Information* et de *La Chine en construction*, et le traitement avait quelque chose d'ample et d'aérien qui le rapprochait du réalisme socialiste à la chinoise. La formation en V large du petit groupe d'ingénieurs et de mécaniciens suivant Ferdinand Piëch dans sa visite des ateliers rappelait de très près, devait noter plus tard un historien d'art particulièrement pugnace et bien documenté, celle du groupe d'ingénieurs agronomes et de paysans moyen-pauvres accompagnant le président Mao Tsé-toung dans une aquarelle reproduite dans le numéro 122 de *La Chine en construction*, intitulée : « En avant pour les cultures de riz irriguées dans la province de Hunan ! » C'était d'ailleurs l'unique fois, comme d'autres historiens d'art l'avaient depuis longtemps fait remarquer, que Jed s'était essayé à la technique de l'aquarelle. L'ingénieur Ferdinand Piëch, deux mètres en avant du groupe, semblait flotter plutôt que marcher, comme en lévitation quelques centimètres au-dessus du sol en époxy clair. Trois postes de travail en aluminium accueillaient des châssis de Bugatti Veyron à différents stades de fabrication ; à l'arrière-plan les murs, entièrement vitrés, ouvraient sur le panorama des Vosges. Par une coïncidence curieuse, faisait remarquer Houellebecq dans son texte de catalogue, ce village de Molsheim, et les paysages vosgiens qui l'entouraient, étaient déjà au centre des photographies, carte Michelin et satellite, par lesquelles Jed avait choisi, dix ans plus tôt, d'ouvrir sa première exposition personnelle.

Cette simple remarque, dans laquelle Houellebecq, esprit rationnel voire étroit, ne voyait certainement pas davantage que la relation d'un fait intéressant mais anecdotique, devait conduire Patrick Kéchichian à la rédaction d'un article enflammé, plus mystique que jamais : après nous avoir montré un Dieu coparticipant, avec l'homme, à la création du monde, écrivait-il, l'artiste, achevant son mouvement vers l'incarnation, nous montrait maintenant Dieu descendu parmi les hommes. Loin de l'harmonie des sphères célestes, Dieu était venu à présent « plonger ses mains dans le cambouis », afin que soit rendu hommage, par sa pleine présence, à la dignité sacerdotale du travail humain. Lui-même vrai homme et vrai Dieu, il était venu offrir à l'humanité laborieuse le don sacrificiel de son ardent amour. Dans l'attitude du mécanicien de gauche quittant son poste de travail pour suivre l'ingénieur Ferdinand Piëch, comment ne pas reconnaître, insistait-il, l'attitude de Pierre laissant ses filets en réponse à l'invitation du Christ : « Viens, et je te ferai pêcheur d'hommes » ? Et jusque dans l'absence de la Bugatti Veyron 16.4 à son stade de fabrication ultime, il discernait une référence à la Jérusalem nouvelle.

L'article fut refusé par *Le Monde*, Pépita Bourguignon, la chef de rubrique, ayant menacé de démissionner si on publiait cette « cuculterie bondieusarde » ; mais il devait paraître dans *Art Press* le mois suivant.

« La presse, de toute façon, à ce stade, on s'en bat un peu les couilles. C'est plus vraiment là que ça se joue » résuma Marylin en fin de soirée, alors que Jed s'inquiétait de l'absence répétée de Pépita Bourguignon.

Vers vingt-deux heures, après le départ des derniers invités, alors que les employés du traiteur repliaient les nappes, Franz s'effondra dans un siège en plastique mou près de l'entrée de la galerie. « Putain, je suis vanné…, dit-il. Absolument vanné. » Il s'était dépensé sans compter, retraçant sans se lasser, à l'intention de tous ceux que ça pouvait intéresser, le parcours artistique de Jed ou l'historique de sa galerie, il avait parlé toute la soirée sans discontinuer ; Jed, pour sa part, s'était contenté de hocher la tête de temps à autre.

« Tu vas me chercher une bière, s'il te plaît ? Dans le frigo de la réserve. »

Jed revint avec un pack de Stella Artois. Franz en siffla une cul sec, au goulot, avant de reprendre la parole.

« Bon, maintenant, il n'y a plus qu'à attendre les offres…, résuma-t-il. On fait le point dans une semaine. »

IX

Lorsque Jed déboucha sur le parvis de Notre-Dame-de-la-Gare, une pluie fine et glaciale se mit à tomber brusquement, comme un avertissement, puis s'arrêta tout aussi vite, au bout de quelques secondes. Il monta les quelques marches qui conduisaient à l'entrée. Les portes de l'église étaient comme toujours grandes ouvertes, à deux battants ; l'intérieur paraissait désert. Il hésita, puis se retourna. La rue Jeanne-d'Arc descendait jusqu'au boulevard Vincent-Auriol, que surplombait le métro aérien ; au loin, on apercevait le dôme du Panthéon. Le ciel était d'un gris sombre et mat. Au fond, il n'avait pas grand-chose à dire à Dieu ; pas en ce moment.

La place Nationale était déserte, et les arbres dépouillés de leurs feuilles laissaient entrevoir les structures rectangulaires, emboîtées, de la faculté de Tolbiac. Jed obliqua dans la rue du Château-des-Rentiers. Il était en avance, mais Franz était déjà là, attablé devant un ballon de rouge ordinaire, et ce n'était visiblement pas le premier. Couperosé, hirsute, il donnait l'impression de n'avoir pas dormi depuis des semaines.

« Bon, résuma-t-il dès que Jed se fut installé. J'ai eu des offres pour presque tous les tableaux, maintenant. J'ai fait monter les enchères, je peux peut-être faire monter encore un peu, enfin pour l'instant le prix moyen se stabilise autour de cinq cent mille euros.

— Pardon ?

— Tu as bien entendu : cinq cent mille euros. »

Franz tortillait nerveusement des mèches de ses cheveux blancs en désordre ; c'était la première fois que Jed lui voyait ce tic. Il vida son verre, en commanda aussitôt un autre.

« Si je vends maintenant, poursuivit-il, on touchera trente millions d'euros ; environ. »

Le silence retomba dans le café. Près d'eux, un vieillard très maigre, en pardessus gris, s'assoupissait devant son Picon bière. À ses pieds, un petit chien ratier blanc et roux, obèse, somnolait à demi, comme son maître. La pluie se remit à tomber doucement.

« Alors ? demanda Franz au bout d'une minute. Qu'est-ce que je fais ? Je vends maintenant ?

— Comme tu veux.

— Comment ça, comme je veux, merde ! Tu te rends compte du fric que ça représente ? » Il avait presque crié, et le vieillard près d'eux se réveilla en sursaut ; le chien se redressa péniblement, gronda dans leur direction.

« Quinze millions d'euros... Quinze millions d'euros chacun..., poursuivit Franz plus doucement, mais d'une voix étranglée. Et j'ai l'impression que ça ne te fait ni chaud ni froid...

— Si, si, excuse-moi, répondit rapidement Jed. Disons que je suis sous le choc », ajouta-t-il un peu plus tard.

Franz le considéra avec un mélange de suspicion et d'écœurement. « Bon, OK, dit-il finalement. Je suis pas Larry Gagosian, j'ai pas les nerfs pour ce genre de trucs. Je vais vendre maintenant. »

« Tu as sûrement raison », dit Jed une bonne minute plus tard. Le silence s'était fait à nouveau, uniquement troublé par les ronflements du ratier qui s'était recouché, rassuré, aux pieds de son maître.

« À ton avis..., reprit Franz. À ton avis, quel est le tableau qui a décroché la meilleure offre ? »

Jed réfléchit un instant. « Peut-être Bill Gates et Steve Jobs..., suggéra-t-il finalement.

— Exactement. Il est monté à un million et demi d'euros. Par un courtier américain, qui paraît-il opère pour le compte de Jobs lui-même.

« Depuis longtemps..., poursuivit Franz d'une voix tendue, à la limite de l'exaspération, depuis longtemps le marché de l'art est dominé par les hommes d'affaires les plus riches de la planète. Et aujourd'hui pour la première fois ils ont l'occasion, en même temps qu'ils achètent ce qui est le plus à l'avant-garde dans le domaine esthétique, d'acheter un tableau qui les représente eux-mêmes. Je te dis pas le nombre de propositions que j'ai eues, de la part d'hommes d'affaires ou d'industriels, qui voudraient que tu fasses leur portrait. On est revenus aux temps de la peinture de cour d'Ancien Régime... Enfin ce que je veux dire c'est qu'il y a une pression, une grosse pression sur toi en ce moment. Tu as toujours l'intention de donner son tableau à Houellebecq ?

— Évidemment. J'ai promis.

— À ton aise. C'est un beau cadeau. Un cadeau à sept cent cinquante mille euros... Remarque, il le mérite. Son texte a joué un rôle important. En insistant sur le côté systématique, théorique de ta démarche, il a permis d'éviter que tu sois assimilé aux nouveaux figuratifs, à tous ces minables... Évidemment je n'ai pas laissé les tableaux dans mon entrepôt de l'Eure-et-Loir, j'ai loué des coffres dans une banque. Je vais te faire un papier, tu pourras passer chercher le portrait de Houellebecq quand tu voudras. »

« J'ai reçu une visite, aussi, poursuivit Franz après une nouvelle pause. Une jeune femme russe, je suppose que tu vois qui c'est. » Il sortit une carte de visite, la tendit à Jed. « Une très jolie jeune femme... »

La lumière commençait à baisser. Jed rangea la carte de visite dans une poche intérieure de son blouson, l'enfila à demi.

« Attends..., l'interrompit Franz. Avant que tu partes, je voudrais juste vérifier que tu comprends exactement la situation. J'ai reçu une cinquantaine d'appels d'hommes qui comptent parmi les plus grosses fortunes mondiales. Parfois ils ont fait téléphoner par un assistant, mais le plus souvent ils ont appelé eux-mêmes. Tous, ils voudraient que tu fasses leur portrait. Tous, ils te proposent un million d'euros – au minimum. »

Jed termina d'enfiler son blouson, sortit son portefeuille pour payer.

« Je t'invite..., dit Franz avec une grimace narquoise. Ne réponds pas, ce n'est pas la peine, je sais exactement ce que tu vas dire. Tu vas demander à réfléchir ; et dans quelques jours tu vas m'appeler pour me dire que tu refuses. Et puis tu vas arrêter. Je commence à te connaître, tu as toujours été comme ça, déjà à l'époque des cartes Michelin : tu travailles, tu t'acharnes dans ton coin pendant des années ; et puis dès que ton travail est exposé, dès que tu accèdes à la reconnaissance, tu laisses tomber.

— Il y a de petites différences. Là, je commençais à piétiner au moment où j'ai laissé tomber "Damien Hirst et Jeff Koons se partageant le marché de l'art".

— Oui, je sais ; c'est même ce qui m'a décidé à organiser l'exposition. Je suis content, d'ailleurs, que tu n'aies pas terminé ce tableau. Pourtant j'aimais bien l'idée, le projet avait une pertinence historique, c'était un témoignage assez juste sur la situation de l'art à un moment donné. Il y a eu, en effet, une espèce de partage : d'un côté le fun, le sexe, le kitsch, l'innocence ; de l'autre le trash, la mort, le cynisme. Mais, dans ta situation, ça aurait forcément été interprété comme l'œuvre d'un artiste de second plan, jaloux du succès de confrères plus riches ; on en est à un point de toute façon où le succès en termes de marché justifie et valide n'importe quoi, remplace toutes les théories, personne n'est capable de voir plus loin, absolument personne. Maintenant ce tableau tu pourrais te le permettre, tu es devenu l'artiste français le mieux payé du moment ; mais je sais que tu ne le peindras pas, tu vas passer à autre chose. Tu vas peut-être simplement arrêter les portraits ; ou arrêter la peinture figurative en général ; ou arrêter la peinture tout court, peut-être revenir à la photographie, je n'en sais rien. »

Jed garda le silence. À la table voisine le vieillard sortit de son assoupissement, se releva, gagna la porte ; son chien le suivit avec difficulté, son gros corps se dandinant sur ses pattes courtes.

« En tout cas, dit Franz, je veux que tu saches que je reste ton galeriste. Quoi qu'il arrive. »

Jed acquiesça. Le patron sortit de la réserve, alluma la rampe de néons au-dessus du comptoir, hocha la tête en direction de Jed ; Jed hocha de son côté. Ils étaient des clients réguliers, et même de vieux clients maintenant, mais aucune réelle familiarité ne s'était établie entre eux. Le patron de l'établissement avait même oublié qu'il avait, une dizaine d'années auparavant, autorisé Jed à prendre des photos de lui et de son café, dont celui-ci devait s'inspirer pour la réalisation de « Claude Vorilhon, gérant de bar-tabac », le second tableau de sa série des métiers simples – pour lequel un courtier en Bourse américain venait d'offrir la somme de trois cent cinquante mille euros. Il avait toujours vu en eux des clients atypiques, pas du même âge ni du même milieu que le reste de sa pratique, en somme ils ne faisaient pas partie de son *cœur de cible*.

Jed se leva, il se demandait quand il reverrait Franz, en même temps il prit conscience d'un seul coup qu'il était devenu un *homme riche*, et juste avant qu'il se dirige vers la porte Franz lui demanda :

« Tu fais quoi pour Noël ?

— Rien. Je vois mon père, comme d'habitude. »

X

Comme d'habitude pas vraiment, songea Jed en remontant vers la place Jeanne-d'Arc. Son père au téléphone avait paru complètement abattu, et il avait d'abord proposé d'annuler leur repas annuel. « Je ne veux être à la charge de personne... » Son cancer du rectum avait connu une aggravation subite, il avait des *pertes de matière* maintenant, avait-il annoncé avec une délectation masochiste, il allait falloir lui poser un anus artificiel. Sur l'insistance de Jed il avait accepté qu'ils se voient, à condition que son fils le reçoive chez lui. « Je peux plus supporter la gueule des êtres humains... »

Arrivé sur le parvis de Notre-Dame-de-la-Gare il hésita, puis entra. L'église lui parut d'abord déserte, mais en avançant vers l'autel il aperçut une jeune fille noire, de dix-huit ans tout au plus, agenouillée dans une stalle, les mains jointes, face à une statue de la Vierge ; elle formait des mots à voix basse. Concentrée dans sa prière, elle ne faisait aucune attention à lui. Son cul, cambré par l'agenouillement, était très précisément moulé par son pantalon de fin tissu blanc, nota Jed un peu contre son gré. Avait-elle des péchés à se faire pardonner ? Des parents malades ? Les deux, probablement. Sa foi paraissait grande. Ça devait être bien pratique, quand même, cette croyance en Dieu : quand on ne pouvait plus rien pour les autres – et c'était souvent le cas dans la vie, c'était au fond presque toujours le cas, et particulièrement en ce qui concernait le cancer de son père – demeurait la ressource de *prier pour eux*.

Il ressortit, mal à l'aise. La nuit tombait sur la rue Jeanne-d'Arc, les feux rouges des voitures s'éloignaient au ralenti vers le boulevard Vincent-Auriol. Au loin, le dôme du Panthéon était baigné d'une inexplicable lumière verdâtre, un peu comme si des aliens sphériques projetaient une attaque massive sur la région parisienne. Des gens mouraient sans doute, à cette minute même, çà et là, dans la ville.

Le lendemain pourtant, à la même heure, il se retrouva à allumer des bougies fantaisie et à déposer les *coquilles de saumon* sur sa table à tréteaux, cependant que l'ombre s'étendait sur la place des Alpes. Son père avait promis d'être là à dix-huit heures.

Il sonna en bas à dix-huit heures une. Jed ouvrit par l'interphone et respira lentement, profondément, à plusieurs reprises, pendant le trajet de l'ascenseur.

Il effleura rapidement les joues rêches de son père, qui se planta, immobile, au centre de la pièce. « Assieds-toi, assieds-toi... » dit-il. Obéissant aussitôt, son père s'assit à l'extrême bord d'une chaise et jeta des regards timides autour de lui. Il n'est jamais venu, réalisa soudain Jed, il n'est jamais venu dans mon appartement. Il fallut lui dire d'enlever son manteau, aussi. Son père tentait de sourire, un peu comme un homme qui cherche à montrer qu'il supporte vaillamment une amputation. Jed voulut ouvrir le champagne, ses mains tremblaient un peu, il manqua de faire tomber la bouteille de vin blanc qu'il venait de sortir du congélateur ; il était en sueur. Son père souriait toujours, d'un sourire un peu figé. Voilà un homme qui avait dirigé avec dynamisme, et parfois avec dureté, une entreprise d'une cinquantaine de personnes, qui avait dû licencier, embaucher ; qui avait négocié des contrats portant sur des dizaines, parfois des centaines de millions d'euros. Mais les approches de la mort rendent humble, et il semblait désireux, ce soir, que tout se passe aussi bien que possible, il semblait surtout désireux de ne causer aucun trouble, c'était apparemment sa seule ambition à présent sur cette terre. Jed réussit à ouvrir le champagne, se détendit un peu.

« J'ai appris ton succès…, dit son père en levant son verre. Nous buvons à ton succès. »

C'était une piste, se dit aussitôt Jed, une ouverture pour une conversation possible, et il se mit à parler de ses tableaux, de ce travail qu'il avait entrepris il y a une dizaine d'années déjà, de sa volonté de décrire, par la peinture, les différents rouages qui concourent au fonctionnement d'une société. Il parla avec aisance, pendant presque une heure, en reservant régulièrement du champagne puis du vin, alors qu'ils mangeaient les plats achetés la veille chez le traiteur, et ce qu'il disait là, il s'en rendit compte avec étonnement le lendemain, il ne l'avait jamais dit à personne. Son père l'écoutait avec attention, posait de temps à autre une question, il avait l'expression étonnée et curieuse d'un petit enfant, en somme tout se passa à merveille jusqu'au fromage, où l'inspiration de Jed commença à se tarir, et où son père, comme sous l'effet de la pesanteur, retomba dans un accablement douloureux. Il était, cependant, un peu ragaillardi par le dîner, et c'est sans réelle tristesse, plutôt en secouant la tête avec incrédulité, qu'il lâcha à mi-voix : « Putain... Un anus artificiel...

« Tu sais, dit-il d'une voix qui trahissait une légère ébriété, dans un sens, je suis content que ta mère soit plus là. Elle qui était si raffinée, si élégante... La déchéance physique, elle aurait pas supporté. »

Jed se figea. Ça y est, se dit-il. Ça y est, *nous y voilà* ; après des années, il va parler. Mais son père avait surpris son changement d'expression.

« Je ne vais pas te révéler ce soir pourquoi ta mère s'est suicidée ! scanda-t-il d'une voix forte, presque avec colère. Je ne vais pas te le révéler parce que je n'en sais rien ! » Il se calma presque aussitôt, se tassa sur lui-même. Jed transpirait. Il faisait trop chaud peut-être, le chauffage était presque impossible à régler, il avait toujours peur qu'il ne retombe en panne, il allait déménager maintenant qu'il avait de l'argent, sûrement, c'est ce que font les gens quand ils ont de l'argent, ils essaient d'améliorer leur cadre de vie, mais déménager pour aller où ? Il n'avait aucun désir immobilier particulier. Il allait rester, faire des travaux peut-être, en tout cas changer le chauffe-eau. Il se releva, tenta plus ou moins de manipuler les commandes de l'appareil. Son père dodelinait de la tête, prononçait des mots à voix basse. Jed revint près de lui. Il aurait fallu le prendre par les mains, lui toucher l'épaule ou quelque chose, mais comment faire ? Il n'avait jamais fait ça. « Un anus artificiel…, murmura-t-il à nouveau, d'une voix rêveuse.

« Je sais qu'elle n'était pas satisfaite de notre vie, reprit-il ; mais est-ce que c'est une raison suffisante pour mourir ? Moi non plus je n'étais pas satisfait de ma vie, je t'avoue que j'espérais autre chose de ma carrière d'architecte que de construire des résidences balnéaires à la con pour des touristes débiles, sous le contrôle de promoteurs foncièrement malhonnêtes et d'une vulgarité presque infinie ; mais bon c'était le travail, les habitudes… Probablement est-ce qu'elle n'aimait pas la vie, et voilà tout. Ce qui m'a le plus choqué, c'est ce que m'a raconté la voisine, qui l'a croisée juste avant. Elle revenait de faire ses courses, elle venait probablement de se procurer le poison – on n'a jamais su comment, d'ailleurs. Ce que m'a dit cette femme c'est qu'elle avait l'air heureuse, incroyablement enthousiaste et heureuse. Elle avait exactement, m'a-t-elle dit, l'expression de quelqu'un qui s'apprête à partir en vacances. C'était du cyanure, elle a dû mourir presque instantanément ; je suis absolument certain qu'elle n'a pas souffert. »

Puis il se tut, et le silence se prolongea longtemps, Jed finit par perdre légèrement conscience. Il eut la vision de prairies immenses, dont l'herbe était agitée par un vent léger, la lumière était celle d'un éternel printemps. Il se réveilla d'un seul coup, son père continuait à dodeliner de la tête et à marmonner, poursuivant un débat intérieur pénible. Jed hésita, il avait prévu un dessert : il y avait des profiteroles au chocolat dans le réfrigérateur. Devait-il les sortir ? Devait-il, au contraire, attendre d'en savoir davantage sur le suicide de sa mère ? Il n'avait de sa mère, au fond, presque aucun souvenir. C'était surtout important pour son père, probablement. Il décida quand même d'attendre un peu, pour les profiteroles.

« Je n'ai connu aucune autre femme…, dit son père d'une voix atone. Aucune autre, absolument. Je n'en ai même pas éprouvé le désir. » Puis il recommença à marmonner et à hocher de la tête. Jed décida, finalement, de sortir les profiteroles. Son père les considéra avec stupéfaction, comme un objet entièrement nouveau, à quoi rien, dans sa vie antérieure, ne l'aurait préparé. Il en prit une, la fit tourner entre ses doigts, la considérant avec autant d'intérêt qu'il l'aurait fait d'une crotte de chien ; mais il la mit, finalement, dans sa bouche.

S'ensuivirent deux à trois minutes de frénésie muette, où ils attrapaient les profiteroles une par une, rageusement, sans un mot, dans le carton décoré fourni par le pâtissier, et les ingéraient aussitôt. Puis les choses se calmèrent, et Jed proposa du café. Son père accepta aussitôt.

« J'ai envie de fumer une cigarette…, dit-il. Tu en as ?

— Je ne fume pas. » Jed se leva d'un bond. « Mais je peux y aller. Je connais un tabac place d'Italie ouvert tard le soir. Et puis… il consulta sa montre avec incrédulité, il n'est que huit heures.

— Même le soir de Noël, tu crois qu'ils sont ouverts ?

— Je peux essayer. »

Il enfila son manteau. En sortant, il fut giflé par une violente bourrasque ; des flocons de neige tourbillonnaient dans l'atmosphère glaciale, il devait faire dix degrés en dessous de zéro. Place d'Italie, le bar-tabac était en train de fermer. Le patron revint en maugréant derrière son comptoir.

« Qu'est-ce que ça sera ?

— Des cigarettes.

— Quelle marque ?

— Je ne sais pas. Des bonnes cigarettes. »

L'autre lui jeta un regard excédé. « Des Dunhill ! Des Dunhill et des Gitanes ! Et un briquet !... »

Son père n'avait pas bougé, toujours tassé sur sa chaise, il ne réagit même pas en entendant la porte s'ouvrir. Il tira cependant une Gitane du paquet, la considéra avec curiosité avant de l'allumer. « Ça fait vingt ans que je n'ai pas fumé..., remarqua-t-il. Mais, maintenant, quelle importance ? » Il tira une bouffée, puis deux. « C'est fort..., dit-il. C'est bon. Dans ma jeunesse, tout le monde fumait. Dans les réunions de travail, les discussions dans les cafés, on fumait tout le temps. C'est curieux comme les choses changent... »

Il but une gorgée du cognac que son fils avait posé devant lui, se tut à nouveau. Dans le silence, Jed perçut les sifflements du vent, de plus en plus violents. Il jeta un coup d'œil par la fenêtre : les flocons de neige tourbillonnaient, très denses, ça devenait une vraie tempête.

« J'ai toujours voulu être architecte, je crois..., reprit son père. Quand j'étais petit je m'intéres-

sais aux animaux, comme tous les enfants probablement, quand on me posait la question je
répondais que je voulais devenir vétérinaire plus
tard, mais au fond je crois que j'étais déjà attiré
par l'architecture. À l'âge de dix ans, je me souviens que j'avais essayé de construire un nid pour
les hirondelles qui passaient l'été dans la remise.
J'avais trouvé dans une encyclopédie des indications sur la manière dont les hirondelles
construisent leurs nids, avec de la terre et de la
salive, j'y avais passé des semaines... » Sa voix
tremblait légèrement, il s'interrompit de nouveau,
Jed le regarda avec inquiétude ; il avala d'un trait
une grande gorgée de cognac avant de poursuivre.

« Mais elles n'ont jamais voulu utiliser mon
nid. Jamais. Elles ont même cessé de nicher dans
la remise... » Le vieil homme se mit soudain à
pleurer, les larmes coulaient le long de son visage
et c'était affreux. « Papa..., dit Jed, complètement
désemparé, papa... » Il semblait ne plus pouvoir
s'arrêter de sangloter.

« Les hirondelles n'utilisent jamais les nids
construits de main d'homme, dit Jed très vite,
c'est impossible. Même, lorsqu'un homme a touché leur nid, elles l'abandonnent pour en
construire un nouveau.

— Comment tu sais ça ?

— Je l'ai lu il y a quelques années dans un livre
sur le comportement animal, je m'étais documenté pour un tableau. »

C'était faux, il n'avait rien lu de tel, mais son
père parut instantanément soulagé et se calma
aussitôt. Et dire, songea Jed, qu'il portait ce poids
sur le cœur depuis plus de soixante ans !... Qu'il

l'avait probablement accompagné tout au long de sa carrière d'architecte !...

« Après le bac, je me suis inscrit aux Beaux-Arts de Paris. Ça inquiétait un peu ma mère, elle aurait préféré que je fasse une école d'ingénieurs ; mais j'ai été très soutenu par ton grand-père. Je crois qu'il avait une ambition artistique, comme photographe, mais il n'a jamais eu la possibilité de prendre autre chose que des mariages et des communions... »

Jed n'avait jamais vu son père occupé d'autre chose que de problèmes techniques, et sur la fin de plus en plus souvent de problèmes financiers ; l'idée que son père avait fait lui aussi les Beaux-Arts, que l'architecture appartenait aux disciplines artistiques, était surprenante, inconfortable.

« Oui, moi aussi, je voulais être un *artiste*..., dit son père avec acrimonie, presque avec méchanceté. Mais je n'ai pas réussi. Le courant dominant quand j'étais jeune était le fonctionna-lisme, à vrai dire il dominait depuis plusieurs décennies déjà, il ne s'était rien passé en archi-tecture depuis Le Corbusier et Van der Rohe. Toutes les villes nouvelles, toutes les cités qu'on a construites en banlieue dans les années 1950 et 1960 ont été marquées par leur influence. Avec quelques autres, aux Beaux-Arts, on avait l'ambi-tion de faire autre chose. On ne rejetait pas vrai-ment le primat de la fonction, ni la notion de « machine à habiter » ; mais ce qu'on remettait en cause, c'était ce que recouvrait le fait d'habiter quelque part. Comme les marxistes, comme les libéraux, Le Corbusier était un productiviste. Ce qu'il imaginait pour l'homme, c'était des immeubles de bureaux, carrés, utilitaires, sans décoration d'aucune sorte ; et des immeubles d'habitation à peu près identiques, avec quelques fonctions supplémentaires – garderie, gymnase, piscine ; entre les deux, des voies rapides. Dans sa cellule d'habitation, l'homme devait bénéficier d'air pur et de lumière, c'était très important à ses yeux ; et, entre les structures de travail et les structures d'habitation, l'espace libre était réservé à la nature sauvage : des forêts, des rivières – j'imagine que, dans son esprit, les familles humaines devaient pouvoir s'y promener le dimanche, quoi qu'il en soit il souhaitait préserver cet espace, c'était une sorte d'*écologiste avant la lettre*, pour lui l'humanité devait se limiter à des modules d'habitation circonscrits au milieu de la nature, mais qui ne devaient en aucun cas la modifier. C'est effroyablement primitif quand on y pense, c'est une régression terrifiante par rapport à n'importe quel paysage rural – mélange subtil, complexe, évolutif de prairies, de champs, de forêts, de villages. C'est la vision d'un esprit brutal, totalitaire. Le Corbusier nous paraissait un esprit totalitaire et brutal, animé d'un goût intense pour la laideur ; mais c'est sa vision qui a prévalu, tout au long du XXᵉ siècle. Nous, nous étions plutôt influencés par Charles Fourier... »

Il sourit en voyant l'expression de surprise de son fils. « On a surtout retenu les théories sexuelles de Fourier, et c'est vrai qu'elles sont assez burlesques. Il est difficile de lire Fourier au premier degré, avec ses histoires de tourbillons, de faki-resses et de fées de l'armée du Rhin, on est même surpris qu'il ait eu des disciples, des gens qui le prenaient au sérieux, qui envisageaient réellement de construire un nouveau modèle de société sur la base de ses livres. C'est incompréhensible si l'on essaie de voir en lui un *penseur*, parce que sa pensée on n'y comprend absolument rien, mais au fond Fourier n'est pas un penseur c'est un *gourou*, le premier de son espèce, et comme pour tous les gourous le succès est venu non de l'adhésion intellectuelle à une théorie mais au contraire de l'incompréhension générale, associée à un inaltérable optimisme, en particulier sur le plan sexuel, les gens ont besoin d'optimisme sexuel à un point incroyable. Pourtant le vrai sujet de Fourier, celui qui l'intéresse en premier lieu, ce n'est pas le sexe, mais l'organisation de la production. La grande question qu'il se pose, c'est : pourquoi l'homme travaille-t-il ? Qu'est-ce qui fait qu'il occupe une place déterminée dans l'organisation sociale, qu'il accepte de s'y tenir, et d'accomplir sa tâche ? À cette question, les libéraux répondaient que c'était l'appât du gain, purement et simplement ; nous pensions que c'était une réponse insuffisante. Quant aux marxistes ils ne répondaient rien, ils ne s'y intéressaient même pas, et c'est ce qui fait d'ailleurs que le communisme a échoué : dès qu'on a supprimé l'aiguillon financier les gens ont cessé de travailler, ils ont saboté leur tâche, l'absentéisme s'est accru dans des proportions énormes ; jamais le communisme n'a été capable d'assurer la production et la distribution des biens les plus élémentaires. Fourier avait connu l'Ancien Régime, et il était conscient que bien avant l'apparition du capitalisme des recherches scientifiques, des progrès techniques avaient lieu, et que des gens travaillaient dur, parfois très dur, sans être poussés par l'appât du gain mais par quelque chose, aux yeux d'un homme moderne, de beaucoup plus vague : l'amour de Dieu, dans le cas des moines, ou plus simplement l'honneur de la fonction. »

Le père de Jed se tut, s'aperçut que son fils l'écoutait maintenant avec beaucoup d'attention. « Oui..., commenta-t-il, il y a sans doute un rapport avec ce que tu as essayé de faire dans tes tableaux. Il y a beaucoup de galimatias chez Fourier, dans sa totalité c'est presque illisible ; il y a peut-être quand même, encore, quelque chose à en tirer. Enfin, c'est ce que nous pensions à l'époque... »

Il se tut, parut replonger dans ses souvenirs. Les bourrasques s'étaient calmées, laissant la place à une nuit étoilée, silencieuse ; une épaisse couche de neige recouvrait les toits.

« J'étais jeune..., dit-il enfin avec une espèce d'incrédulité adoucie. Peut-être est-ce que tu ne peux pas tout à fait te rendre compte, parce que tu es né dans une famille déjà riche. Mais j'étais jeune, je m'apprêtais à devenir architecte, et j'étais à Paris ; tout me paraissait possible. Et je n'étais pas le seul, Paris était gai à l'époque, on avait l'impression qu'on pouvait reconstruire le monde. C'est là que j'ai rencontré ta mère, elle étudiait au Conservatoire, elle jouait du violon. On était comme une bande d'artistes, vraiment. Enfin, ça s'est limité à écrire quatre ou cinq articles dans une revue d'architecture, qu'on a signés à plusieurs. C'étaient des textes politiques, en grande partie. Nous y défendions l'idée qu'une société complexe, ramifiée, aux niveaux d'organisation multiples, comme celle proposée par Fourier, allait de pair avec une architecture complexe, ramifiée, multiple, laissant une place à la créativité individuelle. Nous y attaquions violemment Van der Rohe – qui fournissait des structures vides, modulables, les mêmes qui allaient servir de modèle aux *open space*s, des entreprises – et surtout Le Corbusier, qui bâtissait inlassablement des espaces concentrationnaires, divisés en cellules identiques tout juste bonnes, écrivionsnous, pour une prison modèle. Ces articles ont eu un certain retentissement, je crois que Deleuze en a parlé ; mais il a fallu travailler, les autres aussi, nous sommes entrés dans de gros cabinets d'architectes, et la vie est tout de suite devenue beaucoup moins amusante. Assez vite ma situation financière s'est améliorée, il y avait beaucoup de travail à l'époque, la France se reconstruisait à grande vitesse. J'ai acheté la maison du Raincy, je pensais que c'était une bonne idée, à l'époque c'était une ville agréable. Et puis je l'ai eue pour un très bon prix, c'est un client qui m'a mis sur l'affaire, un promoteur immobilier. Le propriétaire était un vieux type, un intellectuel visiblement, toujours en costume trois pièces gris, avec une fleur à la boutonnière, chaque fois que je l'ai vu c'était une fleur différente. Il avait l'air de sortir de la *Belle Époque*, des années 1930 tout au plus, je n'arrivais pas du tout à l'associer à son environnement. On aurait pu imaginer le croiser, je ne sais pas, quai Voltaire... enfin sûrement pas au Raincy. C'était un ancien universitaire, spécialisé dans l'ésotérisme et l'histoire des religions, je me souviens qu'il était très calé sur la Kabbale et sur la gnose, mais il s'y intéressait d'une manière très particulière, par exemple il n'avait que mépris pour René Guénon. "Cet imbécile de

Guénon", c'est comme ça qu'il en parlait, je crois qu'il avait écrit plusieurs critiques virulentes de ses livres. Il n'avait jamais été marié, enfin il avait *vécu pour ses travaux*, comme on dit. J'ai lu un long article qu'il avait écrit dans une revue de sciences humaines, il y développait des considérations assez curieuses sur le Destin, sur la possibilité de développer une nouvelle religion basée sur le principe de synchronicité. Sa bibliothèque, à elle seule, aurait valu le prix de la maison, je crois – il y avait plus de cinq mille volumes, en français, en anglais et en allemand. C'est là que j'ai découvert les œuvres de William Morris. »

Il s'interrompit en observant un changement d'expression sur le visage de Jed.

« Tu connais William Morris ?

— Non, papa. Mais j'ai vécu dans cette maison, moi aussi, je me souviens de la bibliothèque... » Il soupira, hésita. « Je ne comprends pas pourquoi tu as attendu tant d'années pour me parler de tout ça, dit-il.

— C'est parce que je vais mourir bientôt, je pense, dit simplement son père. Enfin pas tout de suite, pas après-demain, mais je n'en ai plus pour très longtemps, c'est une évidence... » Il regarda autour de lui, sourit presque gaiement. « Je peux reprendre du cognac ? » Jed le resservit aussitôt. Il alluma une Gitane, aspira la fumée avec délectation.

« Et puis, ta mère est tombée enceinte de toi. La fin de la grossesse s'est mal passée, il a fallu lui faire une césarienne. Le médecin lui a annoncé qu'elle ne pourrait plus avoir d'enfants, en plus elle a eu des cicatrices, assez vilaines. C'était dur, pour elle ; c'était une belle femme, tu sais... On n'était pas malheureux ensemble, il n'y a jamais eu de dispute sérieuse entre nous, mais c'est vrai que je ne lui parlais pas assez. Il y a le violon aussi, je crois qu'elle n'aurait jamais dû arrêter. Je me souviens d'un soir, porte de Bagnolet, je rentrais du travail dans ma Mercedes, il était déjà neuf heures mais il y avait encore des embouteillages, je ne sais pas ce qui a déclenché ça, peut-être les immeubles des Mercuriales parce que je travaillais sur un projet très proche, que je trouvais sans intérêt et laid, mais je me suis vu dans ma voiture au milieu des bretelles d'accès rapide, en face de ces bâtiments immondes, et d'un seul coup je me suis dit que je ne pouvais pas continuer. J'avais presque quarante ans, ma vie professionnelle était un succès, mais je ne pouvais pas continuer. En quelques minutes j'ai décidé de fonder ma propre entreprise, pour essayer de faire de l'architecture comme je l'entendais. Je savais que ce serait difficile, mais je ne voulais pas mourir sans avoir au moins essayé. J'ai fait appel aux anciens que je fréquentais aux Beaux-Arts, mais tous étaient installés dans la vie – ils avaient réussi, eux aussi, et n'avaient plus trop envie de prendre de risques. Alors, je me suis lancé tout seul. J'ai repris contact avec Bernard Lamarche-Vadel, on s'était rencontrés quelques années auparavant, on avait plutôt sympathisé, il m'a présenté les gens de la figuration libre : Combas, Di Rosa... Je ne sais pas si je t'ai déjà parlé de William Morris ?

— Oui, papa, tu viens d'en parler il y a cinq minutes.

— Ah ? » Il s'interrompit, une expression égarée traversa son visage. « Je vais essayer une Dunhill... » Il tira quelques bouffées. « C'est bon aussi ; différent des Gitanes, mais c'est bon. Je ne comprends pas pourquoi tout le monde a renoncé à fumer, d'un seul coup. »

Il se tut, savoura sa cigarette jusqu'au bout. Jed attendait. Très loin à l'extérieur, un klaxon solitaire essayait d'interpréter : « Il est né, le divin enfant », ratait des notes, reprenait ; puis le silence revint, il n'y eut pas de concert de klaxons. Sur les toits de Paris, la couche de neige était maintenant épaisse, stabilisée ; il y avait quelque chose de définitif dans ce silence, se dit Jed.

« William Morris était proche des préraphaélites, reprit son père, de Gabriel Dante Rossetti au début, et de Burne-Jones jusqu'à la fin. L'idée fondamentale des préraphaélites, c'est que l'art avait commencé à dégénérer juste après le Moyen Âge, que dès le début de la Renaissance il s'était coupé de toute spiritualité, de toute authenticité, pour devenir une activité purement industrielle et commerciale, et que les soi-disant *grands maîtres* de la Renaissance – que ce soit Botticelli, Rembrandt ou Léonard de Vinci – se comportaient en réalité purement et simplement comme les chefs d'entreprises commerciales ; exactement comme Jeff Koons ou Damien Hirst aujourd'hui, les soi-disant *grands maîtres* de la Renaissance dirigeaient d'une main de fer des ateliers de cinquante, voire cent assistants, qui produisaient à la chaîne des tableaux, des sculptures, des fresques. Eux-mêmes se contentaient de donner la direction générale, de signer l'œuvre achevée, et surtout ils se consacraient aux relations publiques auprès des mécènes du moment – princes ou papes. Pour les préraphaélites, comme pour William Morris, la distinction entre l'art et l'artisanat, entre la conception et l'exécution, devait être abolie : tout homme, à son échelle, pouvait être producteur de beauté – que ce soit dans la réalisation d'un tableau, d'un vêtement, d'un meuble ; et tout homme également avait le droit, dans sa vie quotidienne, d'être entouré de beaux objets. Il alliait cette conviction à un activisme socialiste qui l'a conduit, de plus en plus, à s'engager dans les mouvements d'émancipation du prolétariat ; il voulait simplement mettre fin au système de production industrielle.

« Ce qui est curieux, c'est que Gropius, lorsqu'il a fondé le Bauhaus, était exactement sur la même ligne – peut-être un peu moins politique, avec davantage de préoccupations spirituelles –, quoique lui aussi ait été socialiste, en réalité. Dans la *Proclamation du Bauhaus* de 1919, il déclare vouloir dépasser l'opposition entre l'art et l'artisanat, proclame le droit à la beauté pour tous : exactement le programme de William Morris. Mais peu à peu, à mesure que le Bauhaus s'est rapproché de l'industrie, il est devenu de plus en plus fonctionnaliste et productiviste ; Kandinsky et Klee ont été marginalisés à l'intérieur du corps enseignant, et au moment où l'institut a été fermé par Goering il était de toute façon entièrement passé au service de la production capitaliste.

« Nous-mêmes, nous n'étions pas vraiment politisés ; mais la pensée de William Morris nous a aidés à nous libérer de l'interdit que Le Corbusier avait fait peser sur toute forme d'ornementation. Je me souviens que Combas était assez réservé, au départ – les peintres préraphaélites, ce n'était pas vraiment son univers ; mais il devait convenir que les motifs de papier peint dessinés par William Morris étaient très beaux, et quand il a vraiment compris de quoi il s'agissait il est devenu tout à fait enthousiaste. Rien n'aurait pu lui faire davantage plaisir que de dessiner des motifs pour des tissus d'ameublement, des papiers peints ou des frises extérieures reprises dans tout un groupe d'immeubles. Ils étaient quand même assez seuls à l'époque, les gens de la figuration libre, le courant minimaliste restait dominant, et le *graf* n'existait pas encore – du moins on n'en parlait pas. Alors on a monté des dossiers, pour tous les projets à peu près intéressants qui faisaient l'objet de concours, et on a attendu... »

Son père se tut à nouveau, resta comme suspendu dans ses souvenirs, puis se tassa sur lui-même, parut se rapetisser, s'amenuiser, et Jed prit alors conscience de la fougue, de l'enthousiasme avec lesquels il avait parlé pendant ces dernières minutes. Jamais il ne l'avait entendu parler ainsi, depuis qu'il était enfant – et jamais plus, songea-t-il aussitôt, il ne l'entendrait parler ainsi, il venait de revivre, pour la dernière fois, l'espérance et l'échec qui formaient l'histoire de sa vie. C'est peu de chose, en général, une vie humaine, ça peut se résumer à un nombre d'événements restreint, et cette fois Jed avait bel et bien compris, l'amertume et les années perdues, le cancer et le stress, le suicide de sa mère aussi.

« Les fonctionnalistes étaient en position dominante dans tous les jurys..., conclut son père avec douceur. Je me suis cogné contre une vitre ; on s'est tous cognés contre une vitre. Combas et Di

Rosa n'ont pas lâché tout de suite, ils m'ont téléphoné pendant des années, pour savoir si quelque
chose se débloquait... Puis, voyant que rien ne
venait, ils se sont concentrés sur leur travail de
peintre. Et moi, j'ai bien dû finir par accepter une
commande normale. La première, ça a été Port-
Ambarès – et puis ça s'est accumulé, surtout des
aménagements de stations balnéaires. J'ai rangé
mes projets dans des cartons, ils sont toujours
dans une armoire de mon bureau, au Raincy, tu
pourras aller voir... » Il se retint d'ajouter :
« quand je serai mort », mais Jed avait parfaitement compris.

« Il est tard », dit-il en se redressant sur sa
chaise. Jed jeta un coup d'œil à sa montre : quatre
heures du matin. Son père se leva, passa aux toilettes, puis revint enfiler son manteau. Pendant
les deux à trois minutes que dura l'opération Jed
eut l'impression fugitive, alternative, qu'ils
venaient d'entamer une nouvelle étape dans leurs
relations, ou au contraire qu'ils ne se reverraient
jamais. Comme son père se campait finalement
devant lui, dans une attitude d'attente, il dit : « Je
vais t'appeler un taxi. »

XI

Lorsqu'il se réveilla, au matin du 25 décembre, Paris était couvert de neige ; boulevard Vincent-Auriol, il passa devant un mendiant à l'épaisse barbe hirsute, à la peau presque brune de crasse. Il déposa deux euros dans sa sébile, puis, revenant sur ses pas, ajouta un billet de dix euros ; l'autre eut un grognement surpris. Jed était maintenant un homme riche, et les arches métalliques du métro aérien surplombaient un paysage adouci, létal. Dans la journée la neige allait fondre, tout cela se transformerait en boue, en eau sale ; puis la vie reprendrait, sur un rythme assez lent. Entre ces deux moments forts, de haute intensité relationnelle et commerciale, que sont les réveillons de Noël et du jour de l'An, s'écoule une semaine interminable, qui n'est au fond qu'un vaste temps mort – l'animation ne reprenant, mais là fulgurante, explosive, qu'en début de soirée du 31.

De retour chez lui, il examina la carte de visite d'Olga : Michelin TV, avenue Pierre Ier-de-Serbie, directrice des programmes. Elle avait réussi, elle aussi, sur le plan professionnel, sans l'avoir cherché avec une particulière âpreté ; mais elle ne s'était pas mariée, et cette pensée le mit mal à l'aise. Sans vraiment y penser, toutes ces années, il s'était toujours imaginé qu'elle avait trouvé l'amour, ou du moins une *vie de famille*, quelque part en Russie.

Il appela le lendemain en fin de matinée, s'attendant à ce que tout le monde soit en vacances, mais pas du tout : après cinq minutes d'attente, une secrétaire stressée lui répondit qu'Olga était en réunion et qu'elle lui ferait part de son appel.

Au fil des minutes, attendant immobile près de son téléphone, sa nervosité augmenta. Le tableau de Houellebecq lui faisait face, posé sur son chevalet ; il était allé le retirer le matin même à la banque. Le regard de l'écrivain, trop intense, ajoutait à son malaise. Il se leva, retourna la toile du côté du châssis. Sept cent cinquante mille euros..., se dit-il. Ça n'avait aucun sens. Picasso non plus, ça n'avait aucun sens ; encore moins probablement, pour autant qu'on puisse établir une gradation dans le non-sens.

Au moment où il se dirigeait vers la cuisine, le téléphone sonna. Il se précipita pour décrocher. La voix d'Olga n'avait pas changé. La voix des gens ne change jamais, pas davantage que l'expression de leur regard. Au milieu de l'effondrement physique généralisé à quoi se résume la vieillesse, la voix et le regard apportent le témoignage douloureusement irrécusable de la persistance du caractère, des aspirations, des désirs, de tout ce qui constitue une personnalité humaine.

« Tu es passée à la galerie ? demanda-t-il, un peu pour commencer l'entretien sur un *terrain neutre*, puis il s'étonna de ce qu'à ses propres yeux son œuvre picturale soit devenue un *terrain neutre*.

— Oui, et j'ai beaucoup aimé. C'est... original. Ça ne ressemble à rien que j'aie pu voir avant. Mais j'ai toujours su que tu avais du talent. »

Un net silence s'ensuivit.

« Petit Français..., dit Olga, son ton d'ironie dissimulait mal une émotion réelle, et Jed se sentit de nouveau mal à l'aise, au bord des larmes. *Successful* petit Français...

— On pourrait se voir », répondit rapidement Jed. Il fallait que quelqu'un le dise en premier ; voilà, c'était lui.

« J'ai énormément de travail cette semaine.

— Ah bon ? Comment ça se fait ?

— On commence nos émissions le 2 janvier. Il reste plein de choses à régler. » Elle réfléchit quelques instants. « Il y a un réveillon organisé par la chaîne le 31. Je peux t'inviter. » Elle se tut à nouveau quelques secondes. « Ça me ferait plaisir que tu viennes... »

Dans la soirée, il reçut un mail où elle lui donnait tous les détails. La soirée avait lieu au domicile privé de Jean-Pierre Pernaut – il habitait Neuilly, boulevard des Sablons. Son thème était, de manière peu surprenante, « les provinces de France ».

Jed croyait tout savoir de Jean-Pierre Pernaut ; la notice Wikipedia lui réserva, pourtant, quelques surprises. Il apprit ainsi que le populaire animateur était l'auteur d'une importante œuvre écrite. Aux côtés de *La France des saveurs*, *La France en fêtes* et d'*Au cœur de nos régions*, on trouvait *Les Magnifiques Métiers de l'artisanat*, en deux tomes. L'ensemble était publié aux Éditions Michel Lafon.

Il fut surpris aussi par le ton élogieux, presque dithyrambique de la notice. Dans son souvenir, Jean-Pierre Pernaut avait parfois pu faire l'objet de certaines critiques ; tout cela semblait balayé aujourd'hui. Le trait de génie de Jean-Pierre Pernaut, soulignait d'entrée de jeu le rédacteur, avait été de comprendre qu'après les années 1980 « fric et frime », le public avait soif d'écologie, d'authenticité, de vraies valeurs. Même si Martin Bouygues pouvait être crédité de la confiance qu'il lui avait accordée, le journal de 13 heures de TF1 portait entièrement la marque de sa personnalité visionnaire. Partant de l'actualité immédiate – violente, rapide, frénétique, insensée – Jean-Pierre Pernaut accomplissait chaque jour cette tâche messianique consistant à guider le téléspectateur, terrorisé et stressé, vers les régions idylliques d'une campagne préservée, où l'homme vivait en harmonie avec la nature, s'accordait au rythme des saisons. Plus qu'un journal télévisé, le 13 heures de TF1 prenait ainsi l'allure d'une marche à l'étoile, qui s'achevait en psaume. L'auteur de l'article – même s'il s'avouait, à titre personnel, catholique – ne dissimulait pourtant pas que la *Weltanschauung* de Jean-Pierre Pernaut, si elle s'accordait parfaitement avec la France rurale et « fille aînée de l'Église », se serait aussi bien mariée avec un panthéisme, voire avec une sagesse épicurienne.

Le lendemain, à la librairie France Loisirs du centre Italie 2, Jed acheta le premier tome des *Magnifiques Métiers de l'artisanat*. La subdivision de l'ouvrage était simple, et se basait sur les matériaux travaillés : terre, pierre, métal, bois... Sa lecture (assez rapide, il était presque uniquement constitué de photos) ne laissait pas vraiment une impression de passéisme. Par sa manière de dater systématiquement l'apparition des différents artisanats qu'il décrivait, les progrès majeurs intervenus dans leur pratique, Jean-Pierre Pernaut semblait moins se faire l'apologiste de l'immobilisme que celui d'un *progrès lent*. Il y avait peut-être, se dit Jed, des points de convergence entre la pensée de Jean-Pierre Pernaut et celle de William Morris – ancrage socialiste mis à part, bien entendu. S'il était situé par la plupart des téléspectateurs comme étant *plutôt à droite*, Jean-Pierre Pernaut s'était toujours montré, dans la conduite quotidienne de son journal, d'une prudence déontologique extrême. Il avait même évité de paraître s'associer à l'aventure *Chasse, Pêche, Nature, Traditions*, mouvement fondé en 1989 – un an tout juste après qu'il eut pris le contrôle du 13 heures de TF1. Il y avait décidément eu un basculement en cette extrême fin des années 1980, se dit Jed ; un basculement historique majeur, sur le moment passé inaperçu, comme c'était presque toujours le cas. Il se souvenait également de « La force tranquille », ce slogan inventé par Jacques Séguéla qui avait permis, contre toute attente, la réélection de François Mitterrand en 1988. Il revoyait les affiches représentant la vieille momie pétainiste sur fond de clochers, de villages. Il avait treize ans à l'époque, et c'était la première fois de sa vie qu'il prêtait attention à un slogan politique, à une campagne présidentielle.

S'il constituait l'élément le plus significatif et le plus durable de cet ample basculement idéologique, Jean-Pierre Pernaut s'était toujours refusé à réinvestir son immense notoriété dans une tentative de carrière ou d'engagement politique ; il avait voulu, jusqu'au bout, rester dans le camp des *entertainers*. Contrairement à Noël Mamère, il ne s'était même pas laissé pousser la moustache. Et même s'il partageait probablement l'ensemble des valeurs de Jean Saint-Josse, le premier président de *Chasse, Pêche, Nature, Traditions*, il s'était toujours refusé à le soutenir publiquement. Il ne l'avait pas davantage fait pour Frédéric Nihous, son successeur.

Né en 1967 à Valenciennes, Frédéric Nihous avait reçu à l'âge de quatorze ans son premier fusil, offert par son père pour son BEPC. Titulaire d'un DEA de droit économique international et communautaire, ainsi que d'un DEA de défense nationale et sécurité européenne, il avait enseigné le droit administratif à la faculté de Cambrai ; il était en outre président de l'Association des chasseurs de pigeons et d'oiseaux de passage du Nord. En 1988, il avait terminé premier d'un tournoi de pêche organisé dans l'Hérault en pêchant une carpe nakin de 7,256 kilogrammes. Vingt ans plus tard, il devait provoquer la chute du mouvement dont il avait pris la tête en commettant l'erreur de conclure une alliance avec Philippe de Villiers – ce que les chasseurs du Sud-Ouest, traditionnellement anticléricaux et de mouvance plutôt radicale ou socialiste, ne devaient jamais lui pardonner.

Le 30 décembre, en milieu d'après-midi, Jed téléphona à Houellebecq. L'écrivain était en pleine forme ; il venait de couper du bois pendant une heure, lui apprit-il. Couper du bois ? Oui, dans sa maison du Loiret, il avait maintenant une cheminée. Il avait également un chien – un bâtard de deux ans, qu'il était allé chercher le jour de Noël au refuge SPA de Montargis.

« Vous faites quelque chose le soir du 31 ? s'enquit Jed.

— Non, rien de particulier ; je relis Tocqueville en ce moment. Vous savez, à la campagne, on se couche tôt, surtout en hiver. »

Jed eut un instant l'idée de l'inviter, se rendit compte juste à temps qu'il ne pouvait pas inviter quelqu'un à une soirée qu'il n'organisait pas lui-même ; de toute façon, l'écrivain aurait certainement refusé.

« Je vais vous apporter votre portrait, comme promis. Dans les premiers jours de janvier.

— Mon portrait, oui... Volontiers, volontiers. » Il avait l'air de s'en foutre complètement. Ils discutèrent encore agréablement pendant quelques minutes. Il y avait dans la voix de l'auteur des *Particules élémentaires* quelque chose que Jed ne lui avait jamais connu, qu'il ne s'attendait pas du tout à y trouver, et qu'il mit du temps à identifier, parce que au fond il ne l'avait plus rencontré chez personne, depuis pas mal d'années : il avait l'air heureux.

XII

Des paysans vendéens armés de fourches montaient la garde de chaque côté du porche conduisant à l'hôtel particulier de Jean-Pierre Pernaut.
Jed tendit à l'un d'eux le mail d'invitation qu'il
avait imprimé, avant d'arriver dans une grande
cour carrée, au sol pavé, entièrement éclairée de
torches. Une dizaine d'invités se dirigeaient vers
les deux grandes portes, largement ouvertes, qui
conduisaient aux salons de réception. Avec son
pantalon de velours et son blouson C&A en Sym-
patex, il se sentait effroyablement *underdressed* :
les femmes étaient en robe longue, les hommes
pour la plupart en smoking. Deux mètres devant
lui il reconnut Julien Lepers, accompagné d'une
Noire magnifique qui le dépassait d'une tête ; elle
portait une robe longue d'un blanc scintillant, aux
parements dorés, décolletée dans le dos jusqu'à
la naissance des fesses ; la lumière des flambeaux
formait des reflets mouvants sur son dos nu.
L'animateur, vêtu d'un smoking ordinaire, celui
qui lui servait lors des soirées « spéciales grandes
écoles », son smoking de travail en quelque sorte,
semblait plongé dans une discussion difficile avec
un homme petit et sanguin, l'air mauvais, qui

donnait l'impression d'exercer des responsabilités institutionnelles. Jed les dépassa, et, pénétrant dans le premier salon de réception, fut accueilli par la plainte lancinante d'une dizaine de sonneurs de biniou bretons, qui venaient de se lancer dans un morceau celtique torturé, interminable, d'une audition presque douloureuse. Il passa au large, pénétra dans le deuxième salon, accepta un knacki aromatisé à l'emmental et un verre de gewurztraminer « vendanges tardives » proposés par deux serveuses alsaciennes en coiffe, vêtues d'un tablier blanc et rouge noué autour de la taille, qui circulaient avec leurs plateaux entre les invités ; elles se ressemblaient tellement qu'elles auraient pu être jumelles.

La zone de réception était constituée de quatre grands salons en enfilade, d'une hauteur sous plafond d'au moins huit mètres. Jed n'avait jamais vu un aussi grand appartement ; il ne savait même pas qu'un aussi grand appartement pouvait exister. Ce n'était pourtant probablement pas grand-chose, se dit-il dans un éclair de lucidité, par rapport aux résidences de ceux qui achetaient aujourd'hui ses tableaux. Il devait y avoir deux à trois cents invités, le vacarme des conversations couvrit peu à peu le hurlement des binious, il eut l'impression qu'il allait être victime d'un étourdissement et s'appuya au stand des produits auvergnats, acceptant une brochette Jésus-Laguiole et un verre de saint-pourçain. L'odeur puissante, terreuse du fromage le remit un peu d'aplomb, il finit son verre de saint-pourçain d'un trait, en demanda un deuxième et reprit son avancée dans la foule. Il commençait à avoir trop chaud, il aurait dû déposer son manteau au vestiaire, son manteau jurait vraiment avec le *dress code*, se reprocha-t-il à nouveau, tous les hommes étaient en tenue de soirée, absolument tous, se répéta-t-il avec désespoir, et juste à cet instant il se retrouva en face de Pierre Bellemare, vêtu d'un pantalon en Tergal bleu pétrole et d'une chemise blanche à jabot couverte de taches de graisse, son pantalon était retenu par de larges bretelles aux couleurs du drapeau américain. Jed tendit chaleureusement la main au roi français du télé-achat, qui, surpris, la lui serra, et reprit son parcours, un peu rasséréné.

Il lui fallut plus de vingt minutes pour retrouver Olga. Debout dans une embrasure, à demi dissimulée par un rideau, elle était plongée avec Jean-Pierre Pernaut dans une conversation de nature visiblement professionnelle. C'était surtout lui qui parlait, scandant ses phrases de mouvements déterminés de la main droite ; elle hochait la tête de temps à autre, concentrée et attentive, formulait très peu d'objections ou de remarques. Jed s'immobilisa à quelques mètres d'elle. Deux bandes de tissu crème nouées derrière son cou, incrustées de petits cristaux, recouvraient ses seins et se rejoignaient à la hauteur du nombril, maintenues par une broche représentant un soleil en métal argenté, avant de s'attacher à une jupe courte et moulante, elle aussi parsemée de cristaux, qui laissait apercevoir l'attache d'un porte-jarretelles blanc. Ses bas, blancs eux aussi, étaient d'une finesse extrême. Le vieillissement, en particulier le vieillissement apparent, n'est nullement un processus continu, on peut plutôt caractériser la vie comme une succession de paliers, séparés par des chutes brusques. Lorsque nous rencontrons quelqu'un que nous avons perdu de vue depuis des années, nous avons parfois l'impression qu'il a pris un *coup de vieux* ; nous avons parfois, au contraire, l'impression qu'il n'a pas changé. Impression fallacieuse – la dégradation, secrète, se fraye d'abord un chemin à travers l'intérieur de l'organisme, avant d'éclater au grand jour. Depuis dix ans, Olga s'était maintenue sur un palier radieux de sa beauté – sans pourtant que cela ait suffi à la rendre heureuse. Lui non plus, croyait-il, n'avait pas tellement changé au cours de ces dix années, il avait *produit une œuvre* comme on dit, sans davantage rencontrer, ni même envisager le bonheur.

Jean-Pierre Pernaut se tut, avala une gorgée de beaumes-de-venise, le regard d'Olga s'écarta de quelques degrés et soudain elle le vit, immobile au milieu de la foule des invités. Quelques secondes peuvent suffire si ce n'est à décider d'une vie, du moins à révéler le caractère de son orientation principale. Elle posa une main légère sur l'avant-bras du présentateur, prononçant une parole d'excuse, en quelques bonds elle fut devant Jed et l'embrassa à pleine bouche. Puis elle s'écarta, le prenant par les mains, pendant quelques secondes ils demeurèrent silencieux.

Bienveillant dans sa queue-de-pie Arthur van Aschendonk, Jean-Pierre Pernaut les vit revenir vers lui. Le visage largement ouvert, il donnait en cette minute l'impression de connaître la vie, et même de sympathiser avec elle. Olga fit les présentations.

« Je vous connais ! s'exclama l'animateur, son sourire s'élargissant encore. Venez avec moi ! »

Traversant rapidement le dernier salon, effleurant au passage le bras de Patrick Le Lay (qui avait tenté, sans succès, de prendre une participation dans le capital de la chaîne), il les précéda dans un large couloir aux parois hautes et voûtées, en calcaire massif. Plus encore qu'un hôtel particulier, la résidence de Jean-Pierre Pernaut évoquait une abbaye romane, avec ses couloirs et ses cryptes. Ils s'arrêtèrent devant une porte épaisse capitonnée de cuir fauve. « Mon bureau... » dit l'animateur.

Il s'arrêta sur le seuil, les laissant découvrir la pièce. Une rangée de bibliothèques en acajou contenait, principalement, des guides touristiques – toutes tendances confondues, le *Guide du Routard* voisinait avec le *Guide Bleu*, le *Petit Futé* avec le *Lonely Planet*. Sur des présentoirs étaient exposés les livres de Jean-Pierre Pernaut, des *Magnifiques Métiers de l'artisanat* à *La France des saveurs*. Une vitrine renfermait les cinq Sept d'Or qu'il avait remportés au cours de sa carrière, ainsi que des coupes sportives d'origine indéterminée. De profonds fauteuils de cuir s'arrondissaient autour d'un bureau ministre en mahogany. Derrière le bureau, discrètement éclairée par une rampe halogène, Jed reconnut immédiatement l'une des photos de sa période Michelin. Curieusement, le choix de l'animateur ne s'était pas porté sur un cliché spectaculaire, au pittoresque immédiat, comme ceux qu'il avait réalisés de la corniche varoise ou des gorges du Verdon. La photo, centrée sur Gournay-en-Bray, était traitée en aplats, sans effet d'éclairage ni de perspective ; Jed se souvint qu'il l'avait prise exactement à la verticale. Les taches blanches, vertes et brunes s'y répartissaient avec égalité, traversées par le réseau symétrique des départementales. Aucune agglomération ne se détachait nettement, toutes semblaient à peu près de la même importance ; l'ensemble donnait une impression de calme, d'équilibre et presque d'abstraction. Ce paysage, il en prit conscience, était probablement celui qu'il avait survolé à basse altitude, immédiatement après le départ de l'aéroport de Beauvais, lorsqu'il était allé rendre visite à Houellebecq en Irlande. En présence de la réalité concrète, de cette discrète juxtaposition de prairies, de champs, de villages, il avait ressenti la même chose : équilibre, harmonie paisible.

« Je sais que vous vous êtes tourné vers la peinture, maintenant, reprit Jean-Pierre Pernaut, et que vous avez réalisé un tableau de moi. À vrai dire, j'ai même essayé de l'acheter ; mais François Pinault a surenchéri, je n'ai pas pu suivre.

— François Pinault ? » Jed était surpris. « Le journaliste Jean-Pierre Pernaut animant une conférence de rédaction » était un tableau discret, de facture classique, qui ne correspondait nullement aux choix habituels, beaucoup plus *wild*, de l'affairiste breton. Il avait décidé de diversifier, sans doute.

« J'aurais peut-être dû..., dit-il. Je suis désolé... J'aurais peut-être dû introduire une sorte de clause de préférence pour les sujets représentés.

— C'est le marché... » dit Pernaut avec un sourire large, épanoui, sans rancune, il alla même jusqu'à lui tapoter l'épaule.

L'animateur les précéda à nouveau dans le couloir voûté, les basques de sa queue-de-pie flottant avec lenteur derrière son dos. Jed jeta un coup d'œil à sa montre : il était presque minuit. Ils passèrent à nouveau les portes battantes conduisant aux pièces de réception : dans les salons, le vacarme était maintenant à son comble ; de nouveaux invités étaient arrivés, il devait y avoir quatre à cinq cents personnes. Au milieu d'un petit groupe, Patrick Le Lay, très aviné, pérorait avec bruit ; il avait carrément raflé une bouteille de châteauneuf-du-pape, et buvait de longues rasades au goulot. Claire Chazal, visiblement tendue, posait la main sur son bras, cherchant à l'interrompre ; mais le président de chaîne avait manifestement franchi certaines barrières. « TF1, on est les plus grands ! gueulait-il. Je lui donne pas six mois, à sa chaîne, à Jean-Pierre ! M6 c'est pareil, ils avaient cru nous baiser avec le Loft, on a doublé la mise avec Koh Lanta et on les a enculés jusqu'à l'os ! Jusqu'à l'os ! » répéta-t-il, et il jeta la bouteille derrière son épaule ; frôlant le crâne de Julien Lepers, elle vint s'écraser aux pieds de trois hommes d'âge mûr, en costume trois pièces gris moyen, qui le fixaient d'un regard sévère.

Sans hésiter, Jean-Pierre Pernaut marcha vers son ancien président, se planta devant lui. « Tu as trop bu, Patrick » dit-il d'une voix calme ; ses muscles étaient tendus sous le tissu de la queue-de-pie, son visage se durcit comme s'il se préparait au combat. « OK, OK..., dit Le Lay avec un mouvement d'apaisement mou, OK OK... » À ce moment, une voix de ténor vibrante, d'une puissance incroyable, s'éleva, venant du deuxième salon. D'autres voix de baryton, puis de basse, reprirent le même thème, sans paroles, en canon.

Beaucoup se tournèrent dans cette direction, reconnaissant un groupe fameux de polyphonie corse. Douze hommes de tous les âges, vêtus de pantalons et de sarraus noirs, coiffés de bérets, se livrèrent à leur performance vocale pendant un peu plus de deux minutes, c'était à la limite de la musique, un cri de guerre plutôt, d'une surprenante sauvagerie. Puis ils se turent d'un seul coup. Écartant légèrement les mains, Jean-Pierre Pernaut s'avança au-devant de la foule, attendit que le silence se fasse, puis lança d'une voix forte : « Bonne année à tous ! » Les premiers bouchons de champagne sautèrent. L'animateur se dirigea ensuite vers les trois hommes en costume gris moyen et leur serra la main un par un. « Ils appartiennent au directoire de Michelin..., souffla Olga à Jed avant de s'approcher du groupe. Financièrement, TF1, par rapport à Michelin, ça ne pèse rien. Et il paraît que Bouygues en a marre d'éponger leurs pertes... », eut-elle le temps d'ajouter avant que Jean-Pierre Pernaut ne la présente aux trois hommes. « Je m'attendais un peu à ce que Patrick fasse un éclat..., disait-il aux membres du directoire, il a très mal vécu mon départ.

— Au moins, ça prouve que notre projet ne laisse pas indifférent » répondit le plus âgé. À cet instant, Jed vit s'approcher un type d'une quarantaine d'années, en bas de jogging et sweat à capuche, une casquette de rappeur vissée à l'envers sur la tête, en qui il reconnut avec incrédulité Patrick Forestier, le directeur de la communication de Michelin France. « Yo ! » lança-t-il à destination des trois dirigeants avant de leur claquer les paumes. « Yo » répondirent-ils chacun

leur tour, et c'est à ce moment-là que les choses
commencèrent à déraper, le vacarme des conversations s'intensifia d'un seul coup pendant que les
orchestres basque et savoyard se mettaient à
jouer en même temps, Jed était en sueur, il essaya
quelques minutes de suivre Olga qui allait d'un
invité à l'autre pour leur souhaiter bonne année,
souriante et chaleureuse, à l'expression amicale
mais sérieuse qu'arboraient les gens à son
approche il comprit qu'elle faisait le tour de
son *staff*.

Il sentit monter la nausée, se précipita dans la
cour et vomit sur un palmier nain. La nuit était
curieusement douce. Quelques invités quittaient
déjà la réception, dont les trois membres du
directoire de Michelin, d'où venaient-ils ? Étaient-
ils descendus dans le même hôtel ? Ils avançaient
souplement, en formation triangulaire, passèrent
sans un mot devant les paysans vendéens,
conscients de représenter le pouvoir et la réalité
du monde. Ils auraient fait un bon sujet de
tableau, se dit Jed, quittant discrètement la réception alors que derrière eux les stars de la télévision française riaient et poussaient des
hurlements, un concours de chansons paillardes
s'organisait sous l'égide de Julien Lepers. Énig-
matique dans son habit bleu nuit, Jean-Pierre
Pernaut posait un regard impavide sur toutes
choses, cependant que Patrick Le Lay, aviné et
battu, trébuchait sur les pavés, hélant les
membres du directoire de Michelin, qui ne se
retournèrent pas pour lui accorder un regard.
« Une mutation dans l'histoire de la télévision
ouest-européenne », tel aurait pu s'intituler ce
tableau que Jed ne réaliserait pas, il vomit à nou-

veau, il avait encore un fond de bile dans l'estomac, cela avait probablement été une erreur de mélanger le punch créole et l'absinthe.

Patrick Le Lay, le front ensanglanté, rampait devant lui sur le pavé, ayant maintenant perdu tout espoir de rejoindre les membres du directoire qui tournaient le coin de l'avenue Charles-de-Gaulle. La musique s'était calmée, des salons de réception provenait la pulsation lente d'un groove savoyard. Jed leva son regard vers le ciel, vers les constellations indifférentes. Des configurations spirituelles d'un type nouveau apparaissaient, quelque chose en tout cas était en train de bouger durablement dans la structure du PAF, c'est ce que Jed put déduire des conversations des invités qui, ayant récupéré leurs manteaux, se dirigeaient d'un pas lent vers les portes cochères. Il capta au passage les mots de « sang neuf » et d'« examen de passage », comprit que beaucoup de conversations tournaient autour d'Olga, qui était une nouveauté dans le paysage de la télévision française, elle « venait de l'institutionnel », c'était un des commentaires les plus fréquents, avec ceux portant sur sa beauté. La température extérieure était difficile à évaluer, il était alternativement parcouru de frissons et de bouffées de chaleur. Il fut de nouveau saisi d'un spasme, éructa difficilement sur le palmier. En se relevant il vit Olga, vêtue d'un manteau en léopard des neiges, qui le regardait avec un peu d'inquiétude.

« On va rentrer.

— Rentrer... chez toi ? »

Sans répondre elle le prit par le bras, le conduisit jusqu'à sa voiture. « Petit Français fragile... » dit-elle avec un sourire avant de démarrer.

XIII

Les premières lueurs du jour filtraient par l'interstice de doubles rideaux épais, molletonnés, aux motifs écarlates et jaunes. Olga, à ses côtés, respirait avec régularité, sa courte chemise de nuit relevée jusqu'à la taille. Jed caressa doucement ses fesses, blanches et rondes, sans la réveiller. Son corps n'avait presque pas changé en dix ans, les seins s'étaient un peu alourdis, quand même. Cette magnifique fleur de chair avait commencé de se faner ; et la dégradation, maintenant, allait s'accélérer. Elle avait deux ans de plus que lui ; il prit alors conscience qu'il allait avoir quarante ans le mois prochain. Ils en étaient à peu près à la moitié de leur vie ; les choses avaient passé vite. Il se redressa, rassembla ses vêtements qui jonchaient le sol. Il ne se souvenait pas de s'être déshabillé la veille au soir, c'était sans doute elle qui l'avait fait ; il avait l'impression de s'être endormi aussitôt après avoir touché l'oreiller. Avaient-ils fait l'amour ? Probablement pas, et ce simple fait était déjà grave, parce que après tant d'années de séparation ils auraient dû, ils auraient dû au moins essayer, sa prévisible absence d'érection immédiate n'aurait été que trop facilement imputable à l'absorption excessive de boissons alcoolisées, mais elle aurait pu essayer de le sucer, il ne se souvenait pas qu'elle l'ait fait, peut-être aurait-il dû demander ? Cette hésitation, aussi, sur ses droits sexuels, sur ce qui paraissait naturel et normal dans le cadre de leur relation, était inquiétante, et probable annonciation de la fin. La sexualité est une chose fragile, il est difficile d'y entrer, si facile d'en sortir.

Il referma derrière lui la porte de la chambre, capitonnée et tendue de cuir blanc, s'engagea dans un long couloir qui desservait sur la droite d'autres chambres et un bureau, sur la gauche les pièces de réception – des petits salons aux moulures Louis XVI, au parquet en points de Hongrie. Dans la pénombre éclairée de place en place par de grandes lampes à abat-jour, l'appartement lui parut immense. Il traversa un des salons, entrouvrit un rideau : l'avenue Foch s'étendait à l'infini, d'une largeur anormale, recouverte d'une légère couche de givre. Le seul signe de vie était l'échappement d'une Jaguar XJ noire dont le moteur tournait au ralenti dans la contre-allée. Puis une femme en robe de soirée sortit en titubant légèrement d'un immeuble, s'installa aux côtés du conducteur ; la voiture démarra, s'engagea vers l'Arc de Triomphe. Un silence total retomba sur le paysage urbain. Tout lui apparaissait avec une netteté inhabituelle à mesure qu'un soleil hivernal et faible montait entre les tours de la Défense, faisait scintiller le sol immaculé de l'avenue. À l'extrémité du couloir, il déboucha dans une vaste cuisine meublée d'armoires en aluminium brossé qui entouraient un plan de travail central en basalte. Le réfrigérateur était vide, à l'exception d'une boîte de chocolats Debauve et Gallais et d'une barquette de jus d'orange Leader Price entamée. Jetant un regard circulaire il aperçut une machine à café, et se prépara un Nespresso. Olga était douce, elle était douce et aimante, Olga l'aimait, se répétat-il avec une tristesse croissante en même temps qu'il réalisait que plus rien n'aurait lieu entre eux, ne pourrait plus jamais avoir lieu entre eux, la vie vous offre une chance parfois se dit-il mais lorsqu'on est trop lâche ou trop indécis pour la saisir la vie reprend ses cartes, il y a un moment pour faire les choses et pour entrer dans un bonheur possible, ce moment dure quelques jours, parfois quelques semaines ou même quelques mois mais il ne se produit qu'une fois et une seule, et si l'on veut y revenir plus tard c'est tout simplement impossible, il n'y a plus de place pour l'enthousiasme, la croyance et la foi, demeure une résignation douce, une pitié réciproque et attristée, la sensation inutile et juste que quelque chose aurait pu avoir lieu, qu'on s'est simplement montré indigne du don qui vous avait été fait. Il se prépara un deuxième café, qui chassa définitivement les brumes du sommeil, puis envisagea de laisser un mot à Olga. « Nous devons réfléchir », écrivit-il, avant de biffer la formule et d'inscrire : « Tu mérites mieux que moi. » Il raya la phrase à nouveau, écrivit à la place : « Mon père est en train de mourir », puis se rendit compte qu'il n'avait jamais parlé de son père à Olga, et froissa la feuille avant de la jeter à la poubelle. Il allait bientôt avoir l'âge que son père avait à sa naissance ; pour son père, avoir un enfant avait signifié la fin de toute ambition artistique et plus généralement l'acceptation de la mort, comme pour beaucoup de gens sans doute mais dans le cas de son père plus particulièrement. Il retraversa le couloir jusqu'à la chambre ; Olga dormait toujours paisiblement, pelotonnée sur elle-même. Il demeura près d'une minute, attentif à sa respiration régulière, dans l'incapacité de parvenir à une synthèse, et soudain il repensa à Houellebecq. Un écrivain doit avoir certaines connaissances sur la vie, ou du moins le laisser croire. D'une manière ou d'une autre, Houellebecq devait faire partie de la synthèse.

Le jour était tout à fait levé maintenant, mais l'avenue Foch était toujours aussi déserte. Jamais il n'avait parlé de son père à Olga, ni d'Olga à son père, pas davantage qu'il n'avait parlé d'eux à Houellebecq ni à Franz, il avait certes maintenu un résidu de vie sociale mais celle-ci n'évoquait en rien un réseau ou un tissu organique ni quoi que ce soit de vivant, on avait affaire à un graphe élémentaire et minimal, non ramifié, aux branches indépendantes et sèches. De retour chez lui il rangea le portrait de l'écrivain dans un coffret de titane, qu'il assujettit sur la galerie de toit de son break de chasse Audi. Porte d'Italie, il prit la direction de l'autoroute A10.

Sitôt dépassés les dernières banlieues, les derniers entrepôts de stockage, il s'aperçut que la neige avait tenu. La température extérieure était de – 3 °C mais la climatisation fonctionnait parfaitement, une tiédeur uniforme emplissait l'habitacle. Les Audi se caractérisent par un niveau de finition particulièrement élevé, avec lequel ne peuvent selon l'*Auto-Journal* rivaliser que certaines Lexus, cette voiture était son premier achat depuis qu'il avait accédé à un nouveau statut de fortune, dès sa première visite chez le concessionnaire il avait été séduit par la rigueur et la précision des assemblages métalliques, le claquement doux des portières au moment où il les refermait, tout cela était usiné comme un coffre-fort. Tournant la molette du régulateur de vitesse, il opta pour une allure de croisière de 105 km/heure. Des crantages légers, répartis tous les 5 km/heure, facilitaient la manipulation du dispositif ; cette voiture était décidément parfaite. Une pellicule de neige inentamée recouvrait la plaine horizontale ; le soleil brillait vaillamment, gaiement presque, sur la Beauce endormie. Un peu avant d'atteindre Orléans, il prit la E60 en direction de Courtenay. Quelques centimètres en dessous de la surface du sol, des graines attendaient la germination, l'éveil. Le voyage allait être trop court, se dit-il, il aurait fallu des heures, des journées entières sur l'autoroute à vitesse constante pour qu'il puisse commencer à élaborer l'esquisse d'une pensée claire. Il se força cependant à s'arrêter dans une station-service, puis en redémarrant songea qu'il fallait qu'il téléphone à Houellebecq pour le prévenir de son arrivée.

Il sortit à Montargis-Ouest, se gara une cinquantaine de mètres avant le péage, composa le numéro de l'écrivain, laissa sonner une dizaine de fois avant de raccrocher. Le soleil avait disparu, le ciel était d'un blanc laiteux au-dessus du paysage de neige. Les guérites blanc cassé du poste de péage complétaient cette discrète symphonie de tons clairs. Il sortit et fut frappé par le froid, plus vif qu'en zone urbaine, déambula quelques minutes sur le macadam de l'aire de repos. Apercevant le coffret de titane assujetti sur le toit de sa voiture, il se souvint brusquement du motif de son voyage, et se dit qu'il allait pouvoir lire Houellebecq maintenant que tout était fini. Maintenant que *quoi* était fini ? En même temps qu'il se posait la question il y répondit, et il comprit que Franz avait vu juste : « Michel Houellebecq, écrivain » serait son dernier tableau. Sans doute aurait-il encore des idées de tableau, des rêveries de tableau, mais jamais plus il ne se sentirait l'énergie ni la motivation nécessaires pour leur donner forme. On peut toujours, lui avait dit Houellebecq lorsqu'il avait évoqué sa carrière romanesque, prendre des notes, essayer d'aligner des phrases ; mais pour se lancer dans l'écriture d'un roman il faut attendre que tout cela devienne compact, irréfutable, il faut attendre l'apparition d'un authentique noyau de nécessité. On ne décide jamais soi-même de l'écriture d'un livre, avait-il ajouté ; un livre, selon lui, c'était comme un bloc de béton qui se décide à prendre, et les possibilités d'action de l'auteur se limitaient au fait d'être là, et d'attendre, dans une inaction angoissante, que le processus démarre de lui-même. À ce moment Jed comprit que l'inaction, plus jamais, ne lui causerait d'angoisse, et l'image d'Olga revint flotter dans sa mémoire comme le fantôme d'un bonheur inabouti, s'il l'avait pu il aurait prié pour elle. Il remonta dans sa voiture, démarra doucement en direction des guérites, sortit sa carte bleue pour payer.

Il était à peu près midi lorsqu'il atteignit le village où vivait Houellebecq, mais il n'y avait personne dans les rues. Y avait-il jamais quelqu'un, d'ailleurs, dans les rues de ce village ? C'était une alternance de maisons en pierres calcaires, aux toits de tuiles anciennes, qui devaient être typiques de la région, et d'autres à colombages, blanchies à la chaux, qu'on se serait plutôt attendu à rencontrer dans la campagne normande. L'église, aux arcs-boutants recouverts de lierre, portait les traces d'une rénovation menée avec ardeur ; manifestement, ici, on ne plaisantait pas avec le patrimoine. Partout il y avait des arbustes ornementaux, des pelouses ; des pancartes de bois brun invitaient le visiteur à un circuit aventure aux confins de la Puisaye. La salle culturelle polyvalente proposait une exposition permanente d'artisanat local. Il n'y avait probablement plus ici, depuis longtemps, que des résidences secondaires.

La maison de l'écrivain était située un peu en dehors du village ; ses indications avaient été exceptionnellement claires lorsqu'il avait réussi à le joindre au téléphone. Il avait fait une longue promenade en compagnie de son chien, lui avait-il dit, une longue promenade dans la campagne gelée ; il se réjouissait de l'inviter à déjeuner.

Jed se gara devant le portail d'une vaste longère en L, aux murs chaulés. Il détacha le coffret contenant son tableau, puis tira la poignée de la sonnette. Des aboiements éclatèrent aussitôt dans la maison. Quelques secondes plus tard la porte s'ouvrit, un grand chien noir, hirsute, se précipita vers le portail en aboyant. L'auteur des *Particules élémentaires* apparut à son tour, vêtu d'une canadienne et d'un pantalon de velours. Il avait changé, réalisa aussitôt Jed. Plus robuste, plus musclé probablement, il marchait avec énergie, un sourire de bienvenue aux lèvres. En même temps il avait maigri, son visage s'était creusé de fines rides d'expression, et ses cheveux, coupés très court, avaient blanchi. Il était, se dit Jed, comme un animal qui a revêtu son pelage d'hiver.

Un grand feu brûlait dans la cheminée de la salle de séjour ; ils s'installèrent sur des canapés de velours vert bouteille. « Il restait quelques meubles d'origine..., dit Houellebecq, j'ai acheté les autres dans une brocante. » Sur une table basse il avait disposé des rondelles de saucisson, des olives ; il ouvrit une bouteille de chablis. Jed sortit le portrait de son coffret, le posa contre le dossier du canapé. Houellebecq lui jeta un regard un peu distrait, puis son regard se promena autour de la pièce. « Au-dessus de la cheminée il irait bien, vous ne trouvez pas ? » demanda-t-il finalement. C'était la seule chose qui paraissait l'intéresser. C'est peut-être bien comme ça, se dit Jed ; qu'est-ce qu'un tableau au fond, sinon un élément d'ameublement particulièrement onéreux ? Il buvait son verre à petites gorgées.

« Vous voulez visiter ? » proposa Houellebecq. Naturellement, Jed accepta. La maison lui plaisait bien, elle lui rappelait un peu celle de ses grands-parents ; mais toutes ces maisons de campagne traditionnelles se ressemblent plus ou moins, à vrai dire. En dehors de la salle de séjour il y avait une grande cuisine, prolongée par une réserve – qui servait également de bûcher et de cave. Sur la droite s'ouvraient les portes de deux chambres. La première, inoccupée, meublée en son centre d'un lit à deux places étroit et élevé, était glaciale. Dans la seconde il y avait un lit à une place, un lit d'enfant, encastré dans un cosy-corner, et un secrétaire à abattant. Jed déchiffra les titres des livres rangés dans l'étagère du cosy, près de la tête du lit : Chateaubriand, Vigny, Balzac.

« Oui, c'est là que je dors..., confirma Houellebecq alors qu'ils revenaient vers la salle de séjour, s'installaient de nouveau devant le feu. Dans mon ancien lit d'enfant... On finit comme on a commencé... » ajouta-t-il avec une expression difficile à interpréter (satisfaction ? résignation ? amertume ?). Jed ne songea à aucun commentaire approprié.

Au bout du troisième verre de chablis, il se sentit gagné par une légère torpeur. « On va passer à table..., dit l'écrivain. J'ai préparé un pot-au-feu hier, il va être meilleur. Ça se réchauffe très bien, le pot-au-feu. »

Le chien les suivit dans la cuisine, se pelotonna dans un grand panier en tissu, soupira d'aise. Le pot-au-feu était bon. Une horloge à balancier émettait un tic-tac léger. Par la fenêtre on distinguait des prairies recouvertes de neige, un bosquet d'arbres noirs coupait l'horizon.

« Vous avez choisi une vie calme..., dit Jed.

— On approche de la fin ; on vieillit tranquillement.

— Vous n'écrivez plus ?

— Début décembre, j'ai essayé d'écrire un poème sur les oiseaux ; à peu près au moment où vous m'avez invité à votre exposition. J'avais acheté une mangeoire, j'ai mis des bouts de lard pour eux ; il faisait déjà froid, l'hiver a été précoce. Ils sont venus très nombreux : des pinsons, des bouvreuils, des rouges-gorges... Ils ont beaucoup apprécié les bouts de lard, mais de là à écrire un poème... Finalement, j'ai écrit sur mon chien. C'était l'année des P, j'ai appelé mon chien Platon, et j'ai réussi mon poème ; c'est un des meilleurs poèmes jamais écrits sur la philosophie de Platon – et probablement aussi sur les chiens. Ce sera une de mes dernières œuvres, peut-être la dernière. »

Au même instant Platon s'agita dans son couffin, ses pattes battirent l'air, il poussa un long grognement dans son rêve, puis se rendormit.

« Les oiseaux ce n'est rien, poursuivit Houellebecq, des petites taches de couleur vivantes qui couvent leurs œufs et dévorent des milliers d'insectes en voletant pathétiquement de part et d'autre, une vie affairée et stupide, entièrement vouée à la dévoration des insectes – avec, parfois, un modeste festin de larves – et à la reproduction du même. Un chien porte déjà en soi un destin individuel et une représentation du monde, mais son drame a quelque chose d'indifférencié, il n'est ni historique ni même véritablement narratif, et je crois que j'en ai à peu près fini avec le *monde comme narration* – le monde des romans et des films, le monde de la musique aussi. Je ne m'intéresse plus qu'au *monde comme juxtaposition* – celui de la poésie, de la peinture. Vous prenez un peu plus de pot-au-feu ? »

Jed déclina l'offre. Houellebecq sortit du réfrigérateur un saint-nectaire et un époisses, coupa des tranches de pain, déboucha une nouvelle bouteille de chablis.

« C'est gentil de m'avoir apporté ce tableau, ajouta-t-il après quelques secondes. Je le regarderai quelquefois, il me rappellera que j'ai eu une vie intense, par moments. »

Ils retournèrent dans la salle de séjour pour prendre le café. Houellebecq rajouta deux bûches dans le feu, puis partit s'affairer dans la cuisine. Jed se plongea dans l'examen de la bibliothèque, fut surpris par le petit nombre de romans – des classiques, essentiellement. Il y avait par contre un nombre étonnant d'ouvrages dus aux réformateurs sociaux du XIXe siècle : les plus connus, comme Marx, Proudhon et Comte ; mais aussi Fourier, Cabet, Saint-Simon, Pierre Leroux, Owen, Carlyle, ainsi que d'autres qui ne lui évoquaient à peu près rien. L'auteur revint, portant sur un plateau une cafetière, des macarons, une bouteille d'alcool de prune. « Vous savez ce qu'affirme Comte, dit-il, que l'humanité est composée de davantage de morts que de vivants. Eh bien j'en suis là, maintenant, je suis surtout en contact avec des morts... » Là non plus, Jed ne trouva rien à répondre. Une ancienne édition des *Souvenirs* de Tocqueville était posée sur la table basse.

« Un cas étonnant, Tocqueville..., poursuivit l'écrivain. *De la démocratie en Amérique* est un chef-d'œuvre, un livre d'une puissance visionnaire inouïe, qui innove absolument, et dans tous les domaines ; c'est sans doute le livre politique le plus intelligent jamais écrit. Et après avoir produit cette œuvre renversante, au lieu de continuer il consacre toute son énergie à se faire élire comme député dans un modeste arrondissement de la Manche, puis à prendre des responsabilités dans les gouvernements de son temps, tout à fait comme un politicien ordinaire. Et pourtant il n'avait rien perdu de son acuité, de sa puissance d'observation... » Il feuilleta le volume des *Souvenirs* tout en caressant l'échine de Platon, qui s'était rallongé à ses pieds. « Écoutez ça, quand il parle de Lamartine ! Ouh là là, qu'est-ce qu'il lui met, à Lamartine !... » Il lut, d'une voix agréable et bien scandée :

« Je ne sais si j'ai rencontré, dans ce monde d'ambitions égoïstes, au milieu duquel j'ai vécu, un esprit plus vide de la pensée du bien public que le sien. J'y ai vu une foule d'hommes troubler le pays pour se grandir : c'est la perversité courante ; mais il est le seul, je crois, qui m'ait semblé toujours prêt à bouleverser le monde pour se distraire. »

« Il n'en revient pas, Tocqueville, d'être en présence d'un spécimen pareil. Lui-même est fondamentalement un type honnête, qui essaie de faire ce qui lui paraît le mieux pour son pays. L'ambition, la convoitise, il peut comprendre ; mais un tel tempérament de comédien, un tel mélange d'irresponsabilité et de dilettantisme, il en reste pantois. Écoutez aussi, juste après :

"Je n'ai jamais connu non plus d'esprit moins sincère, ni qui eût un mépris plus complet pour la vérité. Quand je dis qu'il la méprisait, je me trompe ; il ne l'honorait point assez pour s'occuper d'elle d'aucune manière. En parlant

251

ou en écrivant, il sort du vrai et y rentre sans y prendre garde ; uniquement préoccupé d'un certain effet qu'il veut produire à ce moment-là... " »

Oubliant son hôte, Houellebecq continua à lire pour lui-même, tournant les pages avec une jubilation croissante.

Jed attendit, hésita, puis vida d'un trait son verre d'alcool de prune, s'éclaircit la gorge. Houellebecq leva les yeux vers lui. « Je suis venu..., dit Jed, pour vous donner ce tableau, bien sûr, mais aussi parce que j'attends de vous un message.

— Un message ? » Le sourire de l'écrivain s'éteignit peu à peu, son visage fut gagné par une tristesse terreuse, minérale. « L'impression que vous avez..., dit-il finalement d'une voix lente, c'est que ma vie s'achève, et que je suis déçu, c'est bien ça ?

— Euh... oui, à peu près.

— Eh bien, vous avez raison : ma vie s'achève, et je suis déçu. Rien de ce que j'espérais dans ma jeunesse ne s'est produit. Il y a eu des moments intéressants, mais toujours difficiles, toujours arrachés à la limite de mes forces, rien jamais ne m'est apparu comme un don et maintenant j'en ai juste assez, je voudrais juste que tout se termine sans souffrances excessives, sans maladie invalidante, sans infirmité.

— Vous parlez comme mon père... », dit doucement Jed. Houellebecq sursauta au mot de *père*, comme s'il avait prononcé une obscénité, puis son visage s'emplit d'un sourire blasé, courtois mais sans chaleur. Jed avala coup sur coup trois macarons, puis un grand verre d'alcool de prune, avant de poursuivre.

« Mon père..., répéta-t-il finalement, m'a parlé de William Morris. Je voulais savoir si vous le connaissez, ce que vous en pensez.

— William Morris... » Son ton était à nouveau désengagé, objectif. « C'est curieux que votre père vous en ait parlé, presque personne ne connaît William Morris.

— Dans les milieux d'architectes et d'artistes qu'il fréquentait dans sa jeunesse, apparemment, si. »

Houellebecq se leva, fouilla dans sa bibliothèque pendant au moins cinq minutes avant de sortir un mince volume à la couverture défraîchie et jaunâtre, ornée d'un entrelacs de motifs Art nouveau. Il se rassit, tourna avec précaution les pages tavelées et raidies – l'ouvrage n'avait manifestement pas été ouvert depuis des années.

« Tenez, dit-il finalement, ça situe un peu son point de vue. C'est tiré d'une conférence qu'il a prononcée à Édimbourg en 1889 :

"Voilà en bref notre position d'artistes : nous sommes les derniers représentants de l'artisanat auquel la production marchande a porté un coup fatal."

« Sur la fin il s'est rallié au marxisme, mais au départ c'était différent, vraiment original. Il part du point de vue de l'artiste lorsqu'il produit une œuvre, et il essaie de le généraliser à l'ensemble du monde de la production – industrielle et agricole. On a du mal à imaginer aujourd'hui la richesse de la réflexion politique de cette époque.

Chesterton a rendu hommage à William Morris dans *Le Retour de Don Quichotte*. C'est un curieux roman, dans lequel il imagine une révolution basée sur le retour à l'artisanat et au christianisme médiéval se répandant peu à peu dans les îles Britanniques, supplantant les autres mouvements ouvriers, socialiste et marxiste, et conduisant à l'abandon du système de production industriel au profit de communautés artisanales et agraires. Quelque chose de tout à fait invraisemblable, traité dans une ambiance de féerie, pas très loin de *Father Brown*. Chesterton y a mis beaucoup de ses convictions personnelles, je crois. Mais il faut dire que William Morris, d'après tout ce qu'on sait de lui, était quelqu'un d'assez extraordinaire. »

Une bûche s'écroula dans la cheminée, projetant une volée d'escarbilles. « J'aurais dû acheter un pare-feu... » grommela Houellebecq avant de tremper les lèvres dans son verre d'alcool. Jed le fixait toujours, immobile et attentif, il était envahi par une tension nerveuse extraordinaire, incompréhensible. Houellebecq le regardait avec surprise, et Jed se rendit compte avec embarras que sa main gauche était agitée de tremblements convulsifs. « Je m'excuse, dit-il finalement en se détendant d'un seul coup. Je traverse une période... particulière.

« William Morris n'a pas eu une vie très gaie, selon les critères habituels, reprit Houellebecq. Pourtant, tous les témoignages nous le montrent joyeux, optimiste et actif. À l'âge de vingt-trois ans il a fait la connaissance de Jane Burden, qui en avait dix-huit, et travaillait comme modèle pour des peintres. Il l'a épousée deux ans plus tard, a envisagé lui-même de se lancer dans la peinture, avant d'y renoncer, ne se sentant pas assez doué – il respectait la peinture par-dessus tout. Il s'est fait construire une maison d'après ses propres plans, à Upton, sur les bords de la Tamise, et l'a décorée lui-même pour y vivre avec sa femme et leurs deux petites filles. Sa femme était, d'après tous ceux qui l'ont rencontrée, d'une très grande beauté ; mais elle n'était pas fidèle. Elle a eu en particulier une liaison avec Dante Gabriel Rossetti, le chef de file du mouvement préraphaélite. William Morris avait beaucoup d'admiration pour lui en tant que peintre. À la fin il est venu vivre chez eux, et l'a carrément supplanté dans le lit conjugal. Morris s'est alors lancé dans des voyages en Islande, il a appris la langue, entrepris la traduction de sagas. Au bout de quelques années il est revenu, il s'est décidé à avoir une explication ; Rossetti a accepté de partir, mais quelque chose s'était brisé, et plus jamais il n'y a eu de réelle intimité charnelle dans le couple. Il était déjà engagé dans plusieurs mouvements sociaux, mais il a quitté la *Social Democratic Federation*, qui lui paraissait trop modérée, pour créer la *Socialist League*, qui défendait des positions ouvertement communistes, et jusqu'à sa mort il s'est dépensé sans compter pour la cause communiste, il a multiplié les articles de journaux, les conférences, les meetings... »

Houellebecq se tut, secoua la tête avec résignation, passa doucement sa main sur l'échine de Platon, qui grogna de satisfaction.

« Jusqu'au bout aussi, dit-il avec lenteur, il a combattu la pruderie victorienne, il a milité en faveur de l'amour libre...

« Vous savez, ajouta-t-il encore, j'ai toujours détesté cette idée répugnante, mais pourtant si crédible, qui veut que l'action militante, généreuse, apparemment désintéressée, soit une compensation à des problèmes d'ordre privé... »

Jed se tut, attendit au moins une minute. « Vous pensez que c'était un utopiste ? demanda-t-il finalement. Un irréaliste complet ?

— Dans un sens, oui, sans aucun doute. Il voulait supprimer l'école, pensant que les enfants apprendraient mieux dans une ambiance de totale liberté ; il voulait supprimer les prisons, pensant que le remords serait un châtiment suffisant pour le criminel. C'est difficile de lire toutes ces absurdités sans un mélange de compassion et d'écœurement. Et pourtant, pourtant... » Houellebecq hésita, chercha ses mots. « Pourtant, paradoxalement, il a connu certains succès sur le plan pratique. Pour mettre en pratique ses idées sur le retour à la production artisanale, il a créé très tôt une firme de décoration et d'ameublement ; les ouvriers y travaillaient beaucoup moins que dans les usines de l'époque, qui étaient il est vrai ni plus ni moins des bagnes, mais surtout ils travaillaient librement, chacun était responsable de sa tâche du début à la fin, le principe essentiel de William Morris était que la conception et l'exécution ne devaient jamais être séparées, pas davantage qu'elles ne l'étaient au Moyen Âge. D'après tous les témoignages, les conditions de travail étaient idylliques : des ateliers lumineux, aérés, au bord d'une rivière. Tous les bénéfices étaient redistribués aux travailleurs, sauf une petite partie, qui servait à financer la propagande socialiste. Eh bien, contre toute attente, le succès a été immédiat, y compris sur le plan commercial. Après la menuiserie ils se sont intéressés à la joaillerie, au travail du cuir, puis aux vitraux, aux tissus, aux tapisseries d'ameublement, toujours avec le même succès : la firme *Morris & Co* a constamment été bénéficiaire, d'un bout à l'autre de son existence. Cela, aucune des coopératives ouvrières qui se sont multipliées tout au long du XIXe siècle n'y est parvenue, que ce soient les phalanstères fouriéristes ou la communauté icarienne de Cabet, aucune n'est parvenue à organiser une production efficace des biens et des denrées, à l'exception de la firme fondée par William Morris on ne peut citer qu'une succession d'échecs. Sans même parler des sociétés communistes, plus tard... »

Il se tut à nouveau. Dans la pièce, la lumière commençait à baisser. Il se leva, alluma une lampe à abat-jour, rajouta une bûche dans le feu avant de se rasseoir. Jed le fixait toujours avec attention, les mains posées sur ses genoux, parfaitement silencieux.

« Je ne sais pas, dit Houellebecq, je suis trop vieux, je n'ai plus l'envie ni l'habitude de conclure, ou bien des choses très simples. On a des portraits de lui, vous savez, dessinés par Burne-Jones : en train d'essayer un nouveau mélange de teintures végétales, ou de faire la lecture à ses filles. Un type trapu, hirsute, au visage rougeaud et vif, avec des petites lunettes et une barbe en broussaille, sur tous les dessins il donne une impression d'hyperactivité permanente, de bonne volonté et de candeur inépuisables. Ce qu'on peut sans doute dire, c'est que le modèle de société proposé par William Morris n'aurait rien d'utopique dans un monde où tous les hommes ressembleraient à William Morris. »

Jed attendit encore, longuement, cependant que la nuit tombait sur les champs alentour. « Je vous remercie, dit-il finalement en se levant. Je suis désolé de vous avoir dérangé dans votre retraite, mais votre avis comptait pour moi. Vous m'avez beaucoup aidé. »

Sur le seuil de la porte, ils furent saisis par le froid. La neige luisait faiblement. Les branches noires des arbres dénudés se détachaient sur le ciel gris sombre. « Il va y avoir du verglas, dit Houellebecq, conduisez prudemment. » Au moment où il faisait demi-tour pour repartir, Jed le vit qui agitait très lentement sa main à la hauteur de l'épaule, en signe d'adieu. Son chien, assis à ses côtés, semblait hocher la tête comme s'il approuvait son départ. Jed avait l'intention de le revoir, mais il eut l'intuition que cela ne se produirait pas, qu'il y aurait en tout cas des empêchements, des contretemps divers. Sa vie sociale était décidément en train de se simplifier, en ce moment.

Par des départementales sinueuses et désertes il gagna lentement, sans dépasser les 30 km/heure, l'entrée de l'autoroute A10. Au moment où il s'engageait sur la bretelle d'accès il aperçut, en contrebas, l'immense ruban lumineux des phares, et comprit qu'il allait être pris dans des embouteillages interminables. La température extérieure était tombée à − 12 °C mais la température intérieure se maintenait à 19 °C, la climatisation fonctionnait parfaitement ; il ne ressentait aucune impatience.

Allumant France Inter, il tomba sur une émission qui décortiquait l'actualité culturelle de la semaine ; les chroniqueurs s'esclaffaient bruyamment, leurs glapissements convenus et leurs rires étaient d'une vulgarité insoutenable. France Musique diffusait un opéra italien dont le brio ronflant et factice l'agaça rapidement ; il coupa l'autoradio. Il n'avait jamais aimé la musique, et apparemment l'aimait moins que jamais, il se demanda fugitivement ce qui l'avait conduit à se lancer dans une représentation artistique du monde, ou même à penser qu'une représentation artistique du monde était possible, le monde était tout sauf un sujet d'émotion artistique, le monde se présentait absolument comme un dispositif rationnel, dénué de magie comme d'intérêt particulier. Il passa sur Autoroute FM, qui se limitait à délivrer des informations concrètes : il y avait eu des accidents à la hauteur de Fontainebleau et de Nemours, les ralentissements se poursuivraient probablement jusqu'à Paris.

On était le dimanche 1er janvier, se dit Jed, ce n'était pas seulement la fin d'un week-end mais aussi celle d'une période de vacances, et le début d'une nouvelle année pour tous ces gens qui rentraient, lentement, en pestant probablement sur la lenteur du trafic, qui atteindraient maintenant les confins de la banlieue parisienne dans quelques heures, et qui après une courte nuit reprendraient leur place – subalterne ou élevée – dans le système de production occidental. À la hauteur de Melun-Sud l'atmosphère s'emplit d'une brume blanchâtre, la progression des voitures ralentit encore, ils roulèrent au pas pendant plus de cinq kilomètres avant que la route ne se dégage peu à peu à la hauteur de Melun-Centre. La température extérieure était de − 17 °C. Lui-même avait été distingué, moins d'un mois auparavant, par la *loi de l'offre et de la demande*, la richesse l'avait soudain enveloppé comme une pluie d'étincelles, délivré de tout joug financier, et il se rendit compte qu'il allait maintenant quitter ce monde dont il n'avait jamais véritablement fait partie, ses rapports humains déjà peu nombreux allaient un par un s'assécher et se tarir, il serait dans la vie comme il l'était à présent dans l'habitacle à la finition parfaite de son Audi Allroad A6, paisible et sans joie, définitivement neutre.

TROISIÈME PARTIE

I

Dès qu'il ouvrit la porte de la Safrane, Jasselin comprit qu'il allait vivre un des pires moments de sa carrière. Assis dans l'herbe à quelques pas de la barrière, la tête entre ses mains, le lieutenant Ferber était prostré dans une immobilité absolue. C'était la première fois qu'il voyait un collègue dans cet état – dans la police judiciaire, ils finissaient tous par acquérir une dureté de surface qui leur permettait de contrôler leurs réactions émotionnelles, ou bien ils démissionnaient, et Ferber avait plus de dix ans de métier. Quelques mètres plus loin, les trois hommes de la gendarmerie de Montargis étaient tétanisés : deux d'entre eux gisaient dans l'herbe, agenouillés, le regard vide, et le troisième – probablement leur supérieur, Jasselin crut reconnaître des insignes de brigadier – oscillait lentement sur lui-même, à la limite de l'évanouissement. Des effluves de puanteur s'échappaient de la longère, portés par la brise qui agitait doucement les boutons-d'or au-dessus de la prairie d'un vert lumineux. Aucun des quatre hommes n'avait réagi à l'arrivée de la voiture.

Il s'avança vers Ferber, qui demeura prostré. Avec son teint pâle, ses yeux d'un bleu très clair, ses cheveux mi-longs et noirs, Christian Ferber avait à trente-deux ans un physique romantique de beau gosse ténébreux, sensible, assez inhabituel dans la police ; c'était pourtant un policier compétent et opiniâtre, un de ceux avec qui il préférait travailler. « Christian... » dit Jasselin doucement, puis de plus en plus fort. Lentement, comme un gosse puni, Ferber leva les yeux, lui jetant un regard de rancune plaintive.

« C'est à ce point ? demanda doucement Jasselin.

— C'est pire. Pire que ce que tu peux imaginer. Celui qui a fait ça... ne devrait pas exister. On devrait le rayer de la surface de la terre.

— On va l'attraper, Christian. On les attrape toujours. »

Ferber hocha la tête et se mit à pleurer. Tout cela devenait très inhabituel.

Au bout d'un temps qui lui parut très long Ferber se leva, encore mal assuré sur ses jambes, et conduisit Jasselin jusqu'au groupe de gendarmes. « Mon supérieur, le commissaire Jasselin... », dit-il d'une voix basse. À ces mots, l'un des deux jeunes gendarmes se mit à vomir longuement, il reprenait sa respiration puis vomissait à nouveau sur la terre, sans s'occuper de personne, et cela non plus n'était pas très habituel, chez un gendarme. « Brigadier Bégaudeau » dit mécaniquement son supérieur, sans cesser son mouvement oscillatoire de signification nulle, en somme sur ce coup il n'y avait rien à attendre de la gendarmerie de Montargis.

« Ils vont être dessaisis, résuma Ferber. C'est nous qui avons déclenché les recherches, il avait un rendez-vous à Paris où il n'est pas venu, on nous a appelés. Comme il avait un domicile ici, je leur ai demandé de vérifier ; et ils l'ont trouvé.

— S'ils ont trouvé le corps, ils peuvent demander que l'affaire leur soit confiée.

— Je crois pas qu'ils le feront.

— Qu'est-ce qui te fait penser ça ?

— Je pense que tu seras de mon avis en voyant... l'état de la victime. » Il s'interrompit, eut un frisson et une nouvelle crise de nausée, mais il n'avait plus rien à vomir, juste un peu de bile.

Jasselin jeta un regard vers la porte de la maison, grande ouverte. Une nuée de mouches s'était accumulée à proximité, elles volaient sur place en bourdonnant, comme si elles attendaient leur tour. Du point de vue d'une mouche un cadavre humain c'est de la viande, purement et simplement de la viande ; de nouveaux effluves descendirent vers eux, la puanteur était vraiment atroce. S'il devait avoir à supporter la vision de cette scène de crime il devrait, il en prenait nettement conscience, adopter pour quelques minutes le point de vue d'une mouche ; la remarquable objectivité de la mouche, *Musca domestica*. Chaque femelle de *Musca domestica* peut pondre jusqu'à cinq cents et parfois mille œufs. Ces œufs sont blancs et mesurent environ 1,2 mm de longueur. Au bout d'une seule journée, les larves *(asticots)* en sortent ; elles vivent et se nourrissent sur de la matière organique (généralement morte et en voie de décomposition avancée, telle qu'un cadavre, des détritus ou des excréments). Les asticots sont blanc pâle, d'une longueur de 3 à 9 mm. Ils sont plus fins dans la région buccale et n'ont pas de pattes. À la fin de leur troisième mue, les asticots rampent vers un endroit frais et sec et se transforment en *pupes*, de couleur rougeâtre.

Les mouches adultes vivent de deux semaines à un mois dans la nature, ou plus longtemps dans les conditions du laboratoire. Après avoir émergé de la pupe, les mouches cessent de grandir. De petites mouches ne sont pas des mouches jeunes, mais des mouches n'ayant pas eu suffisamment de nourriture durant leur stade larvaire.

À peu près trente-six heures après son émergence de la pupe, la femelle est réceptive pour l'accouplement. Le mâle la monte sur le dos pour lui injecter du sperme. Normalement la femelle ne s'accouple qu'une seule fois, stockant le sperme afin de l'utiliser pour plusieurs pontes d'œufs. Les mâles sont territoriaux : ils défendent un certain territoire contre l'intrusion d'autres mâles, et cherchent à monter toute femelle qui entre sur ce territoire.

« En plus, la victime était célèbre..., ajouta Ferber.

— C'était qui ?

— Michel Houellebecq. »

Devant l'absence de réaction de son supérieur, il ajouta : « C'est un écrivain. Enfin, c'était un écrivain. Il était très connu. »

Eh bien, *l'écrivain connu* servait maintenant de support nutritionnel à de nombreux asticots, se dit Jasselin dans un courageux effort de *mind control*.

« Tu crois que je devrais y aller ? demanda-t-il finalement à son subordonné. Aller voir à l'intérieur ? »

Ferber hésita longuement avant de répondre. Le responsable d'une enquête devrait toujours voir, personnellement, la scène de crime, Jasselin insistait beaucoup là-dessus lors des conférences qu'il donnait à l'Institut de formation des commissaires de Saint-Cyr-au-Mont-d'Or. Un crime, et surtout un crime ni crapuleux ni brutal, est une chose très intime, où l'assassin exprime forcément quelque chose de sa personnalité, de son rapport avec la victime. Il y a ainsi presque toujours dans la scène de crime quelque chose d'individuel et d'unique, comme une signature du criminel ; et c'est particulièrement vrai, ajoutait-il, des crimes atroces ou rituels, de ceux pour lesquels on est naturellement disposé à orienter les recherches vers un psychopathe.

« Si j'étais toi, j'attendrais les TSC…, répondit finalement Ferber. Ils auront des masques stériles ; ça te permettra, au moins, d'échapper à l'odeur. »

Jasselin réfléchit ; c'était un bon compromis.

« Ils arrivent quand ?

— Dans deux heures. »

Le brigadier Bégaudeau oscillait toujours sur lui-même, il avait atteint un rythme de croisière dans ses oscillations et ne semblait pas en mesure de faire quoi que ce soit d'inquiétant, il fallait juste aller le coucher c'est tout, dans un lit d'hôpital ou même chez lui, mais avec des tranquillisants forts. Ses deux subordonnés, toujours agenouillés à ses côtés, commençaient à hocher la tête et à se balancer mollement à l'imitation de leur chef. Ce sont des gendarmes de zone rurale, se dit, bénévolent, Jasselin. Habilités à verbaliser un excès de vitesse, une fraude minime à la carte bleue.

« Si tu permets..., dit-il à Ferber. Je vais faire un tour dans le village en attendant. Juste visiter, m'imprégner de l'ambiance.

— Vas-y, vas-y... C'est toi le chef... » Ferber eut un sourire las. « Je m'occupe de tout, j'assure la *réception des invités* en ton absence. »

Il se rassit dans l'herbe, renifla à plusieurs reprises et tira de sa veste un livre de poche – c'était *Aurélia*, de Gérard de Nerval, remarqua Jasselin. Puis il se retourna et se dirigea vers le village – un tout petit village en vérité, un groupe de maisons assoupies au creux de la forêt.

II

Les commissaires de police constituent le corps de conception et de direction de la Police nationale, laquelle est un corps technique supérieur à vocation interministérielle relevant du ministre de l'Intérieur. Ils sont chargés de l'élaboration et de la mise en œuvre des doctrines d'emploi et de la direction des services, dont ils assument la responsabilité opérationnelle et organique. Ils ont autorité sur les personnels affectés dans ces services. Ils participent à la conception, à la réalisation et à l'évaluation des programmes et des projets relatifs à la prévention de l'insécurité et à la lutte contre la délinquance. Ils exercent les attributions de magistrat qui leur sont conférées par la loi. Ils sont dotés d'un uniforme.

La rémunération en début de carrière est de l'ordre de 2 898 euros.

Jasselin marchait lentement, le long d'une route qui conduisait à un bosquet d'un vert intense, anormal, où devaient probablement proliférer les serpents et les mouches – voire, dans le pire des cas, les scorpions et les taons, les scorpions n'étaient pas rares dans l'Yonne, et certains s'aventuraient jusqu'aux limites du Loiret, il l'avait lu sur *Info Gendarmeries* avant de venir, un excellent site, qui ne mettait en ligne que des informations soigneusement vérifiées. En somme à la campagne, contrairement aux apparences, on pouvait s'attendre à tout et fréquemment au pire, se dit tristement Jasselin. Le village en lui-même lui avait fait très mauvaise impression : les maisons blanches aux bardeaux noirs, d'une propreté impeccable, l'église impitoyablement restaurée, les panneaux d'information prétendument ludiques, tout donnait l'impression d'un décor, d'un village faux, reconstitué pour les besoins d'une série télévisée. Il n'avait, du reste, croisé aucun habitant. Dans un tel environnement il pouvait être sûr que personne n'aurait rien vu, rien entendu, le recueil des témoignages s'annonçait d'emblée comme une tâche presque impossible.

Il revint cependant sur ses pas, plutôt par désœuvrement. Si je rencontre un être humain, un seul, se dit-il en une impulsion enfantine, je réussirai à élucider ce meurtre. Il crut un instant à sa chance en apercevant un café, *Chez Lucie*, la porte donnant sur la rue principale était ouverte. Il pressa le pas dans cette direction, mais, au moment où il s'apprêtait à traverser, un bras (un bras féminin ; Lucie elle-même ?) surgit dans l'embrasure, referma violemment la porte. Il entendit le verrou se fermer à double tour. Il aurait pu la forcer à rouvrir l'établissement, exiger son témoignage, il disposait des pouvoirs de police nécessaires ; la démarche lui parut prématurée. Ce serait, de toute façon, quelqu'un de l'équipe de Ferber qui s'en occuperait. Ferber lui-même excellait à recueillir les témoignages, personne en le rencontrant n'avait l'impression d'avoir affaire à un flic, et même après qu'il avait montré sa carte les gens l'oubliaient aussitôt (il donnait plutôt l'impression d'être un psychologue, ou un assistant en ethnologie) et se confiaient à lui avec une facilité déconcertante.

Juste à côté de *Chez Lucie*, la rue Martin-Heidegger descendait vers une partie du village qu'il n'avait pas encore explorée. Il l'emprunta, non sans méditer sur le pouvoir presque absolu qui était laissé aux maires en matière de dénomination des rues de leur ville. Au coin de l'impasse Leibniz il s'arrêta devant un tableau grotesque, aux couleurs criardes, peint à l'acrylique sur un panneau de fer-blanc, qui représentait un homme à la tête de canard, au vit démesuré ; son torse et ses jambes étaient recouverts d'une épaisse fourrure brune. Un panneau d'information lui apprit qu'il se trouvait en face du « Muzé'rétique », dédié à l'art brut et aux productions picturales des déments de l'asile de Montargis. Son admiration pour l'inventivité de la municipalité s'accrut encore lorsque, parvenu sur la place Parménide, il découvrit un parking flambant neuf, les traits de peinture blancs délimitant les emplacements ne devaient pas avoir plus d'une semaine, et il était doté d'un système de paiement électronique acceptant les cartes de crédit européennes et japonaises. Une seule voiture y stationnait pour l'instant, une Maserati GranTurismo de couleur vert d'eau ; Jasselin nota à tout hasard son numéro d'immatriculation. Dans le cadre d'une enquête, ainsi qu'il l'affirmait toujours à ses étudiants de Saint-Cyr-au-Mont-d'Or, il est fondamental de prendre des notes – à ce stade de son exposé il sortait de sa poche son propre carnet de notes, un bloc Rhodia de modèle courant, au format de 105 × 148 mm. On ne devrait laisser passer aucune journée d'une enquête sans avoir pris au moins une note, insistait-il, même si le fait noté vous apparaissait d'une totale absence d'importance. La suite de l'enquête devait, presque toujours, confirmer cette absence d'importance, mais l'essentiel n'était pas là : l'essentiel était de rester actif, de maintenir une activité intellectuelle minimale, car un policier complètement inactif se décourage, et devient de ce fait incapable de réagir lorsque les faits importants commencent à se manifester.

Curieusement, Jasselin formulait ainsi sans le savoir des recommandations presque identiques à celles que devait donner Houellebecq au sujet de son métier d'écrivain, l'unique fois où il accepta d'animer un atelier de *creative writing*, à l'université de Louvain-la-Neuve, en avril 2011.

En direction du sud le village se terminait par le rond-point Emmanuel-Kant, une création urbanistique pure, d'une grande sobriété esthétique, un simple cercle de macadam d'un gris parfait qui ne conduisait à rien, ne permettait d'accéder à aucune route, aux alentours duquel n'avait été bâtie aucune maison. Un peu plus loin coulait une rivière, au débit lent. Le soleil dardait ses rayons, de plus en plus intenses, sur les prairies. Bordée de trembles, la rivière offrait un espace relativement ombragé. Jasselin suivit son cours sur un peu plus de deux cents mètres avant d'être arrêté par un obstacle : un large plan incliné de béton, dont la partie supérieure était au niveau du lit de la rivière, permettait d'alimenter une dérivation, un minime ruisseau qui était plutôt, il s'en rendit compte au bout de quelques mètres, une mare allongée.

Il s'assit dans l'herbe épaisse, sur les bords de la mare. Bien entendu il l'ignorait, mais cet endroit du monde où il se tenait assis, fatigué, victime de douleurs lombaires et d'une digestion qui devenait difficile avec les années, était l'endroit précis qui avait servi de théâtre aux jeux de Houellebecq enfant, jeux solitaires le plus souvent. Dans son esprit Houellebecq n'était guère qu'une *affaire*, une affaire qu'il pressentait pénible. Lors des meurtres de *personnalités* l'attente d'élucidation du public est élevée, sa propension à dénigrer le travail de la police et à railler son inefficacité se manifeste au bout de quelques jours, la seule chose qui puisse vous arriver de pire était d'avoir sur les bras un meurtre d'enfant, ou pire encore un meurtre de *bébé*, dans le cas des bébés c'était affreux, il aurait fallu qu'un meurtrier de bébé soit appréhendé immédiatement, avant même d'avoir tourné le coin de la rue, un délai de quarante-huit heures était déjà regardé comme inacceptable par le public. Il regarda sa montre, cela faisait plus d'une heure qu'il était parti, il se reprocha un instant d'avoir laissé Ferber seul. La surface de la mare était recouverte de lentilles d'eau, sa couleur était opaque, malsaine.

III

Lorsqu'il revint sur les lieux du crime, la température avait légèrement chuté ; il eut l'impression, aussi, que les mouches étaient moins nombreuses. Allongé dans l'herbe, son blouson roulé lui servant d'oreiller, Ferber était toujours plongé dans *Aurélia*, il donnait maintenant l'impression d'avoir été invité à une partie de campagne. « Il est solide, ce garçon... » se dit Jasselin, pour la vingtième fois sans doute depuis qu'il le connaissait.

« Les gendarmes sont repartis ? s'étonna-t-il.

— Quelqu'un est venu les prendre en charge. Des gens de la cellule d'assistance psychologique, ils venaient de l'hôpital de Montargis.

— Déjà ?

— Oui, ça m'a étonné, moi aussi. Le travail de gendarme est devenu plus dur ces dernières années, ils ont maintenant presque autant de suicides que chez nous ; mais il faut reconnaître que la prise en charge psychologique a fait de gros progrès.

— Comment tu sais ça ? Les statistiques sur les suicides ?

— Tu ne lis jamais le *Bulletin de Liaison des Forces de l'Ordre* ?

— Non... » Il s'assit pesamment dans l'herbe aux côtés de son collègue. « Je ne lis pas assez, en général. » Les ombres commençaient à s'allonger entre les tilleuls. Jasselin reprenait espoir, il avait presque oublié la matérialité du cadavre, à quelques mètres de là, lorsque la Peugeot Partner des TSC pila brutalement devant la barrière. Les deux hommes en sortirent aussitôt, avec un synchronisme parfait, vêtus de leurs ridicules combinaisons blanches qui faisaient penser à une équipe de décontamination nucléaire.

Jasselin détestait les techniciens de scène de crime de l'Identité judiciaire, leur manière de fonctionner en binôme, dans leurs petites voitures spécialement aménagées et bourrées d'appareils onéreux et incompréhensibles, leur mépris affiché de la hiérarchie de la Crim. Mais à vrai dire les gens de l'Identité judiciaire ne cherchaient nullement à être aimés, ils s'ingéniaient au contraire à se différencier autant que possible des policiers ordinaires, faisant preuve en toutes circonstances de la morgue insultante du technicien face au profane, ceci sans doute afin de justifier l'inflation croissante de leur budget annuel. Il est vrai que leurs méthodes avaient progressé de manière spectaculaire, qu'ils réussissaient maintenant à prélever des empreintes ou des échantillons d'ADN dans des conditions inconcevables il y a encore quelques années, mais en quoi pouvaient-ils être crédités de ces progrès ? Ils auraient été bien incapables d'inventer ou même d'améliorer les appareillages qui leur permettaient d'obtenir ces résultats, ils se contentaient de les utiliser, ce qui ne demandait aucune intelligence ni aucun talent particulier, juste une formation technique appropriée, qu'il aurait été plus efficace de donner directement aux policiers de terrain de la Brigade criminelle, c'est du moins la thèse que Jasselin défendait, régulièrement et jusque-là sans succès, dans les rapports annuels qu'il remettait à sa hiérarchie. Il n'avait d'ailleurs aucun espoir d'être écouté, la division des services était ancienne et établie, il faisait surtout ça au fond pour se calmer les nerfs.

Ferber s'était levé, élégant et affable, pour expliquer la situation aux deux hommes. Ils hochaient la tête avec une brièveté calculée pour montrer leur impatience et leur professionnalisme. À un moment donné il le désigna, sans doute pour l'identifier comme le responsable de l'enquête. Ils ne répondirent rien, n'esquissèrent même pas un pas dans sa direction, se contentèrent d'enfiler leurs masques. Jasselin n'avait jamais été spécialement tatillon sur les questions de préséance hiérarchique, jamais il n'avait exigé une observance stricte des marques de déférence formelle qu'on lui devait en tant que commissaire, personne ne pouvait dire ça, mais ces deux guignols commençaient à l'exaspérer. Accentuant la lourdeur naturelle de sa démarche, tel le vieux singe de la tribu, il se dirigea vers eux en soufflant avec bruit, attendit un salut qui ne vint pas avant d'annoncer : « Je vous accompagne » d'un ton sans réplique. L'un des deux sursauta, évidemment ils s'étaient habitués à faire leurs petites affaires bien tranquilles, investissant la scène de crime sans laisser personne d'autre s'approcher du périmètre, prenant leurs absurdes petites notes sur leurs terminaux de saisie portables. Mais que pouvaient-ils, là, objecter ? Absolument rien, et l'un des deux hommes lui tendit un masque. En l'enfilant, il reprit conscience de la réalité du crime, et plus encore en s'approchant de la bâtisse. Il les laissa prendre de l'avance, marcher quelques pas devant lui, et nota avec une vague satisfaction que les deux zombies s'arrêtaient sur place, interdits, au moment d'entrer dans la maison. Il les rejoignit puis les dépassa, pénétra avec aisance dans la salle de séjour, incertain toutefois. « Je suis le corps vivant de la loi », se dit-il. La luminosité commençait à baisser. Ces masques de chirurgien étaient d'une efficacité étonnante, les odeurs étaient presque entièrement stoppées. Derrière lui il sentit plus qu'il n'entendit les deux techniciens de scène de crime qui, s'enhardissant, pénétraient à sa suite dans la salle de séjour, mais s'arrêtèrent presque aussitôt sur le seuil de la porte. « Je suis le corps de la loi, corps imparfait de la loi morale », se répéta-t-il, un peu comme un mantra, avant d'accepter, de regarder pleinement ce que ses yeux avaient déjà perçu.

Un policier raisonne à partir du *corps*, c'est sa formation qui veut cela, il est rompu à noter et à décrire la position du corps, les blessures infligées au corps, l'état de conservation du corps ; mais là, de corps, à proprement parler, il n'y en avait pas. Il se retourna et vit derrière lui les deux techniciens de l'Identité judiciaire qui commençaient à dodeliner et à osciller sur eux-mêmes, exactement comme les gendarmes de Montargis. La tête de la victime était intacte, tranchée net, posée sur un des fauteuils devant la cheminée, une petite flaque de sang s'était formée sur le velours vert sombre ; lui faisant face sur le canapé, la tête d'un chien noir, de grande taille, avait elle aussi été tranchée net. Le reste était un massacre, un carnage insensé, des lambeaux, des lanières de chair éparpillés à même le sol. Ni la tête de l'homme ni celle du chien n'étaient pourtant immobilisées dans une expression d'horreur, mais plutôt d'incrédulité et de colère. Au milieu des lambeaux de viandes humaine et canine mêlées, un passage intact, de cinquante centimètres de large, conduisait jusqu'à la cheminée emplie d'ossements auxquels adhéraient encore des restes de chair. Jasselin s'y engagea avec précaution, songeant que c'était probablement le meurtrier qui avait aménagé ce passage, et se retourna ; dos à la cheminée, il jeta un regard circulaire sur la salle de séjour, qui pouvait faire à peu près soixante mètres carrés. Toute la surface de la moquette était constellée de coulures de sang, qui formaient par endroits des arabesques complexes. Les lambeaux de chair eux-mêmes, d'un rouge qui virait par places au noirâtre, ne semblaient pas disposés au hasard mais suivant des motifs difficiles à décrypter, il avait l'impression d'être en présence d'un puzzle. Aucune trace de pas n'était visible, le meurtrier avait procédé avec méthode, découpant d'abord les lambeaux de chair qu'il souhaitait disposer aux coins de la pièce, revenant peu à peu vers le centre tout en laissant libre un chemin vers la sortie. Il allait falloir s'aider de photos, essayer de reconstituer le dessin de l'ensemble. Jasselin jeta un regard aux deux techniciens de l'Identité judiciaire, l'un d'entre eux continuait à osciller sur place comme un demeuré, l'autre, dans un effort de reprise de contrôle, avait sorti un appareil photo à dos numérique de sa sacoche et le balançait à bout de bras, mais ne semblait cependant pas encore en mesure de déclencher. Jasselin ouvrit son portable.

« Christian ? C'est Jean-Pierre. J'ai un service à te demander.

— Je t'écoute.

— Il faudrait que tu viennes chercher les deux mecs de l'Identité judiciaire, déjà pour l'instant ils sont HS, en plus il y a un truc spécial avec les photos sur cette affaire. Il ne faut pas qu'ils fassent comme d'habitude, des gros plans uniquement, j'ai besoin de vues d'ensemble de zones de la pièce, et si possible de la pièce entière. Mais on peut pas les briefer tout de suite, il faut attendre qu'ils se reprennent un peu.

— Je m'en occupe... Au fait, l'équipe arrive bientôt. Ils m'ont appelé de la sortie de Montargis, ils seront là dans dix minutes. »

Il raccrocha, pensif ; ce garçon continuait à l'étonner. Son équipe arrivait au complet, quelques heures après les faits, et probablement à bord de véhicules personnels ; ses apparences éthérées, évanescentes étaient décidément trompeuses, il avait de l'autorité sur son équipe, c'était sans doute le meilleur chef de groupe qu'il ait jamais eu sous ses ordres. Deux minutes plus tard il le vit qui entrait discrètement au fond de la pièce, qui tapotait sur l'épaule des deux techniciens de l'Identité judiciaire pour les entraîner courtoisement vers la sortie. Jasselin était tout près de sa fin de carrière : à peine plus d'un an, qu'il pouvait peut-être prolonger jusqu'à deux ou trois, au grand maximum quatre. Il savait implicitement, et lors de leurs entretiens bimensuels son divisionnaire allait parfois jusqu'à l'explicite, que ce qu'on attendait de lui maintenant n'était plus essentiellement de *résoudre* des affaires, mais plutôt de désigner ses successeurs, de coopter ceux qui devraient, après lui, les résoudre.

Ferber et les deux TSC sortirent ; il se retrouva seul dans la pièce. La luminosité baissait encore mais il n'avait pas envie d'allumer, il sentait sans pouvoir se l'expliquer que le meurtre avait été commis en plein jour. Le silence était presque irréel. D'où lui venait la sensation qu'il y avait, dans cette affaire, quelque chose qui le concernait tout particulièrement, à titre personnel ? Il considéra une nouvelle fois le complexe motif composé par les lambeaux de chair répartis sur le sol du salon. Ce qu'il ressentait était moins du dégoût qu'une sorte de pitié générale pour la terre entière, pour l'humanité qui peut, en son sein, donner naissance à tant d'horreurs. À vrai dire, il s'étonnait un peu de parvenir à supporter ce spectacle qui avait révulsé jusqu'aux techniciens de l'Identité judiciaire, pourtant aguerris au pire. Un an auparavant, sentant qu'il commençait à éprouver des difficultés à supporter les scènes de crime, il s'était rendu au centre bouddhiste de Vincennes pour leur demander s'il était possible d'y pratiquer *Asubhā*, la méditation sur le cadavre. Le lama de garde avait d'abord tenté de le dissuader : cette méditation, avait-il estimé, était difficile, non adaptée à la mentalité occidentale. Lorsqu'il lui avait appris sa profession il s'était ravisé, avait demandé à réfléchir. Quelques jours plus tard il lui téléphona pour lui dire que oui, dans son cas particulier, *Asubhā* pouvait sans doute être appropriée. On ne la pratiquait pas en Europe, où elle était incompatible avec les normes sanitaires ; mais il pouvait lui donner l'adresse d'un monastère sri-lankais qui recevait parfois des Occidentaux. Il y avait consacré deux semaines de vacances, après avoir (cela avait été le plus difficile) trouvé une compagnie aérienne qui acceptait de transporter son chien. Chaque matin, tandis que sa femme allait à la plage, il se rendait sur un charnier où l'on déposait les morts récents, sans précaution contre les prédateurs ni les insectes. Il avait ainsi pu, concentrant au maximum ses facultés mentales en essayant de suivre les préceptes énoncés par Bouddha dans le sermon sur l'établissement de l'attention, observer attentivement le cadavre blême, observer attentivement le cadavre suppurant, observer attentivement le cadavre démembré, observer attentivement le cadavre mangé par les vers. À chaque stade, il devait se répéter, à quarante-huit reprises : « Ceci est mon destin, le destin de l'humanité entière, je ne peux y échapper. »

Il s'en rendait compte à présent, *Asubhā* avait été un succès total, au point qu'il l'aurait sans hésiter recommandée à n'importe quel policier. Il n'était pas pour autant devenu bouddhiste, et même si ses sentiments de répulsion instinctive à la vue du cadavre avaient été réduits dans des proportions notables, il ressentait encore de la *haine* pour le meurtrier, de la haine et de la peur, il souhaitait voir le meurtrier anéanti, éradiqué de la surface du globe. En passant la porte, enveloppé par les rayons du soleil couchant qui illuminait la prairie, il se réjouit de la persistance, en lui, de cette haine, nécessaire pensait-il à un travail policier efficace. La motivation rationnelle, celle de la recherche de la vérité, ne suffisait en général pas ; elle était pourtant, en l'occurrence, inhabituellement forte. Il se sentait en présence d'un esprit complexe, monstrueux mais rationnel, d'un schizophrène probablement. Il allait falloir, dès leur retour à Paris, consulter les fichiers de *serial killers*, et probablement demander la communication de fichiers étrangers, il n'avait pas le souvenir qu'une telle affaire ait jamais eu lieu en France.

Au moment où il ressortait de la maison il vit Ferber, au milieu de son équipe, qui leur donnait ses directives ; perdu dans ses pensées, il n'avait pas entendu les voitures arriver. Il y avait aussi un grand type en costume-cravate, qu'il ne connaissait pas – probablement le substitut du procureur de Montargis. Il attendit que Ferber ait fini de répartir les tâches pour réexpliquer ce qu'il voulait : des photos générales de la scène de crime, des plans larges.

« Je rentre à Paris, annonça-t-il ensuite. Tu m'accompagnes, Christian ?

— Oui, je crois que tout est en place. On fait une réunion demain matin ?

— Pas trop tôt. Vers midi, ça ira. » Il savait qu'ils allaient devoir travailler tard, sans doute jusqu'à l'aube.

IV

La nuit tombait lorsqu'ils s'engagèrent sur l'autoroute A10. Ferber régla le limiteur de vitesse à 130 km/heure, lui demanda si ça le dérangeait qu'il mette de la musique ; il répondit que non.

Il n'y a peut-être aucune musique qui exprime, aussi bien que les derniers morceaux de musique de chambre composés par Franz Liszt, ce sentiment funèbre et doux du vieillard dont tous les amis sont déjà morts, dont la vie est essentiellement terminée, qui appartient en quelque sorte déjà au passé et qui sent à son tour la mort s'approcher, qui la voit comme une sœur, comme une amie, comme la promesse d'un retour à la maison natale. Au milieu de *Prière aux anges gardiens* il se mit à repenser à sa jeunesse, à ses années d'étudiant.

Assez ironiquement, Jasselin avait interrompu ses années de médecine entre la première et la deuxième année parce qu'il ne supportait plus les dissections, ni même la vue des cadavres. Le droit l'avait tout de suite beaucoup intéressé, et à peu près comme tous ses condisciples il envisageait une carrière d'avocat, mais le divorce de ses parents devait le faire changer d'avis. C'était un divorce de vieux, il avait déjà vingt-trois ans et il était leur seul enfant. Dans les divorces de jeunes, la présence des enfants, dont il faut partager la garde, et qu'on aime plus ou moins malgré tout, amoindrit souvent la violence de l'affrontement ; mais dans les divorces de vieux, où seuls demeurent les intérêts financiers et patrimoniaux, la sauvagerie du combat ne connaît plus aucune limite. Il avait pu se rendre compte alors de ce que c'est, exactement, qu'un avocat, il avait pu apprécier à sa juste mesure ce mélange de fourberie et de paresse à quoi se résume le comportement professionnel d'un avocat, et tout particulièrement d'un avocat spécialisé dans le domaine des divorces. La procédure avait duré plus de deux ans, deux années d'une lutte incessante à l'issue de laquelle ses parents éprouvaient l'un pour l'autre une haine si violente qu'ils ne devaient plus jamais se revoir ni même se téléphoner jusqu'au jour de leur mort, et tout cela pour aboutir à une convention de divorce d'une banalité écœurante, que n'importe quel crétin aurait pu rédiger en un quart d'heure après une lecture du *Divorce pour les nuls*. Il était surprenant, s'était-il dit à plusieurs reprises, que les époux en instance de divorce n'en viennent pas plus fréquemment à assassiner leur conjoint – soit directement, soit par l'intermédiaire d'un professionnel. La peur du gendarme, avait-il fini par comprendre, était décidément la vraie base de la société humaine, et c'est en quelque sorte tout naturellement qu'il s'était inscrit au concours externe de commissaire de police. Il était entré dans un bon rang, et, originaire de Paris, avait accompli son année de stage au commissariat du XIIIe arrondissement. C'était une formation exigeante. Rien, dans toutes les affaires auxquelles il serait confronté par la suite, ne devait dépasser en complexité, en impénétrabilité, les règlements de comptes au sein de la mafia chinoise auxquels il avait été confronté dès le début de sa carrière.

Parmi les étudiants de l'école de commissaires de Saint-Cyr-au-Mont-d'Or, beaucoup rêvaient d'une carrière au Quai des Orfèvres, parfois depuis leur enfance, certains étaient entrés dans la police uniquement pour cela, la concurrence était rude, aussi fut-il un peu surpris que sa demande de mutation à la Brigade criminelle soit acceptée, après cinq années de service dans des commissariats de quartier. Il venait alors de se *mettre en ménage* avec une femme qu'il avait rencontrée pendant qu'elle effectuait ses études d'économie, et qui s'était dirigée vers l'enseignement, elle venait d'être nommée assistante à l'université de Paris-Dauphine ; mais jamais il n'envisagea de l'épouser, ni même de conclure un PACS, l'empreinte laissée par le divorce de ses parents devait demeurer ineffaçable.

« Je te dépose chez toi ? » lui demanda doucement Ferber. Ils étaient arrivés porte d'Orléans. Il s'aperçut qu'ils n'avaient pas échangé une parole durant tout le voyage ; perdu dans ses pensées, il n'avait même pas remarqué les arrêts au péage. Il était de toute façon trop tôt pour dire quoi que ce soit de l'affaire ; une nuit leur permettrait de décanter, d'amortir un peu le choc. Mais il ne se faisait pas d'illusions : compte tenu de l'horreur du crime, et du fait qu'en plus la victime était une *personnalité*, les choses iraient très vite, la pression allait tout de suite être énorme. La presse n'était pas encore au courant, mais ce répit ne durerait qu'une nuit : dès ce soir, il allait devoir appeler le divisionnaire sur son portable. Et celui-ci, probablement, appellerait immédiatement le préfet de police.

Il habitait rue Geoffroy-Saint-Hilaire, presque au coin de la rue Poliveau, à deux pas du Jardin des Plantes. La nuit, lors de leurs promenades nocturnes, ils entendaient parfois le barrissement des éléphants, les rugissements impressionnants des fauves – lions, panthères, couguars ? ils étaient incapables de les différencier par le bruit. Ils entendaient aussi, surtout les nuits de pleine lune, le hurlement conjugué des loups, qui plongeait Michou, leur bichon bolonais, dans des accès de terreur atavique, insurmontable. Ils n'avaient pas d'enfant. Quelques années après qu'ils eurent décidé de vivre ensemble, et alors que leur vie sexuelle était – selon l'expression consacrée – « tout à fait satisfaisante », et qu'Hélène ne prenait « aucune précaution particulière », ils décidèrent de consulter. Des examens un peu humiliants mais rapides montrèrent qu'il était *oligospermatique*. Le nom de la maladie apparaissait, en l'occurrence, assez euphémistique : ses éjaculats, de quantité d'ailleurs modérée, ne contenaient pas *une quantité insuffisante de spermatozoïdes*, ils ne contenaient *pas de spermatozoïdes du tout*. Une oligospermie peut avoir des origines très diverses : varicocèle testiculaire, atrophie testiculaire, déficit hormonal, infection chronique de la prostate, grippe, d'autres causes. Elle n'a la plupart du temps rien à voir avec la puissance virile. Certains hommes qui ne produisent que très peu, ou aucun spermatozoïde, bandent *comme des cerfs*, alors que d'autres, presque impuissants, ont des éjaculats si abondants et si fertiles qu'ils suffiraient à repeupler l'Europe occidentale ; la conjonction de ces deux qualités suffit à caractériser l'idéal masculin mis en avant dans les productions pornographiques. Jasselin ne se trouvait pas dans cette configuration parfaite : s'il pouvait encore, à cinquante ans passés, gratifier son épouse d'érections fermes et durables, il n'aurait certainement pas été en mesure de lui offrir une *douche de sperme*, au cas où elle en aurait éprouvé le désir ; ses éjaculations, quand elles avaient lieu, ne dépassaient pas la valeur d'une cuillère à café.

L'oligospermie, principale cause de stérilité masculine, est toujours difficile, et souvent impossible à traiter. Il ne restait que deux solutions : faire appel aux spermatozoïdes d'un donneur masculin ; l'adoption pure et simple. Après en avoir discuté à plusieurs reprises, ils décidèrent d'y renoncer. Hélène, à vrai dire, ne tenait pas tant que ça à avoir un enfant, et quelques années plus tard ce fut elle qui lui proposa d'acheter un chien. Dans un passage où il se lamente sur la décadence et la dénatalité françaises (déjà d'actualité dans les années 1930), l'auteur fasciste Drieu La Rochelle imite pour le fustiger le discours d'un couple français décadent de son époque, ce qui donne à peu près : « Et puis Kiki, le chien, c'est bien suffisant pour nous amuser... » Elle était au fond tout à fait de cet avis, finit-elle par avouer à son mari : un chien c'était aussi amusant, et même beaucoup plus amusant qu'un enfant, et si elle avait envisagé un moment d'avoir un enfant c'était surtout par conformisme, un peu aussi pour faire plaisir à sa mère, mais en réalité elle n'aimait pas vraiment les enfants, elle ne les avait jamais vraiment aimés, et lui non plus n'aimait pas les enfants s'il voulait bien y réfléchir, il n'aimait pas leur égoïsme naturel et systématique, leur méconnaissance originelle de la loi, leur immoralité foncière qui obligeait à une éducation épuisante et presque toujours infructueuse. Non, les enfants, en tout cas les enfants humains, décidément il ne les aimait pas.

Il entendit un grincement sur sa droite et s'aperçut soudain qu'ils étaient arrêtés devant chez lui, depuis longtemps peut-être. La rue Poliveau était déserte sous la rangée de lampadaires.

« Excuse-moi, Christian..., dit-il, gêné. J'étais... distrait.

— Ce n'est pas grave. »

Il n'était que neuf heures, se dit-il en montant les escaliers, Hélène l'avait probablement attendu pour manger. Elle aimait faire la cuisine, parfois il l'accompagnait le dimanche matin lorsqu'elle faisait ses courses au marché Mouffetard, à chaque fois il était charmé par ce coin de Paris, l'église Saint-Médard accotée à son petit square, avec un coq qui surmontait le clocher, comme dans une église de village.

En effet, arrivé au palier du troisième étage, il fut accueilli par l'odeur caractéristique d'un lapin à la moutarde et par les jappements joyeux de Michou, qui avait reconnu son pas. Il tourna sa clef dans la serrure ; un vieux couple, se dit-il, un couple traditionnel, d'un modèle assez peu répandu dans les années 2010 chez les gens de leur âge, mais qui constituait paraît-il de nouveau pour les jeunes un idéal espéré, quoique en général inaccessible. Il avait conscience de vivre dans un îlot improbable de félicité et de paix, il avait conscience qu'ils s'étaient aménagé une sorte de niche paisible, éloignée des bruits du monde, d'une bénignité presque enfantine, en opposition absolue avec la barbarie et la violence auxquelles il était confronté chaque jour dans son travail. Ils avaient été heureux ensemble ; ils étaient encore heureux ensemble, et le seraient encore probablement, *jusqu'à ce que la mort les sépare.*

Il prit Michou qui bondissait et jappait de bonheur entre ses mains, l'éleva jusqu'à son visage ; le petit corps s'immobilisa, figé dans une joie extatique. Si l'origine des bichons remonte à l'Antiquité (on a retrouvé des statues de bichons dans la tombe du pharaon Ramsès II), l'introduction du bichon bolonais à la cour de François Ier est due à un présent du duc de Ferrare ; l'envoi, accompagné de deux miniatures du Corrège, fut énormément apprécié par le souverain français, qui jugea l'animal « plus aimable que cent pucelles », et apporta au duc une aide militaire décisive dans sa conquête de la principauté de Mantoue. Le bichon devint ensuite le chien favori de plusieurs rois de France, dont Henri II, avant d'être détrôné par le carlin et le caniche. Contrairement à d'autres chiens tels que le shetland ou le terrier tibétain, n'ayant accédé que tardivement au statut de *chien de compagnie*, ayant derrière eux un lourd passé de *chien de travail*, le bichon semble dès l'origine n'avoir eu aucune autre raison d'être que d'apporter la joie et le bonheur aux hommes. Il s'acquitte de cette tâche avec constance, patient avec les enfants, doux avec les vieillards, depuis des générations innombrables. Il souffre énormément d'être seul, et ceci doit être pris en compte lors de l'achat d'un bichon : toute absence de ses maîtres sera considérée par lui comme un abandon, et ce sera son monde entier, la structure et l'essence de son monde, qui s'effondreront en un instant, il sera sujet à des accès de dépression sévère, refusera fréquemment de s'alimenter, en réalité il est fortement déconseillé de laisser un bichon seul, ne serait-ce que quelques heures. Cela, l'Université française avait fini par l'admettre, et Hélène pouvait emmener Michou à ses cours, l'habitude du moins en avait été prise, à défaut d'autorisation formelle. Il demeurait calmement dans son sac, s'agitait un peu parfois, demandait à sortir. Hélène le posait alors sur le bureau, à la joie des étudiants. Il arpentait le bureau pendant quelques minutes en jetant de temps à autre des regards à sa maîtresse, réagissant parfois par un bâillement ou un aboiement bref à telle ou telle citation de Schumpeter ou de Keynes ; puis il retournait dans son sac flexible. Les compagnies aériennes par contre, organisations intrinsèquement fascistes, refusaient de manifester la même tolérance, et ils avaient dû, à regret, abandonner tout projet de voyage lointain. Ils partaient en voiture tous les étés au mois d'août, se limitant à la découverte de la France et des pays limitrophes. Avec son statut classiquement assimilé par la jurisprudence à celui du domicile individuel, la voiture demeurait, pour les possesseurs d'animaux domestiques comme pour les fumeurs, un des derniers espaces de liberté, une des dernières *zones d'autonomie temporaire* offerte aux humains en ce début de troisième millénaire.

Ce n'était pas leur premier bichon ; ils avaient acheté son prédécesseur et père, Michel, peu après que les médecins eurent informé Jasselin du caractère probablement incurable de sa stérilité. Ils avaient été très heureux ensemble, si heureux qu'ils avaient connu un véritable choc lorsque Michel avait été atteint d'une dirofilariose, à l'âge de huit ans. La dirofilariose est une maladie parasitaire ; le parasite est un nématode qui se loge dans le ventricule droit du cœur et dans l'artère pulmonaire. Les symptômes sont une plus grande fatigabilité, puis une toux, et des troubles cardiaques qui peuvent provoquer secondairement des syncopes. Le traitement n'est pas sans risques : plusieurs dizaines de vers, dont certains atteignent trente centimètres, coexistent parfois dans le cœur du chien. Pendant plusieurs jours, ils craignirent pour sa vie. Le chien est une sorte d'enfant définitif, plus docile et plus doux, un enfant qui se serait immobilisé à l'âge de raison, mais c'est de plus un enfant auquel on va survivre : accepter d'aimer un chien, c'est accepter d'aimer un être qui va, inéluctablement, vous être arraché, et cela, curieusement, ils n'en avaient jamais pris conscience avant la maladie de Michel. Au lendemain de sa guérison, ils décidèrent de lui donner une descendance. Les éleveurs qu'ils consultèrent manifestèrent certaines réticences : ils avaient trop attendu, leur chien était déjà un peu vieux, la qualité de ses spermatozoïdes risquait d'être dégradée. Finalement, l'un d'eux, situé près de Fontainebleau, accepta, et de l'union de Michel avec une jeune femelle appelée Lizzy Lady de Heurtebise naquirent deux chiots, un mâle et une femelle. En tant que propriétaires de l'étalon (selon l'expression consacrée), la coutume leur accordait le choix du premier chiot. Ils choisirent le mâle, qu'ils appelèrent Michou. Il ne présentait aucune tare apparente, et contrairement à ce qu'ils craignaient son père accepta très bien son arrivée, ne manifestant aucune jalousie particulière.

Au bout de quelques semaines, ils constatèrent cependant que les testicules de Michou n'étaient pas encore descendus, ce qui commençait à devenir anormal. Ils consultèrent un vétérinaire, puis un autre : tous deux s'accordèrent pour incriminer l'âge trop élevé du géniteur. Le second praticien hasarda l'hypothèse d'une intervention chirurgicale avant de se raviser, la déclarant dangereuse et presque impossible. Ce fut pour eux un coup terrible, bien plus que ne l'avait été la stérilité de Jasselin lui-même. Ce pauvre petit chien non seulement n'aurait pas de descendance mais ne connaîtrait aucune pulsion, ni aucune satisfaction sexuelle. Il serait un chien diminué, incapable de transmettre la vie, coupé de l'appel élémentaire de la race, limité dans le temps – de manière définitive.

Progressivement ils se firent à l'idée, en même temps qu'ils se rendaient compte que cette vie sexuelle dont leur petit chien était privé ne lui manquerait nullement. Le chien de toute façon n'est guère hédoniste ni libertin, toute espèce de raffinement érotique lui est inconnue, la satisfaction qu'il éprouve au moment du coït ne va pas au-delà du soulagement, bref et mécanique, des instincts de vie de l'espèce. La volonté de puissance chez le bichon est dans tous les cas très faible ; mais Michou, délivré des ultimes attaches de la propagation du génome, semblait encore plus soumis, plus doux, plus joyeux et plus pur que ne l'avait été son père. C'était une mascotte absolue, innocente et sans tache, dont la vie tenait tout entière à celle de ses maîtres adorés, une source de joie continuelle et sans défaillance. Jasselin approchait alors de la cinquantaine. En regardant ce petit être jouer avec ses peluches sur le tapis du salon, il était parfois, malgré lui, envahi par des pensées sombres. Marqué sans doute par les idées en vogue dans sa génération, il avait jusque-là considéré la sexualité comme une puissance positive, une source d'union qui augmentait la concorde entre les humains par les voies innocentes du plaisir partagé. Il y voyait au contraire maintenant de plus en plus souvent la lutte, le combat brutal pour la domination, l'élimination du rival et la multiplication hasardeuse des coïts sans aucune raison d'être que d'assurer une propagation maximale aux gènes. Il y voyait la source de tout conflit, de tout massacre, de toute souffrance. La sexualité lui apparaissait de plus en plus comme la manifestation la plus directe et la plus évidente du mal. Et ce n'est pas sa carrière dans la police qui aurait pu le faire changer d'avis : les crimes qui n'avaient pas pour mobile l'argent avaient pour mobile le sexe, c'était l'un ou l'autre, l'humanité semblait incapable d'imaginer quoi que ce soit au-delà, du moins en matière criminelle. L'affaire qui venait de leur échoir semblait à première vue originale, mais c'était la première depuis au moins trois ans, l'uniformité des motivations criminelles des humains était dans l'ensemble éprouvante. Comme la plupart de ses collègues, Jasselin lisait peu de romans policiers ; il était cependant tombé, l'année dernière, sur un ouvrage qui à proprement parler n'était pas un roman, mais les souvenirs d'un ancien détective privé qui avait exercé à Bangkok, et qui avait choisi de retracer sa carrière sous la forme d'une trentaine de nouvelles brèves. Dans presque tous les cas, ses clients étaient des Occidentaux tombés éperdument amoureux d'une jeune Thaïe, et qui souhaitaient savoir si, comme elle le leur assurait, elle leur était, en leur absence, fidèle. Et dans presque tous les cas la fille avait un ou plusieurs amants, avec lesquels elle dépensait allègrement leur argent, et souvent un enfant issu d'une union précédente. Dans un sens c'était certainement un mauvais livre, un mauvais roman policier en tout cas : l'auteur ne faisait aucun effort d'imagination, n'essayait nullement de varier les motifs ni les intrigues ; mais c'était justement cette monotonie écrasante qui lui donnait un parfum unique d'authenticité, de réalisme.

« Jean-Pierre !... » La voix d'Hélène lui parvint comme assourdie, il revint à la pleine conscience et se rendit compte que sa femme était devant lui, à un mètre, les cheveux dénoués, en robe d'intérieur. Il tenait toujours Michou entre ses mains serrées, les bras levés à mi-poitrine, depuis un temps difficile à évaluer ; le petit chien le regardait avec surprise, mais sans crainte.

« Ça va ? Tu as l'air bizarre...

« — Il y a une drôle d'affaire qui m'est tombée dessus. »

Hélène se tut, attendit la suite. Depuis vingt-cinq ans qu'ils étaient ensemble, son mari ne lui avait pratiquement jamais parlé de ses journées de travail. Confrontés journellement à des horreurs qui outrepassent la mesure de la sensibilité normale, la quasi-totalité des policiers choisissent, une fois rentrés dans leurs foyers, de garder le silence. La meilleure prophylaxie pour eux consiste à faire le vide, à essayer de faire le vide, pendant les quelques heures de répit qui leur sont accordées. Certains s'adonnent à la boisson, et terminent leurs dîners dans un état d'abrutissement éthylique avancé qui ne leur laisse d'autre ressource que de se traîner jusqu'à leur couche. D'autres, parmi les plus jeunes, s'adonnent au plaisir, et la vision des cadavres mutilés, torturés, finit par s'effacer au milieu des étreintes. Presque aucun ne choisit de parler, et ce soir-là encore Jasselin, après avoir reposé Michou, se dirigea vers la table, s'assit à sa place habituelle, attendit que sa femme apporte le céleri rémoulade – il avait toujours beaucoup aimé le céleri rémoulade.

V

Le lendemain il se rendit à son travail à pied, tourna à la hauteur de la rue des Fossés-Saint-Bernard, puis flâna le long des quais. Il s'arrêta longtemps sur le pont de l'Archevêché : c'est de là qu'on avait, à son avis, la plus belle vue sur Notre-Dame. C'était une belle matinée d'octobre, à l'air frais et limpide. Il s'arrêta encore quelques instants dans le square Jean-XXIII, observant les touristes et les homosexuels qui se promenaient, en général en couple, s'embrassaient ou marchaient main dans la main.

Ferber arriva au bureau presque en même temps que lui et le rejoignit dans les escaliers, à la hauteur du poste de contrôle du troisième étage. Il n'y aurait jamais d'ascenseur installé au Quai des Orfèvres, se dit-il avec résignation ; il remarqua que Ferber retenait ses enjambées, s'abstenant de le distancer dans la dernière partie de la montée.

Lartigue fut le premier à les rejoindre dans le bureau de l'équipe. Il n'avait pas l'air en forme du tout, son visage mat et lisse de Méridional était tendu, soucieux, alors que d'habitude c'était un type plutôt jovial ; Ferber l'avait chargé de recueillir des témoignages sur place.

« Chou blanc, annonça-t-il d'emblée. Je n'ai rien du tout. Personne n'a rien vu, rien entendu. Personne n'a même remarqué de voiture étrangère au village depuis des semaines... »

Messier arriva quelques minutes plus tard, les salua, posa sur son bureau le sac à dos qu'il portait sur son épaule droite. Il n'avait que vingt-trois ans ; entré à la Brigade criminelle depuis six mois, c'était le benjamin de l'équipe. Ferber l'aimait bien, passait sur ses vêtements décontractés, en général pantalon de survêtement, sweat-shirt et blouson de toile, qui cadraient d'ailleurs mal avec son visage anguleux, austère, presque jamais traversé par un sourire ; et s'il lui conseillait parfois de réviser la conception générale de son habillement, c'était plutôt à titre amical. Il partit se chercher un Coca *light* au distributeur avant de leur livrer le résultat de ses investigations. Ses traits étaient encore plus tirés que d'habitude, il donnait l'impression de ne pas avoir dormi de la nuit.

« Le téléphone portable, il n'y a eu aucun problème..., annonça-t-il, il n'avait même pas de code. Mais ça n'avait pas, non plus, grand intérêt. Des conversations avec son éditrice, avec le type qui devait lui livrer du fuel, un autre qui devait poser un double vitrage... que des conversations pratiques ou professionnelles. Ce type semblait n'avoir aucune vie privée. »

L'étonnement de Messier était, en un sens, incongru : un relevé de ses propres conversations téléphoniques aurait donné des résultats à peu près identiques. Mais il n'avait pas, il est vrai, l'intention de se faire assassiner ; et l'on suppose toujours que la victime d'un meurtre a quelque chose dans sa vie qui le justifie, l'explique ; qu'il se passe ou s'est passé, au moins dans un coin reculé de sa vie, quelque chose d'*intéressant*.

« L'ordinateur, c'était autre chose, poursuivit-il. Déjà il y avait deux mots de passe consécutifs, et pas des simples, des mots de passe avec des minuscules, des caractères de ponctuation peu répandus... Ensuite, tous les fichiers étaient encryptés – un code sérieux, SSL Double Layer, 128 bits. Bref, j'ai rien pu faire, je l'ai envoyé à la BEFTI. C'était quoi le type, un parano ?

— C'était un écrivain..., fit observer Ferber. Il voulait peut-être protéger ses textes, empêcher qu'on les pirate.

— Ouais... » Messier n'avait pas l'air convaincu. « Ça fait plutôt penser à un type qui échange des vidéos pédophiles, ce niveau de protection.

— Ce n'est pas incompatible... » fit observer Jasselin avec bon sens. Cette simple remarque, faite sans mauvaise intention, acheva de plomber l'ambiance de la réunion en mettant l'accent sur la déplorable incertitude qui régnait autour de ce meurtre. Ils n'avaient, il fallait en convenir, absolument rien : aucun mobile évident, aucun témoignage, aucune piste. Ça menaçait d'être une de ces affaires pénibles, caractérisées par un dossier vide, qui attendent parfois des années leur solution – quand elles la trouvent – et ne la doivent qu'à un hasard pur, un meurtrier récidiviste arrêté pour un autre crime et qui se trouve, au fil de la déposition, avouer un meurtre supplémentaire.

Les choses s'arrangèrent un peu à l'arrivée d'Aurélie. C'était une jolie fille aux cheveux bouclés, au visage parsemé de taches de rousseur. Jasselin la trouvait un peu brouillonne, manquant de rigueur, on ne pouvait pas compter sur elle à 100 % pour une tâche demandant de la précision ; mais elle était dynamique, et d'une bonne humeur inaltérable, ce qui est précieux dans une équipe. Elle venait de recevoir les premières conclusions de l'Identité judiciaire. Elle commença par tendre à Jasselin un épais dossier : « Les photos que tu avais demandées... » Il y avait là une cinquantaine de tirages sur papier glacé, de format A4. Chacun représentait un rectangle du plancher de la salle de séjour où avait eu lieu le meurtre, d'un peu plus d'un mètre de base. Les photographies étaient claires et bien exposées, dénuées d'ombre, prises pratiquement à la verticale, elles ne se recoupaient que très peu, l'ensemble reconstituait fidèlement le sol de la pièce. Elle avait également reçu quelques conclusions préliminaires sur l'arme de la décollation, de l'homme comme du chien, qui avaient été, tous s'en étaient rendu compte, d'une propreté et d'une précision exceptionnelles : il n'y avait presque pas eu de projections de sang, alors que le canapé, la zone entière auraient dû être aspergés. Le meurtrier avait procédé avec un outil très particulier, un découpeur laser, une sorte de fil à couper le beurre où le rôle du fil était tenu par un laser à l'argon qui sectionnait les chairs tout en cautérisant la plaie au fur et à mesure. Cet équipement, d'un coût de plusieurs dizaines de milliers d'euros, ne se trouvait que dans les services de chirurgie des hôpitaux, où il était employé pour les amputations lourdes. L'ensemble du découpage en lambeaux du corps de la victime avait d'ailleurs, vu la précision et la netteté des incisions, probablement été réalisé avec des outils de chirurgie professionnelle.

Des murmures appréciateurs parcoururent le bureau. « Ça nous met sur la piste d'un meurtrier appartenant au monde médical ? suggéra Lartigue.

— Peut-être, dit Ferber. Il faut de toute façon vérifier auprès des hôpitaux s'ils ont du matériel de ce genre qui leur manque ; quoique, bien sûr, le meurtrier ait pu l'emprunter pour quelques jours.

— Quels hôpitaux ? demanda Aurélie.

— Tous les hôpitaux français, pour commencer. Et, bien sûr, les cliniques aussi. Il faudra aussi vérifier auprès du fabricant s'il n'a pas eu de vente inhabituelle, à un particulier, pendant les dernières années. Je suppose qu'il n'y a pas tellement de fabricants, pour ce genre de matériel ?

— Un seul. Un seul pour le monde entier. C'est une entreprise danoise. »

On mit au courant des événements Michel Khoury, qui venait d'arriver. D'origine libanaise, il avait le même âge que Ferber. Replet et coquet, il était, physiquement, aussi différent de lui que possible ; mais il partageait avec lui cette qualité si rare chez les policiers d'*inspirer confiance*, et partant de susciter sans effort apparent les confidences les plus intimes. Il s'était occupé, le matin même, de prévenir et d'interroger les proches de la victime.

« Enfin, les proches, si l'on peut dire..., précisa-t-il. On peut dire qu'il était très seul. Divorcé deux fois, un enfant qu'il ne voyait pas. Il n'avait plus aucun contact, depuis plus de dix ans, avec personne de sa famille. Pas de relations amoureuses non plus. On apprendra peut-être quelque chose en épluchant ses conversations téléphoniques, mais pour l'instant je n'ai trouvé que deux noms : Teresa Cremisi, son éditrice, et Frédéric Beigbeder, un autre écrivain. Et encore : j'ai eu Beigbeder au téléphone ce matin, il avait l'air effondré, sincèrement je crois, mais il m'a quand même dit que ça faisait deux ans qu'ils ne s'étaient pas vus. Curieusement, lui et son éditrice m'ont répété la même chose : il avait beaucoup d'ennemis. J'ai rendez-vous avec eux cet après-midi, j'en apprendrai peut-être davantage.

— Beaucoup d'ennemis..., intervint pensivement Jasselin. C'est intéressant, en général les victimes n'ont aucun ennemi, on a l'impression qu'ils étaient aimés de tous... Il faudra aller à son enterrement. Je sais que ça ne se fait plus beaucoup, mais parfois on y apprend des choses. Les amis viennent à l'enterrement, mais parfois les ennemis aussi, ils semblent y trouver une sorte de plaisir.

— Au fait..., fit remarquer Ferber. On ne sait pas de quoi il est mort ? Ce qui l'a tué, exactement ?

— Non, répondit Aurélie. Il faut attendre... qu'ils autopsient les morceaux.

— La décollation n'a pas pu avoir lieu de son vivant ?

— Sûrement pas. C'est une opération lente, qui peut prendre une heure. » Elle frissonna un peu, se secoua.

Ils se séparèrent aussitôt après pour vaquer à leurs tâches. Ferber et Jasselin se retrouvèrent seuls dans le bureau. La réunion se terminait mieux qu'elle n'avait commencé : ils avaient, chacun de leur côté, des choses à faire ; sans avoir encore vraiment une piste ils avaient, au moins, des directions de recherche.

« Rien n'est encore sorti, dans la presse, fit remarquer Ferber. Personne n'est au courant.

— Non, répondit Jasselin, le regard posé sur une péniche qui descendait la Seine. C'est curieux, je pensais que ça se produirait tout de suite. »

VI

Cela se produisit dès le lendemain. « L'écrivain Michel Houellebecq sauvagement assassiné », titrait *Le Parisien*, qui consacrait une demi-colonne, d'ailleurs assez peu informée, à l'événement. Les autres journaux y accordaient à peu près la même place, sans donner davantage de détails, se contentant pour l'essentiel de reprendre le communiqué du procureur de la République de Montargis. Aucun n'avait, semblait-il, envoyé d'enquêteur sur place. Un peu plus tard furent reproduites les déclarations de différentes personnalités, ainsi que du ministre de la Culture : tous se déclaraient « atterrés », ou au minimum « profondément tristes », et saluaient la mémoire « d'un créateur immense, qui resterait à jamais présent dans nos mémoires », en somme on était dans le cadre d'une mort de célébrité classique, avec son broutage consensuel et ses niaiseries adéquates, tout ça ne les aidait pas beaucoup.

Michel Khoury revint déçu de ses rendez-vous avec Teresa Cremisi et Frédéric Beigbeder. La sincérité de leur chagrin, selon lui, ne faisait aucun doute. Jasselin avait toujours été stupéfié par la tranquille assurance avec laquelle Khoury affirmait ces choses, appartenant selon lui au domaine éminemment complexe et incertain de la psychologie humaine. « Elle l'aimait réellement », affirmait-il, ou bien : « La sincérité de leur chagrin ne faisait aucun doute », et il disait cela tout à fait comme s'il relatait des faits expérimentaux, observables ; le plus étrange était que la suite de l'enquête lui donnait, en général, raison. « Je connais les êtres humains », lui avait-il dit une fois, du même ton qu'il aurait dit « Je connais les chats » ou « Je connais les ordinateurs ».

Les deux témoins n'avaient pas eu, cela dit, grand-chose d'utile à lui apprendre. Houellebecq avait beaucoup d'ennemis, lui avaient-ils répété, on s'était montré avec lui injustement agressif, cruel ; lorsqu'il en demanda une liste plus précise, Teresa Cremisi, avec un mouvement d'épaules impatient, lui proposa de lui envoyer un dossier de presse. Mais, à la question de savoir si l'un de ces ennemis aurait pu l'assassiner, ils avaient tous deux clairement répondu par la négative. S'exprimant avec une clarté exagérée, un peu comme on s'adresse à un demeuré, Teresa Cremisi lui avait expliqué qu'il s'agissait d'ennemis *littéraires*, qui exprimaient leur haine sur des sites Internet, dans des articles de journaux ou de magazines, et dans le pire des cas dans des livres, mais qu'aucun d'entre eux n'aurait été capable de se livrer à un assassinat physique. Moins d'ailleurs pour des raisons morales, poursuivit-elle avec une notable amertume, que parce qu'ils n'en auraient tout simplement pas eu le cran. Non, conclut-elle, ce n'était pas (et il eut l'impression qu'elle avait failli dire : « malheureusement pas ») dans le milieu littéraire qu'il fallait chercher le coupable.

Beigbeder lui avait dit à peu près la même chose. « J'ai toute confiance dans la police de mon pays... » avait-il commencé par affirmer, avant de s'esclaffer bruyamment, comme s'il venait de se livrer à une plaisanterie de tout premier ordre, mais Khoury ne lui en avait pas tenu rigueur, l'auteur était visiblement tendu, égaré, complètement déstabilisé par cette disparition subite. Il avait ensuite précisé que Houellebecq avait pour ennemis « à peu près tous les trous du cul de la place parisienne ». Sur l'insistance de Khoury il avait cité les journalistes du site *nouvelobs.com*, tout en précisant que, s'ils devaient actuellement se réjouir de son trépas, aucun d'entre eux ne lui paraissait capable de prendre le moindre risque personnel. « Est-ce que vous imaginez Didier Jacob griller un feu rouge ? Même en bicyclette, il n'oserait pas » avait conclu, visiblement écœuré, l'auteur d'*Un roman français*.

En somme, conclut Jasselin en classant les deux dépositions dans une sous-chemise jaune, un milieu professionnel ordinaire, avec ses jalousies et ses rivalités ordinaires. Il rangea la sous-chemise en dernière place dans le dossier « Dépositions », conscient qu'il refermait en même temps le volet *milieu littéraire* de l'enquête, et qu'il n'aurait sans doute plus jamais l'occasion d'être en contact avec le *milieu littéraire*. Il était douloureusement conscient, aussi, que l'enquête était loin de progresser. Les conclusions de l'Identité judiciaire venaient de leur parvenir : l'homme comme le chien avaient été tués à l'aide d'un Sigsauer M-45, dans les deux cas une seule balle, tirée à la hauteur du cœur, à bout touchant ;

l'arme était équipée d'un silencieux. Ils avaient été assommés au préalable, à l'aide d'un objet contondant et allongé – qui pouvait être une batte de base-ball. Un crime précis, accompli sans violence inutile. Le découpage et la lacération de leurs corps n'avaient eu lieu qu'ensuite. Ils avaient duré, ils s'étaient livrés à une rapide simulation pour parvenir à ce chiffre, un peu plus de sept heures. La mort remontait à trois jours au moment de la découverte des corps ; l'assassinat avait donc eu lieu un samedi, probablement en milieu de journée.

L'examen du relevé des communications téléphoniques de la victime, que l'opérateur avait conservé, conformément à la loi, sur une période d'un an, n'avait rien apporté. Houellebecq avait, à vrai dire, très peu téléphoné pendant cette période : quatre-vingt-treize communications en tout ; et aucune n'avait le moindre caractère personnel.

VII

L'enterrement avait été fixé au lundi suivant.
L'écrivain avait laissé à ce sujet des directives
extrêmement précises, qu'il avait déposées devant
notaire, en les accompagnant de la somme nécessaire à leur réalisation. Il ne souhaitait pas être
incinéré, mais très classiquement enterré. « Je
souhaite que les vers dégagent mon squelette »,
précisait-il, s'autorisant une notation personnelle
dans un texte de facture par ailleurs très offi-
cielle ; « j'ai toujours entretenu d'excellentes relations avec mon squelette, et je me réjouis qu'il
puisse se dégager de son carcan de chair ». Il souhaitait être enterré très précisément au cimetière
du Montparnasse, il avait même acheté à l'avance
la concession, une concession simple, trentenaire,
qui se trouvait par hasard située à quelques
mètres de celle d'Emmanuel Bove.

Jasselin et Ferber étaient l'un comme l'autre
assez bons pour les enterrements. Souvent vêtu
de couleurs sombres, plutôt émacié, de teint naturellement pâle, Ferber n'avait aucun mal à arborer la tristesse et la gravité qui étaient de mise
en ces circonstances ; quant à Jasselin, son attitude épuisée, résignée, d'homme qui connaît la

vie, et ne se fait plus trop d'illusions sur elle, était également tout à fait appropriée. Ils avaient, de fait, déjà assisté ensemble à pas mal d'enterrements, parfois de victimes, le plus souvent de collègues : certains qui s'étaient suicidés, d'autres morts en service commandé – et c'était le plus impressionnant : il y avait, en général, remise d'une décoration qui était épinglée avec gravité sur le cercueil, présence d'un officiel de haut rang et même le plus souvent du ministre, enfin les honneurs de la République.

Ils se retrouvèrent à dix heures dans le commissariat du VIe arrondissement ; par les fenêtres des salles de réception de la mairie, qu'on leur avait ouvertes pour l'occasion, ils avaient une très bonne vue sur la place Saint-Sulpice. On avait appris, et cela avait été une surprise pour tous, que l'auteur des *Particules élémentaires*, qui avait sa vie durant affiché un athéisme intransigeant, s'était fait très discrètement baptiser, dans une église de Courtenay, six mois auparavant. La nouvelle tira les autorités ecclésiastiques d'une incertitude pénible : pour des raisons médiatiques évidentes, elles ne souhaitaient pas être tenues à l'écart des enterrements de personnalités ; mais la progression régulière de l'athéisme, la baisse tendancielle du taux de baptême en y incluant même les baptêmes de pure convenance, la perpétuation rigide de leurs règles les conduisaient de plus en plus souvent à cette issue décourageante.

Averti par mail, le cardinal archevêque de Paris donna avec enthousiasme son accord pour une messe, qui aurait lieu à onze heures. Il prit part lui-même à la rédaction de l'homélie, qui insistait sur la valeur humaine universelle de l'œuvre du romancier, et n'évoquait que très discrètement, comme en *coda*, son baptême secret dans une église de Courtenay. L'ensemble, avec la communion et les autres fondamentaux, devait durer à peu près une heure ; c'est donc vers midi que Houellebecq serait *conduit à sa dernière demeure*.

Là aussi, lui apprit Ferber, il avait laissé des directives très précises, allant jusqu'à dessiner son monument funéraire : une simple dalle de basalte noir, au niveau du sol ; il insistait sur le fait qu'elle ne devait en aucun cas être surélevée, même de quelques centimètres. La dalle portait son nom, sans date ni aucune autre indication, et le dessin d'un ruban de Moebius. Il l'avait fait exécuter avant sa mort, par un marbrier parisien, et avait personnellement suivi sa réalisation.

« En somme, fit remarquer Jasselin, il ne se prenait pas pour de la merde...

— Il avait raison, répondit doucement Ferber. Ce n'était pas un mauvais écrivain, tu sais... »

Jasselin eut aussitôt honte de sa remarque, formulée sans vraie raison. Ce qu'avait fait Houellebecq pour lui-même n'était pas davantage, et même plutôt moins que ce qu'aurait fait n'importe quel notable du XIXᵉ siècle, ou n'importe quel noblaillon des siècles antérieurs. De fait, il se rendait compte en y pensant qu'il désapprouvait totalement la tendance modeste, moderne, consistant à se faire incinérer et à disperser ses cendres en pleine nature, comme pour mieux montrer qu'on retournait en son sein, qu'on se mêlait à nouveau aux éléments. Et même dans le cas de son chien, mort cinq ans auparavant, il avait tenu à l'enterrer – posant près de son petit cadavre, au moment de l'ensevelir, un jouet qu'il aimait particulièrement – et à lui élever un monument modeste, dans le jardin de la maison de ses parents, en Bretagne, où son père lui-même était mort l'an dernier, et qu'il n'avait pas souhaité revendre, dans l'idée peut-être qu'ils viendraient y prendre leur retraite, Hélène et lui. L'homme *ne faisait pas* partie de la nature, il s'était élevé au-dessus de la nature, et le chien, depuis sa domestication, s'était lui aussi élevé au-dessus d'elle, voilà ce qu'il pensait au fond de lui-même. Et plus il y réfléchissait plus il lui paraissait *impie*, bien qu'il ne crût pas en Dieu, plus il lui paraissait en quelque sorte *anthropologiquement impie* de disperser les cendres d'un être humain dans les prairies, les rivières ou la mer, ou même, comme l'avait fait il s'en souvenait le guignol Alain Gillot-Pétré, qui avait été considéré en son temps comme ayant *donné un coup de jeune* à la présentation télévisée du bulletin météo, dans l'œil d'un cyclone. Un être humain était une conscience, une conscience unique, individuelle et irremplaçable, et méritait à ce titre un monument, une stèle, au moins une inscription, enfin quelque chose qui affirme et porte aux siècles futurs témoignage de son existence, voilà ce que pensait Jasselin au fond de lui-même.

« Ils arrivent... », lui dit doucement Ferber, le tirant de sa méditation. En effet, bien qu'il ne soit que dix heures et demie, une trentaine de personnes s'étaient déjà rassemblées devant l'entrée de l'église. Qui cela pouvait-il bien être ? Des anonymes, des lecteurs de Houellebecq probablement. Il arrivait, dans le cas principalement des meurtres accomplis par vengeance, que le criminel vienne assister à l'enterrement de sa victime. Il n'y croyait pas beaucoup dans le cas présent, mais il avait quand même prévu deux photographes, deux hommes de l'Identité judiciaire qui s'étaient installés dans un appartement de la rue Froidevaux offrant une vue parfaite sur le cimetière du Montparnasse, munis d'appareils et de téléobjectifs.

Dix minutes plus tard il vit arriver, à pied, Teresa Cremisi et Frédéric Beigbeder. Ils s'aperçurent, s'embrassèrent. Tous deux, songea-t-il, avaient une attitude remarquablement appropriée. Avec son physique d'Orientale, l'éditrice aurait pu être une de ces *pleureuses* qui étaient encore employées récemment dans certains enterrements du bassin méditerranéen ; et Beigbeder semblait plongé dans des pensées particulièrement sombres. De fait, l'auteur d'*Un roman français* n'avait à l'époque que cinquante et un ans, c'était sans doute un des premiers enterrements auxquels il avait l'occasion d'assister *dans sa génération* ; et il devait se dire que c'était loin d'être le dernier ; que, de plus en plus, les conversations téléphoniques avec ses amis ne commenceraient plus par la formule : « Tu fais quoi ce soir ? », mais plutôt par : « Devine qui est mort... »

Discrètement, Jasselin et Ferber sortirent de la mairie, vinrent se mêler au groupe. Une cinquantaine de personnes étaient maintenant rassemblées. À onze heures moins cinq, le corbillard pila devant l'église – une simple fourgonnette noire des Pompes funèbres générales. Au moment où les deux employés sortaient le cercueil, un murmure de consternation et d'horreur parcourut la foule. Les techniciens de l'Identité judiciaire s'étaient livrés à la tâche éprouvante consistant à ramasser les lambeaux de chair éparpillés sur la scène de crime, à les regrouper dans des sacs plastique hermétiquement scellés qu'ils avaient expédiés, avec la tête intacte, à Paris. Une fois les examens terminés, l'ensemble ne formait plus qu'un petit tas compact, d'un volume très inférieur à celui d'un cadavre humain ordinaire, et les employés des Pompes funèbres générales avaient cru bon d'employer un cercueil d'enfant, d'une longueur d'un mètre vingt. Cette volonté de rationalité était peut-être louable dans son principe, mais l'effet produit, au moment où les deux employés sortirent le cercueil sur le parvis de l'église, était absolument navrant. Jasselin entendit Ferber qui étouffait un hoquet de douleur, et lui-même, tout endurci qu'il soit, en avait le cœur serré ; plusieurs membres de l'assistance avaient fondu en larmes.

La messe en elle-même fut pour lui, comme d'habitude, un moment d'ennui total. Il avait perdu tout contact avec la foi catholique depuis l'âge de dix ans, et, malgré le grand nombre d'enterrements auxquels il avait dû assister, il n'avait jamais réussi à renouer. Au fond il n'y comprenait rien, il ne voyait même pas exactement de quoi le prêtre voulait parler ; il y avait des mentions à Jérusalem qui lui paraissaient hors sujet, mais elles devaient avoir un sens symbolique, se dit-il. Il devait cependant convenir que le rite lui paraissait *approprié*, que les promesses concernant une vie future étaient en l'occurrence évidemment les bienvenues. L'intervention de l'Église était au fond bien plus légitime dans le cas d'un enterrement que dans celui d'une naissance, ou d'un mariage. Elle était, là, parfaitement dans son élément, elle avait *quelque chose à dire* sur la mort – sur l'amour, c'était plus douteux.

D'ordinaire, dans un enterrement, les membres proches de la famille se tiennent près du cercueil pour recevoir les condoléances ; mais là, de famille, il n'y en avait pas. Une fois la messe dite, les deux employés se saisirent donc à nouveau du petit cercueil – de nouveau, Jasselin fut saisi par un frisson de désolation – pour le remettre dans la fourgonnette. À sa grande surprise, une cinquantaine de personnes, sur le parvis, attendaient leur sortie de l'église – probablement des lecteurs de Houellebecq allergiques à toute cérémonie religieuse.

Rien de particulier n'avait été prévu, aucun blocage de rues, aucune mesure concernant la circulation, le corbillard partit donc directement vers le cimetière du Montparnasse, et c'est en empruntant les trottoirs que la centaine de personnes rassemblées fit le même chemin, longeant le jardin du Luxembourg par la rue Guynemer puis empruntant la rue Vavin, la rue Bréa, remontant un instant le boulevard Raspail avant de couper par la rue Huyghens. Jasselin et Ferber s'étaient joints à eux. Il y avait là des gens de tous âges, de toutes conditions, le plus souvent seuls, parfois en couple ; des gens au fond que rien de particulier ne semblait réunir, auxquels on ne pouvait découvrir aucun trait commun, et

Jasselin eut tout à coup la certitude qu'ils étaient en train de perdre leur temps, c'étaient des lecteurs de Houellebecq et voilà tout, il était invraisemblable que qui que ce soit ayant été mêlé à ce meurtre se trouve parmi eux. Tant pis, se dit-il, c'était au moins une promenade agréable ; le temps se maintenait au beau sur la région parisienne, le ciel était d'un bleu profond, presque hivernal.

Probablement briefés par le prêtre, les fossoyeurs les avaient attendus pour commencer à pelleter. Devant la tombe, l'enthousiasme de Jasselin pour les enterrements s'accrut encore, au point qu'il prit la décision ferme et définitive de se faire enterrer lui-même, et d'appeler son notaire dès le lendemain pour que cela soit explicitement précisé dans son testament. Les premières pelletées de terre tombèrent sur le cercueil. Une femme isolée, d'une trentaine d'années, jeta une rose blanche – c'est quand même bien, les femmes, se dit-il, elles pensent à des choses dont aucun homme n'aurait eu l'idée. Dans une incinération il y a toujours les bruits de machinerie, les brûleurs à gaz qui font un vacarme épouvantable, alors que là le silence était presque parfait, uniquement troublé par le bruit rassurant des pelletées de terre qui s'écrasaient sur le bois, s'égrenant doucement à la surface du cercueil. Au centre du cimetière, la rumeur de la circulation était presque imperceptible. À mesure que la terre emplissait l'excavation, le bruit devint plus étouffé, plus mat ; puis on posa la dalle.

VIII

Il reçut les photos dès le lendemain, en milieu de matinée. Les techniciens de l'Identité judiciaire avaient beau agacer Jasselin par leur suffisance, il devait bien reconnaître qu'ils fournissaient en général un excellent travail. Les clichés étaient nets, bien éclairés, d'une définition excellente malgré la distance, on reconnaissait parfaitement le visage de chacune des personnes qui avaient pris la peine de se déplacer à l'enterrement de l'écrivain. Les tirages étaient accompagnés d'une clef USB qui contenait les photos sous forme numérique. Il la renvoya aussitôt au BEFTI par courrier interne, avec un mot leur demandant d'effectuer un croisement avec le fichier des photos de délinquants fichés ; ils étaient maintenant équipés d'un logiciel de reconnaissance des visages qui leur permettrait d'effectuer l'opération en quelques minutes. Il n'y croyait pas beaucoup, mais il fallait, au moins, essayer.

Les résultats lui parvinrent en début de soirée, alors qu'il s'apprêtait à rentrer chez lui ; ils étaient, comme il s'y attendait, négatifs. En même temps, le BEFTI avait ajouté une note de synthèse d'une trentaine de pages concernant le contenu de l'ordinateur de Houellebecq – dont ils avaient réussi, finalement, à casser les codes. Il la prit avec lui pour l'étudier tranquillement à la maison.

Il fut accueilli par les jappements de Michou, qui bondit dans toutes les directions pendant au moins un quart d'heure, et par l'odeur d'une morue à la galicienne – Hélène essayait de varier les saveurs, passant du bourguignon à l'alsacien, de la cuisine provençale à celle du Sud-Ouest ; elle maîtrisait très bien aussi les cuisines italienne, turque et marocaine, et venait de s'inscrire à un atelier d'initiation aux cuisines d'Extrême-Orient organisé par la mairie du Ve arrondissement. Il vint l'embrasser ; elle avait mis une jolie robe en soie. « C'est prêt dans dix minutes, si tu veux... » dit-elle. Elle avait l'air détendue, heureuse, comme à chaque fois qu'elle ne devait pas aller à la faculté dans la journée – les vacances de la Toussaint venaient de commencer. L'intérêt d'Hélène pour l'économie avait beaucoup décru au fil des ans. De plus en plus, les théories qui tentaient d'expliquer les phénomènes économiques, de prévoir leurs évolutions, lui apparaissaient à peu près également inconsistantes, hasardeuses, elle était de plus en plus tentée de les assimiler à du charlatanisme pur et simple ; il était même surprenant, se disait-elle parfois, qu'on attribue un prix Nobel d'économie, comme si cette discipline pouvait se prévaloir du même sérieux méthodologique, de la même rigueur intellectuelle que la chimie, ou que la physique. Son intérêt pour l'enseignement, lui aussi, avait beaucoup décru. Dans l'ensemble les jeunes ne l'intéressaient plus tellement, ses étudiants étaient d'un niveau intellectuel effroyablement bas, on pouvait même se demander, parfois, ce qui les avait poussés à entreprendre des études. La seule réponse, au fond d'elle-même elle le savait, était qu'ils voulaient gagner de l'argent, le plus d'argent possible ; malgré quelques engouements humanitaires de courte durée, c'était la seule chose qui les animait réellement. Sa vie professionnelle pouvait en somme se résumer au fait d'enseigner des absurdités contradictoires à des crétins arrivistes, même si elle évitait de se le formuler en termes aussi nets. Elle avait prévu de prendre une retraite anticipée dès que son mari quitterait la Criminelle – il n'était pas, lui, dans le même état d'esprit, il aimait toujours autant son travail, le mal et le crime lui paraissaient des sujets aussi urgents, aussi essentiels que lorsqu'il avait débuté, vingt-huit ans auparavant.

Il alluma la télévision, c'était l'heure du journal. Michou sauta à ses côtés sur le canapé. Après la description d'un attentat suicide particulièrement meurtrier de kamikazes palestiniens à Hébron, le présentateur enchaîna sur la crise qui secouait les places boursières depuis plusieurs jours, et qui menaçait selon certains spécialistes d'être encore pire que celle de 2008 ; au total, un sommaire très classique. Il s'apprêtait à changer de chaîne lorsque Hélène, abandonnant sa cuisine, vint s'asseoir sur l'accoudoir. Il reposa la télécommande ; c'était son domaine après tout, se dit-il, elle s'intéressait peut-être un peu.

Après un tour d'horizon des principales places financières, on retrouva sur le plateau un *expert*. Hélène l'écouta avec attention, un indéfinissable sourire aux lèvres. Jasselin regardait ses seins par l'échancrure de la robe : des seins siliconés certes, ils avaient fait réaliser les implants dix ans auparavant, mais c'était une réussite, le chirurgien avait bien travaillé. Jasselin était tout à fait en faveur des seins siliconés, qui témoignent chez la femme d'une certaine *bonne volonté érotique* qui est en vérité la chose la plus importante au monde sur le plan érotique, qui retarde parfois de dix, voire vingt ans la disparition de la vie sexuelle du couple. Et puis il y avait des émerveillements, des petits miracles : à la piscine, lors de leur seul séjour en hôtel-club, qu'ils avaient effectué en République dominicaine (Michel, leur premier bichon, faillit ne pas le leur pardonner, et ils se promirent qu'ils ne renouvelleraient pas l'expérience, à moins de découvrir un hôtel-club qui admette les chiens – mais, hélas, il ne s'en découvrit aucun), bref, lors de ce séjour, il s'était émerveillé à contempler les seins de sa femme, allongée sur le dos à la piscine, qui pointaient vers le ciel dans une audacieuse négation de la pesanteur.

Les seins siliconés sont ridicules lorsque le visage de la femme est atrocement ridé, lorsque le reste de son corps est dégradé, adipeux et flasque ; mais tel n'était pas le cas d'Hélène, loin de là. Son corps était demeuré mince, ses fesses fermes, à peine tombantes ; et ses cheveux auburn épais et bouclés cascadaient encore avec grâce sur ses épaules arrondies. En somme c'était une très belle femme, en somme il avait eu de la chance, beaucoup de chance.

À très long terme, bien sûr, tout sein siliconé devient ridicule ; mais à très long terme on ne pense plus à ces choses, on pense aux cancers du col de l'utérus, aux hémorragies de l'aorte, et à d'autres sujets similaires. On pense aussi à la transmission du patrimoine, au partage des biens immobiliers entre les héritiers présomptifs, enfin on a d'autres sujets de préoccupation que les seins siliconés, mais ils n'en étaient pas encore là, se dit-il, pas tout à fait, ils feraient peut-être l'amour ce soir (ou plutôt demain matin, il préférait le matin, ça le mettait de bonne humeur pour la journée), on pouvait dire qu'ils avaient *encore quelques belles années* devant eux.

Le sujet économique venait de se terminer, on passait maintenant à la présentation d'une comédie sentimentale qui sortait le lendemain sur les écrans français. « Tu as entendu ce qu'a dit le type, l'expert ? demanda Hélène. Tu as vu ses pronostics ? » Non, en fait il n'avait rien écouté du tout, il s'était contenté de regarder ses seins, mais il s'abstint de l'interrompre.

« Dans une semaine, on s'apercevra que tous ses pronostics étaient faux. Ils appelleront un autre expert, voire le même, et il fera de nouveaux pronostics, avec la même assurance... » Elle hochait la tête, navrée, indignée presque. « En quoi est-ce qu'une discipline qui ne parvient même pas à faire des pronostics vérifiables pourrait-elle être considérée comme une *science* ? »

Jasselin n'avait pas lu Popper, il n'avait aucune réponse valable à lui faire ; il se contenta donc de poser une main sur sa cuisse. Elle lui sourit avant de dire : « Ça va être prêt tout de suite » et retourna à ses fourneaux, mais elle revint sur le sujet au cours du repas. Le crime, dit-elle à son mari, lui paraissait un acte profondément humain, relié bien sûr aux zones les plus sombres de l'humain, mais humain tout de même. L'art, pour prendre un autre exemple, était relié à tout : aux zones sombres, aux zones lumineuses, aux zones intermédiaires. L'économie n'était reliée à presque rien, qu'à ce qu'il y avait de plus machinal, de plus prévisible, de plus mécanique chez l'être humain. Non seulement ce n'était pas une science, mais ce n'était pas un art, ce n'était en définitive à peu près rien du tout.

Il n'était pas d'accord, et le lui dit. Pour avoir longtemps fréquenté les criminels, il pouvait lui affirmer qu'il s'agissait bien des individus les plus machinaux et les plus prévisibles que l'on puisse imaginer. Dans la presque totalité des cas ils tuaient pour l'argent, et uniquement pour l'argent ; c'était d'ailleurs ce qui les rendait en général si faciles à capturer. Au contraire, presque personne, jamais, n'avait travaillé *uniquement* pour l'argent. Il y avait toujours d'autres motivations : l'intérêt qu'on portait à son travail, la considération qui pouvait s'y rattacher, les rapports de sympathie avec les collègues... Et presque personne, non plus, n'avait de comportements d'achat entièrement rationnels. C'était probablement cette indétermination fondamentale des motivations des producteurs, comme de celles des consommateurs, qui rendait les théories économiques si hasardeuses et en fin de compte si fausses. Alors que la détection criminelle pouvait, elle, être abordée comme une science, ou du moins comme une discipline rationnelle. Hélène ne trouva rien à lui répondre. L'existence d'agents économiques irrationnels était depuis toujours la *part d'ombre*, la faille secrète de toute théorie économique. Même si elle avait pris beaucoup de recul par rapport à son travail, la théorie économique représentait encore sa contribution aux charges du ménage, son statut à l'Université : des bénéfices symboliques, en grande partie. Jean-Pierre avait raison : elle non plus ne se comportait nullement en *agent économique rationnel*. Elle se détendit sur le canapé, considéra son petit chien qui reposait sur le dos, ventre à l'air, extatique, dans le coin inférieur gauche du tapis du salon.

Plus tard dans la soirée, Jasselin reprit la note de synthèse du BEFTI sur l'ordinateur de la victime. Leur première constatation, c'est que Houellebecq, malgré ce qu'il avait répété dans de nombreuses interviews, écrivait encore ; il écrivait même beaucoup. Ce qu'il écrivait, cela dit, était assez étrange : cela ressemblait à de la poésie, ou à des proclamations politiques, enfin il ne comprenait à peu près rien aux extraits reproduits dans le rapport. Il faudra envoyer tout ça à l'éditrice, se dit-il.

Le reste de l'ordinateur ne contenait pas grand-chose d'utile. Houellebecq utilisait la fonction « Carnet d'adresses » de son Macintosh. Le contenu de son carnet d'adresses était intégralement reproduit, et c'était pathétique : il y avait en tout vingt-trois noms, dont douze d'artisans, de médecins et autres prestataires de services. Il utilisait également la fonction « Agenda » et ce n'était pas mieux, les notes étaient en général du genre « sacs-poubelle » ou « livraison fuel ». Au total, il avait rarement vu quelqu'un ayant une vie aussi chiante. Même son navigateur Internet ne révéla rien de bien passionnant. Il ne se connectait à aucun site pédophile, ni même pornographique ; ses connexions les plus osées concernaient des sites de lingerie et de tenues érotiques féminines, comme *Belle et Sexy* ou *Liberette.com*. Ainsi, le pauvre petit vieux se contentait de mater des filles en minijupe moulante ou en débardeur transparent, et Jasselin eut presque honte d'avoir lu cette page. Le crime, décidément, n'allait pas être facile à élucider. Ce sont leurs vices qui conduisent les hommes vers leurs meurtriers, leurs vices ou leur argent. De l'argent Houellebecq en avait, quoique moins qu'il n'aurait cru, mais rien, apparemment, n'avait été volé, on avait même retrouvé dans la maison son chéquier, sa carte bleue et un portefeuille contenant plusieurs centaines d'euros. Il s'endormit au moment où il tentait de relire ses proclamations politiques, comme s'il espérait y trouver une explication ou un sens.

IX

Ils exploitèrent dès le lendemain les onze noms du carnet d'adresses appartenant à un registre personnel. Outre Teresa Cremisi et Frédéric Beigbeder, qu'ils avaient déjà interrogés, les neuf autres personnes étaient des femmes.

Si les SMS ne sont conservés par les opérateurs que pendant une durée d'un an, il n'y a aucune limite concernant les mails, surtout dans le cas où l'utilisateur a choisi, comme c'était le cas de Houellebecq, de les stocker non sur son ordinateur personnel, mais à l'intérieur de l'espace disque alloué par son fournisseur ; dans ce cas, même un changement de matériel permet de conserver ses messages. Sur le serveur *me.com*, Houellebecq avait une capacité de stockage personnelle de quarante gigaoctets ; au rythme de ses échanges actuels, il lui aurait fallu sept mille ans pour l'épuiser.

Il existe un vrai flou juridique sur le statut des mails, sur le fait de savoir s'ils sont ou non assimilables à une correspondance privée. Jasselin mit toute l'équipe, sans plus tarder, sur la lecture des mails de Houellebecq, d'autant qu'ils allaient bientôt passer en commission rogatoire, qu'un juge d'instruction serait obligatoirement désigné, et que si les procureurs et leurs substituts se montraient en général coulants, les juges d'instruction pouvaient se montrer des emmerdeurs redoutables, même dans le cas d'une enquête pour meurtre.

Travaillant presque vingt heures par jour – si Houellebecq avait immédiatement avant sa mort une correspondance Internet très réduite, elle avait été, en d'autres temps, beaucoup plus nourrie, et il avait reçu à certaines périodes, surtout celles suivant de près la sortie d'un livre, une moyenne de trente mails par jour – l'équipe parvint dès le jeudi suivant à identifier les neuf femmes. La variété géographique était impressionnante : il y avait une Espagnole, une Russe, une Chinoise, une Tchèque, deux Allemandes – et, quand même, trois Françaises. Jasselin se souvint alors qu'il avait affaire à un auteur traduit dans le monde entier. « Ça a du bon, tout de même... » dit-il à Lartigue, qui venait de finir d'établir la liste. Il le dit plutôt par acquit de conscience, comme on prononce une plaisanterie attendue ; en réalité, il ne parvenait pas du tout à envier l'écrivain. C'étaient toutes d'anciennes maîtresses, la nature de leurs échanges ne laissait aucun doute – parfois de très anciennes maîtresses, la relation remontait dans certains cas à plus de trente ans.

Ces femmes s'avérèrent faciles à joindre : avec toutes il échangeait encore des mails, anodins et doux, évoquant les petites ou les grandes misères de leurs vies, leurs joies aussi parfois.

Les trois Françaises acceptèrent tout de suite de se déplacer au Quai des Orfèvres – l'une d'entre elles pourtant habitait Perpignan, la seconde Bordeaux, et la troisième Orléans. Les étrangères, d'ailleurs, ne disaient pas non, elles demandaient juste un peu plus de temps pour s'organiser.

Jasselin et Ferber les reçurent séparément afin de confronter leurs impressions ; et leurs impressions furent remarquablement identiques. Toutes ces femmes éprouvaient encore une grande tendresse pour Houellebecq. « On s'écrivait par mail, assez souvent... », disaient-elles, et ces mails, Jasselin s'abstenait de dire qu'il les avait déjà lus. Jamais n'était envisagée la possibilité d'une nouvelle rencontre, mais on sentait qu'elles auraient pu, le cas échéant, accepter. C'était effrayant, se dit-il, effrayant : les femmes n'oublient pas leurs *ex*, voilà ce qui apparaissait avec évidence. Hélène elle-même avait eu des *ex*, bien qu'il l'ait rencontrée jeune il y avait quand même eu des *ex* ; que se passerait-il si elle venait, de nouveau, à croiser leur chemin ? C'est l'inconvénient des enquêtes policières, on se retrouve confronté malgré soi à des questions personnelles pénibles. Mais, sur le plan de la recherche du meurtrier, tout cela ne leur apportait rien. Ces femmes avaient connu Houellebecq, elles l'avaient très bien connu même, Jasselin sentit qu'elles n'en diraient pas davantage – il s'y attendait, les femmes restent très discrètes sur ces questions, lors même qu'elles n'aiment plus le souvenir de leur amour leur demeure infiniment précieux – mais quoi qu'il en soit elles ne l'avaient pas vu depuis des années, des dizaines d'années pour certaines, l'idée même qu'elles aient pu songer à l'assassiner, ou connaître quelqu'un susceptible de songer à l'assassiner, était grotesque.

Un mari, un amant jaloux après tant d'années de distance ? Il n'y croyait pas une seconde. Lorsqu'on sait que sa femme a eu des *ex*, et qu'on a le malheur d'en être jaloux, on sait aussi qu'il ne servirait à rien de les tuer – que cela ne ferait, même, que raviver la blessure. Enfin, il allait quand même mettre quelqu'un de l'équipe sur le coup – sans forcer, à temps partiel. Il n'y croyait pas, certes ; mais il savait aussi que, parfois, on se trompe. Cela dit, lorsque Ferber vint lui demander : « On prolonge sur les étrangères ? Bien sûr ça va coûter de l'argent, il va falloir envoyer des gens, mais on est tout à fait fondés à le faire, c'est quand même une affaire de meurtre », il répondit sans hésiter que non, que ce n'était pas la peine. Il était à ce moment dans son bureau et brassait au hasard, comme il avait dû le faire des dizaines de fois au cours des deux dernières semaines, les photos du sol de la scène du crime – des coulures rouges et noires ramifiées, entrelacées – et celles des personnes présentes à l'enterrement de l'écrivain – des gros plans techniquement impeccables d'êtres humains au visage triste.

« Tu as l'air soucieux, Jean-Pierre..., remarqua Ferber.

— Oui, je sens qu'on patauge, et je ne sais plus quoi faire. Assieds-toi, Christian. »

Ferber considéra un instant son supérieur qui continuait à brasser machinalement les photos, sans les regarder en détail, un peu comme un jeu de cartes.

« Qu'est-ce que tu cherches dans ces photos, au juste ?

— Je ne sais pas. Je sens qu'il y a quelque chose, mais je serais incapable de dire quoi.

— On pourrait essayer de consulter Lorrain.

— Il n'est pas à la retraite ?

— Plus ou moins, je ne comprends pas son statut au juste ; il passe quelques heures par semaine. En tout cas, il n'a pas été remplacé. »

Guillaume Lorrain n'était qu'un simple brigadier de police, mais il jouissait de cette aptitude étrange d'avoir une mémoire visuelle absolue, photographique : il suffisait qu'il voie la photographie de quelqu'un, ne serait-ce que dans un journal, pour le reconnaître dix ou vingt ans plus tard. C'était à lui qu'on faisait appel avant l'apparition du logiciel Visio, qui permettait un croisement instantané avec le fichier des délinquants ; mais bien évidemment son don particulier ne s'appliquait pas uniquement aux délinquants, mais à toute personne qu'il aurait pu, dans une circonstance quelconque, voir en photo.

Ils lui rendirent visite dans son bureau le vendredi suivant. C'était un petit homme trapu, aux cheveux gris. Pondéré, rassis, il donnait l'impression d'avoir passé sa vie dans un bureau – ce qui était d'ailleurs à peu près le cas : aussitôt après qu'on eut constaté son étrange aptitude, il avait immédiatement été muté à la Brigade criminelle, et déchargé de toute autre tâche.

Jasselin lui expliqua ce que l'on attendait de lui. Il se mit aussitôt au travail, examinant une à une les photographies prises le jour de l'enterrement. Parfois il passait très vite sur un cliché, d'autres fois il le fixait longuement, minutieusement, pendant presque une minute, avant de le mettre de côté. Sa concentration était effrayante ; comment son cerveau fonctionnait-il ? C'était étrange à voir.

Au bout de vingt minutes, il se saisit d'une photo et commença à se balancer d'avant en arrière. « Je l'ai vu... J'ai vu ce type quelque part... » prononça-t-il d'une voix presque inaudible. Jasselin eut un sursaut nerveux, mais s'abstint de l'interrompre. Lorrain continua à se balancer d'avant en arrière pendant un temps qui lui parut très long, répétant sans cesse à mi-voix : « Je l'ai vu... Je l'ai vu... », comme une sorte de mantra personnel, et tout à coup il s'arrêta net, tendit à Jasselin le cliché qui représentait un homme d'une quarantaine d'années aux traits délicats, au teint très blanc, aux cheveux mi-longs et noirs.

« C'est qui ? demanda Jasselin.

— Jed Martin. Son nom, je suis sûr. Où est-ce que j'ai vu la photo, je ne peux pas le garantir à 100 %, mais il me semble que c'était dans *Le Parisien*, qui annonçait l'ouverture d'une exposition. Ce type doit être lié aux milieux de l'art, d'une manière ou d'une autre. »

X

La mort de Houellebecq avait surpris Jed alors qu'il s'attendait d'un jour à l'autre à une nouvelle funeste concernant son père. Contrairement à toutes ses habitudes, celui-ci lui avait téléphoné fin septembre pour lui demander de passer le voir. Il était maintenant installé dans une résidence médicalisée au Vésinet, aménagée dans un grand manoir Napoléon III, beaucoup plus chic et plus chère que la précédente, une sorte d'élégant mouroir high-tech. Les appartements étaient spacieux, dotés d'une chambre et d'un salon, les pensionnaires disposaient d'un grand téléviseur LCD avec un abonnement câble et satellite, d'un lecteur de DVD et d'une connexion Internet haut débit. Il y avait un parc avec un petit lac où nageaient des canards, des allées bien tracées où gambadaient des biches. Ils pouvaient même, s'ils le souhaitaient, entretenir un coin de jardin qui leur était réservé, faire pousser des légumes et des fleurs – mais peu en faisaient la demande. Jed avait dû batailler pour lui faire accepter ce changement, il avait insisté à de nombreuses reprises pour lui faire comprendre que ce n'était plus la peine de se livrer à des économies sor-

dides – pour lui faire comprendre que, maintenant, il était *riche*. Évidemment, l'établissement
n'accueillait que des gens ayant, du temps de leur
vie active, appartenu aux couches les plus élevées
de la bourgeoisie française ; « des péteux et des
snobs », avait une fois résumé le père de Jed, qui
restait obscurément fier de ses origines populaires.

Jed ne comprit pas, d'abord, pourquoi son père
l'avait fait venir. Après une courte promenade
dans le parc – il marchait maintenant difficilement – ils s'installèrent dans une pièce qui voulait
imiter un club anglais, avec ses boiseries et ses
fauteuils de cuir, et où ils purent commander un
café. Il leur fut apporté dans une cafetière en
métal argenté, avec de la crème et une assiette
de mignardises. La pièce était vide, à l'exception
d'un très vieil homme installé seul devant une
tasse de chocolat, qui dodelinait de la tête et semblait sur le point de s'assoupir. Ses cheveux
blancs étaient longs et bouclés, il était vêtu d'un
costume clair, un foulard de soie noué autour du
cou, il faisait penser à un artiste lyrique sur le
retour – un chanteur d'opérette par exemple, qui
aurait obtenu ses plus grands triomphes au fes-
tival de Lamalou-les-Bains –, enfin on l'aurait
imaginé dans un établissement du genre « La
roue tourne » plutôt que dans une maison comme
celle-ci, qui n'avait pas son équivalent en France,
même sur la Côte d'Azur, il fallait aller à Monaco
ou en Suisse pour trouver aussi bien.

Le père de Jed considéra le vieux beau silencieusement, un long moment, avant de s'adresser
à son fils. « Lui, il a de la chance…, dit-il finalement. Il a une maladie orpheline très rare – une

demeleumaïose, quelque chose dans ce goût-là. Il ne souffre pas du tout. Il est épuisé en permanence, s'endort tout le temps, même au moment des repas ; quand il fait une promenade, au bout de quelques dizaines de mètres il s'assied sur un banc et il s'endort sur place. Il dort un peu plus tous les jours, et à la fin il ne se réveillera plus du tout. Jusqu'au bout, il y en a qui ont de la chance... »

Il se tourna vers son fils, le regarda droit dans les yeux. « Ça me paraissait mieux de te prévenir, et je ne me voyais pas t'en parler au téléphone. Je me suis adressé à une organisation, en Suisse. J'ai décidé de me faire euthanasier. »

Jed ne réagit pas immédiatement, ce qui laissa le temps à son père de développer son argumentation, laquelle se résumait au fait qu'il en avait marre de vivre.

« Tu n'es pas bien ici ? » demanda enfin son fils d'une voix tremblante.

Si, il était très bien ici, il n'aurait pas pu être mieux, mais ce qu'il fallait qu'il se mette dans la tête c'est qu'il ne pouvait plus être bien *nulle part*, qu'il ne pouvait plus être bien *dans la vie en général* (il commençait à s'énerver, son débit devenait fort et presque colérique, mais le vieux chanteur avait de toute façon sombré dans l'assoupissement, tout était très calme dans la pièce). S'il devait encore continuer il allait falloir lui changer son anus artificiel, enfin il trouvait que ça commençait à suffire, cette plaisanterie. Et puis il avait mal, il n'en pouvait plus, il souffrait trop.

« Ils ne te donnent pas de morphine ? » s'étonna Jed.

Oh si on lui donnait de la morphine, autant qu'il en voulait évidemment, ils préféraient que les pensionnaires se tiennent tranquilles, mais est-ce que c'était une vie, d'être constamment sous l'emprise de la morphine ?

À vrai dire Jed pensait que oui, que c'était même une vie particulièrement enviable, sans soucis, sans responsabilités, sans désirs ni sans craintes, proche de la vie des plantes, où l'on pouvait jouir de la caresse modérée du soleil et de la brise. Il soupçonnait pourtant que son père aurait du mal à partager ce point de vue. C'était un ancien chef d'entreprise, un homme actif, ces gens-là ont souvent des problèmes avec la drogue, se dit-il.

« Et puis d'ailleurs, en quoi est-ce que ça te regarde ? » lança agressivement son père (Jed prit alors conscience qu'il n'écoutait plus, depuis un certain temps déjà, les récriminations du vieillard). Il hésita, tergiversa avant de répondre que si, quand même, en un sens, il avait l'impression que ça le regardait un peu. « Déjà, être un enfant de suicidée, ce n'est pas très drôle... » ajouta-t-il. Son père accusa le coup, se tassa sur lui-même avant de répondre avec violence : « Ça n'a rien à voir ! »

Avoir ses deux parents suicidés, poursuivit Jed sans tenir compte de l'interruption, vous mettait forcément dans une position vacillante, inconfortable : celle de quelqu'un dont les attaches à la vie manquent de solidité, en quelque sorte. Il parla longuement, avec une aisance qui devait rétrospectivement le surprendre, parce qu'après tout lui-même n'éprouvait pour la vie qu'un amour hésitant, il passait généralement pour quelqu'un de plutôt réservé et triste. Mais il avait tout de suite compris que le seul moyen d'influencer son père était de faire appel à son sens du devoir – son père avait toujours été un homme de devoir, seuls le travail et le devoir au fond avaient vraiment compté dans sa vie. « *Détruire en sa propre personne le sujet de la moralité, c'est chasser du monde, autant qu'il dépend de soi, la moralité* » se répétait-il machinalement sans vraiment comprendre la phrase, séduit par son élégance plastique, tout en alignant des arguments de portée générale : la régression de civilisation que représentait le recours généralisé à l'euthanasie, l'hypocrisie et le caractère au fond nettement *mauvais* de ses partisans les plus illustres, la supériorité morale des soins palliatifs, etc.

Lorsqu'il quitta la résidence vers cinq heures, la lumière était déjà rasante, teintée de magnifiques reflets d'or. Des moineaux sautillaient entre les herbes scintillantes de givre. Des nuages oscillant entre le pourpre et l'écarlate affectaient des formes déchiquetées, étranges, en direction du couchant. Il était impossible, ce soir-là, de nier une certaine beauté au monde. Son père était-il sensible à ces choses ? Il n'avait jamais manifesté le moindre intérêt pour la nature ; mais en vieillissant, peut-être, qui sait ? Lui-même, en rendant visite à Houellebecq, avait constaté qu'il commençait à apprécier la campagne – qui, jusque-là, lui avait toujours été indifférente. Il pressa maladroitement l'épaule de son père avant de déposer un baiser sur ses joues rêches – à ce moment précis il eut l'impression d'avoir gagné la partie, mais le soir même, et plus encore dans les jours qui suivirent, il fut envahi par le doute. Il n'aurait servi à rien de rappeler son père, ni de lui rendre visite à nouveau – au contraire, même, c'eût été prendre le risque de le braquer. Il se l'imaginait immobile sur une ligne de crête, hésitant de quel côté basculer. C'était la dernière décision importante qu'il avait à prendre dans sa vie, et Jed craignait que cette fois encore, comme il le faisait auparavant lorsqu'il rencontrait un problème sur un chantier, il ne choisisse de *trancher dans le vif*.

Les jours suivants, son inquiétude ne fit qu'augmenter ; à chaque instant maintenant, il s'attendait à recevoir un appel de la directrice de l'établissement : « Votre père est parti pour Zurich ce matin à dix heures. Il vous a laissé une lettre. » Aussi, quand une femme au téléphone lui annonça la mort de Houellebecq, il ne comprit pas immédiatement, et il crut à une erreur. (Marylin ne s'était pas annoncée, et il n'avait pas reconnu sa voix. Elle ne savait rien de plus que ce qu'il y avait dans les journaux, mais elle avait cru bon de l'appeler parce qu'elle avait pensé – à juste titre d'ailleurs – qu'il n'avait pas lu les journaux.) Et même après avoir raccroché il crut encore, quelque temps, à une erreur, parce que sa relation avec Houellebecq n'en était pour lui qu'à ses débuts, il avait toujours en tête l'idée qu'ils étaient appelés à se revoir, de nombreuses fois, et peut-être à devenir *amis*, dans la mesure où le terme était approprié à des gens dans leur genre. Il est vrai qu'ils ne s'étaient pas revus depuis qu'il lui avait apporté son tableau, début janvier, et qu'on était déjà fin novembre. Il est vrai aussi qu'il n'avait pas rappelé le premier, ni pris l'initiative d'une rencontre, mais c'était tout de même un homme qui avait vingt ans de plus que lui, et pour Jed le seul privilège de l'âge, le seul et triste privilège de l'âge, était d'avoir gagné le droit qu'on vous *foute la paix*, et il lui avait semblé lors de leurs précédentes rencontres que Houellebecq souhaitait avant tout qu'on lui *foute la paix*, il n'en espérait pas moins que Houellebecq le rappellerait, car même après leur dernière rencontre il sentait qu'il avait encore beaucoup de choses à lui dire, et à entendre de lui en réponse. Il n'avait de toute façon presque rien fait, depuis le début de cette année : il avait ressorti son appareil photo, sans pour autant ranger ses pinceaux ni ses toiles, enfin son état d'incertitude était extrême. Il n'avait même pas déménagé, chose facile à faire pourtant.

Un peu fatigué le jour de l'enterrement, il n'avait pas compris grand-chose à la messe. Il y était question de douleur, mais aussi d'espérance et de résurrection, enfin le message délivré était confus. Dans les allées nettes, au quadrillage géométrique, au gravier calibré, du cimetière du Montparnasse, les choses étaient apparues par contre dans leur absolue clarté : la relation avec Houellebecq avait pris fin, *pour cause de force majeure*. Et les personnes réunies autour de lui, dont il ne connaissait aucune, semblaient communier dans la même certitude. Et en repensant à ce moment il comprit d'un seul coup, avec une certitude entière, que son père allait inéluctablement persister dans son projet létal ; qu'il allait tôt ou tard recevoir cet appel de la directrice, et que les choses se termineraient ainsi, sans conclusion ni explication, que le dernier mot ne serait jamais prononcé, qu'il ne demeurerait qu'un regret, qu'une lassitude.

Autre chose, pourtant, lui restait à vivre, et quelques jours plus tard un type appelé Ferber lui téléphona. Sa voix était douce et agréable, pas du tout celle qu'il imaginait à un policier. Il le prévint que ce ne serait pas lui mais son supérieur, le commissaire Jasselin, qui le recevrait Quai des Orfèvres.

XI

Le commissaire Jasselin était « en réunion »,
lui dit-on à son arrivée. Il patienta dans une petite
salle d'attente aux chaises de plastique vert, en
feuilletant un ancien numéro de *Forces de police*,
avant d'avoir l'idée de regarder par la fenêtre : la
vue sur le Pont-Neuf et le quai de Conti, plus loin
sur le pont des Arts, était superbe. Dans la
lumière hivernale la Seine paraissait figée, sa surface était d'un gris mat. Le dôme de l'Institut
avait une vraie grâce, dut-il convenir un peu malgré lui. Évidemment, donner une forme arrondie
à un bâtiment ne pouvait se justifier en aucune
manière ; sur le plan rationnel, c'était simplement
de la place perdue. La modernité était peut-être
une erreur, se dit Jed pour la première fois de
sa vie. Question purement rhétorique, d'ailleurs :
la modernité était terminée en Europe occidentale depuis pas mal de temps déjà.

Jasselin débuula, l'arrachant à ses réflexions. Il
paraissait tendu, et même énervé. De fait, sa
matinée avait été marquée par une nouvelle
déception : la confrontation du mode opératoire
de l'assassin avec les fichiers de tueurs en série
n'avait absolument rien donné. Nulle part en

Europe, ni aux États-Unis, ni au Japon, on n'avait signalé de tueur qui découpait ses victimes en lanières avant de les répartir dans la pièce, c'était absolument sans précédent. « Pour une fois, la France est en pointe... » avait souligné Lartigue dans une tentative pour détendre l'atmosphère qui avait lamentablement échoué.

« Je suis désolé, dit-il, mon bureau est occupé pour l'instant. Je vous propose un café ? Il n'est pas mauvais, on vient de toucher une nouvelle machine. »

Il revint deux minutes plus tard avec deux gobelets de petite taille contenant un café qui était en effet excellent. Il est impossible d'envisager un travail de police sérieux, affirma-t-il à Jed, sans une machine à café convenable. Puis il lui demanda de lui parler de ses rapports avec la victime. Jed fit l'historique de leur relation : le projet d'exposition, le texte du catalogue, le portrait qu'il avait réalisé de l'écrivain... Au fur et à mesure il sentait son interlocuteur se rembrunir, et presque s'affaisser dans son siège en plastique.

« Je vois... En somme, vous n'étiez pas spécialement des intimes... » conclut le commissaire.

Non, on ne pouvait pas dire ça, convint Jed ; mais il n'avait pas l'impression de toute façon que Houellebecq avait eu ce qu'on peut appeler des *intimes*, au moins dans la dernière partie de sa vie.

« Je sais, je sais... » Jasselin avait l'air complètement découragé. « Je ne sais pas ce qui m'a fait espérer davantage... Je crois que je vous ai dérangé pour rien. Bon, on va quand même aller dans mon bureau, prendre votre déposition par écrit. »

La surface de sa table de travail était presque entièrement recouverte des photos de la scène de crime, qu'il avait, pour la cinquantième fois peut-être, examinées en vain une grande partie de la matinée. Jed s'approcha avec curiosité, prit une des photos pour la regarder. Jasselin retint un geste surpris.

« Excusez-moi..., dit Jed, embarrassé. Je suppose que je n'ai pas le droit de voir ça.

— En effet, en principe, c'est couvert par le secret de l'enquête. Mais allez-y, je vous en prie : si ça peut vous évoquer quelque chose... »

Jed examina plusieurs des agrandissements, qui pour Jasselin se ressemblaient à peu près tous : des coulures, des lacérations, un puzzle informe. « C'est curieux..., dit-il finalement. On dirait un Pollock ; mais un Pollock qui aurait travaillé presque en monochrome. Ça lui est arrivé d'ailleurs, mais pas souvent.

— C'est qui, Pollock ? Excusez mon inculture.

— Jackson Pollock était un peintre américain de l'après-guerre. Un expressionniste abstrait, un des chefs de file du mouvement, même. Il était très influencé par le chamanisme. Il est mort en 1956. »

Jasselin le considéra attentivement, avec un intérêt soudain.

« Et c'est quoi, ces photos ? demanda Jed. Je veux dire : qu'est-ce que ça représente en réalité ? »

La réaction de Jed surprit Jasselin par son intensité. Il eut à peine le temps de lui approcher un fauteuil dans lequel il s'abattit, tremblant, secoué de spasmes. « Bougez pas... il faut que vous buviez quelque chose », dit-il. Il se précipita dans le bureau de l'équipe de Ferber et revint aussitôt avec une bouteille de Lagavulin et un verre. Il est impossible d'envisager un travail de police sérieux sans une réserve d'alcool de bonne qualité, telle était sa conviction, mais cette fois il s'abstint d'en faire état. Jed avala un verre entier, par longues gorgées, avant que ses tremblements ne se calment. Jasselin se contraignit à attendre, réfrénant son excitation.

« Je sais que c'est horrible..., dit-il finalement. C'est un des crimes les plus horribles dont nous avons eu à nous occuper. Vous pensez..., reprit-il prudemment, vous pensez que l'assassin aurait pu être influencé par Jackson Pollock ? »

Jed se tut pendant quelques secondes, secouant la tête avec incrédulité, avant de répondre : « Je ne sais pas... Ça y ressemble, c'est vrai. Il y a pas mal d'artistes qui ont utilisé leur corps à la fin du XX\ :superscript:e siècle, et certains partisans du *body art* se sont présentés comme des continuateurs de Pollock, en effet. Mais le corps des autres... Il n'y a que les actionnistes viennois qui aient franchi la limite, dans les années 1960, mais c'est resté très limité dans le temps, et ça n'a plus aucune influence aujourd'hui.

— Je sais bien que ça peut paraître absurde..., insista Jasselin. Mais au point où on en est... Vous savez, je ne devrais pas vous le dire, mais l'enquête piétine complètement, ça fait déjà deux mois qu'on a découvert le cadavre, et on en est toujours au point mort.

— Ça s'est passé où ?

— Chez lui, dans le Loiret.

— Ah oui, j'aurais dû reconnaître la moquette.

— Vous êtes allé chez lui ? Dans le Loiret ? »
Cette fois, il ne parvint pas à contenir son excitation. C'était la première personne qu'ils interrogeaient à connaître l'endroit où vivait Houellebecq. Même son éditrice n'était jamais venue : lorsqu'ils se rencontraient, c'était toujours à Paris.

« Oui, une fois, répondit calmement Jed. Pour lui remettre son tableau. »

Jasselin sortit de son bureau, appela Ferber. Dans le couloir, il lui résuma ce qu'il venait d'apprendre.

« C'est intéressant, dit pensivement Ferber. Vraiment intéressant. Plus que tout ce qu'on a eu depuis le début, il me semble.

— Comment est-ce qu'on peut aller plus loin ? » reprit Jasselin.

Ils entamèrent une réunion improvisée dans son bureau ; il y avait là Aurélie, Lartigue, Michel Khoury. Messier était absent, retenu par une enquête qui semblait le passionner – un adolescent psychotique, une espèce d'otaku qui avait apparemment trouvé le mode opératoire de ses meurtres sur Internet (on commence à se désintéresser de l'affaire, se dit tristement Jasselin, on commence à se résigner à l'éventualité d'un échec...). Les propositions fusèrent, dans toutes les directions, pendant pas mal de temps – aucun d'entre eux ne connaissait quoi que ce soit aux milieux de l'art – mais ce fut Ferber qui eut l'idée décisive :

« Je pense qu'on pourrait retourner avec lui dans le Loiret. Sur les lieux du crime. Il verra peut-être quelque chose qui nous a échappé. »

Jasselin consulta sa montre : il était deux heures et demie, l'heure du déjeuner était largement passée – mais, surtout, cela faisait presque trois heures que le témoin attendait, seul dans son bureau.

Quand il pénétra dans la pièce, Jed lui jeta un coup d'œil distrait. Il n'avait pas l'air de s'ennuyer du tout : installé derrière le bureau du commissaire, il examinait attentivement les photos. « Vous savez…, dit-il finalement, ce n'est qu'une assez médiocre imitation de Pollock. Il y a les formes, les coulures, mais l'ensemble est disposé mécaniquement, il n'y a aucune force, aucun élan vital. »

Jasselin hésita, il ne s'agissait pas de le braquer. « C'est mon bureau… » finit-il par dire, incapable de trouver une meilleure formulation. « Ah pardon ! », Jed se leva d'un bond, lui laissant la place, pas franchement gêné pour autant. Il lui exposa alors son idée. « Pas de problème » répondit Jed aussitôt. Ils convinrent de partir dès le lendemain, Jasselin utiliserait sa voiture personnelle. En prenant rendez-vous, ils s'aperçurent qu'ils n'habitaient qu'à quelques centaines de mètres l'un de l'autre.

« Drôle de type… » se dit Jasselin après son départ, et comme souvent par le passé il pensa à tous ces gens qui coexistent dans le cœur d'une même ville sans raison particulière, sans intérêt ni préoccupation communs, poursuivant des trajectoires incommensurables et disjointes, parfois réunis (de plus en plus rarement) par le sexe ou (de plus en plus souvent) par le crime. Mais pour la première fois cette pensée – qui le fascinait au début de sa carrière de policier, qui lui donnait envie de creuser, d'en savoir plus, d'aller jusqu'au fond de ces relations humaines – ne provoquait plus en lui qu'une obscure lassitude.

XII

Bien qu'il ne sache rien de sa vie, Jed fut peu surpris de voir Jasselin arriver au volant d'une Mercedes Classe A. La Mercedes Classe A est la voiture idéale d'un vieux couple sans enfants, vivant en zone urbaine ou périurbaine, ne rechignant cependant pas à s'offrir de temps à autre une escapade dans un *hôtel de charme* ; mais elle peut également convenir à un jeune couple de tempérament conservateur – ce sera souvent, alors, leur première Mercedes. Entrée de gamme de la firme à l'étoile, c'est une voiture discrètement *décalée* ; la Mercedes berline Classe C, la Mercedes berline Classe E sont davantage paradigmatiques. La Mercedes en général est la voiture de ceux qui ne s'intéressent pas tellement aux voitures, qui privilégient la sécurité et le confort aux *sensations de conduite* – de ceux aussi, bien sûr, qui ont des moyens suffisamment élevés. Depuis plus de cinquante ans – malgré l'impressionnante force de frappe commerciale de Toyota, malgré la pugnacité d'Audi – la bourgeoisie mondiale était, dans son ensemble, demeurée fidèle à Mercedes.

La circulation était fluide sur l'autoroute du Sud, et tous deux gardaient le silence. Il fallait *briser la glace*, se dit Jasselin au bout d'une demi-heure, il est important de mettre le témoin à l'aise, il le répétait souvent au cours de ses conférences à Saint-Cyr-au-Mont-d'Or. Jed était complètement absent, perdu dans ses pensées – à moins plus simplement qu'il ne soit en train de s'endormir. Ce type l'intriguait, et l'impressionnait un peu. Il fallait bien le reconnaître, sa carrière de policier ne lui avait permis de rencontrer, en la personne des *criminels*, que des êtres simplistes et mauvais, incapables de toute pensée neuve et en général à peu près de toute pensée, des animaux dégénérés qu'il aurait mieux valu, dans leur propre intérêt comme dans celui des autres et de toute possibilité de communauté humaine, abattre dès l'instant de leur capture, c'était du moins – de plus en plus souvent – son opinion. Enfin ce n'était pas son affaire, c'était celle des *juges*. Son travail à lui était de pister le gibier, puis de le rapporter afin de le déposer aux pieds des juges, et plus généralement du *peuple français* (ils opéraient en son nom, c'était du moins la formule consacrée). Dans le cadre d'une chasse, le gibier déposé aux pieds du chasseur était le plus souvent mort – sa vie s'est achevée au cours de la capture, l'explosion d'une balle tirée à un endroit approprié avait mis fin à ses fonctions vitales ; parfois, les crocs des chiens avaient achevé le travail. Dans le cadre d'une enquête policière, le coupable déposé aux pieds du juge était à peu près vivant – ce qui permettait à la France de demeurer bien notée dans les enquêtes sur les droits de l'homme régulièrement publiées par *Amnesty International*. Le juge – subordonné au *peuple français*, qu'il représentait en général, et auquel il devait plus précisément se subordonner dans le cas des crimes graves impliquant un *jury d'assises*, ce qui était presque toujours le cas pour les affaires dont s'occupait Jasselin – devait alors statuer sur son sort. Diverses conventions internationales interdisaient (et même dans le cas où le *peuple français* se serait majoritairement prononcé dans cette direction) de lui donner la mort.

Passé le péage de Saint-Arnoult-en-Yvelines, il proposa à Jed de s'arrêter pour prendre un café. Le relais autoroutier produisit sur Jasselin une impression ambiguë. Par certains côtés, il évoquait nettement la région parisienne : le choix de magazines et de quotidiens nationaux était très vaste – il se réduirait rapidement à mesure qu'on s'enfoncerait dans les profondeurs de la province – et les principaux souvenirs proposés aux automobilistes étaient des tours Eiffel et des Sacré-Cœur déclinés sous différentes formes. D'un autre côté, il était difficile de prétendre qu'on était en *banlieue* : le passage de la barrière de péage, comme la limite de la dernière zone de Carte Orange, marquait symboliquement la fin de la banlieue, le début des *régions* ; d'ailleurs, les premiers *produits régionaux* (miel du Gâtinais, rillettes de lapin) avaient fait leur apparition. En somme ce relais autoroutier refusait de choisir son camp, Jasselin n'aimait pas trop ça. Il prit cependant un brownie au chocolat pour accompagner son café, et ils se choisirent une place parmi la centaine de tables libres.

Une entrée en matière était nécessaire ; Jasselin toussa à plusieurs reprises. « Vous savez…, attaqua-t-il finalement, je vous suis reconnaissant d'avoir accepté de m'accompagner. Vous n'y étiez pas obligé du tout.

— Je trouve normal d'aider la police, répondit Jed avec sérieux.

— Eh bien… » Jasselin sourit, sans réussir à provoquer chez son interlocuteur de réaction analogue. « Je m'en réjouis, naturellement, mais tous nos concitoyens sont loin de penser comme vous…

— Je crois au mal, continua Jed sur le même ton. Je crois à la culpabilité, et au châtiment. »

Jasselin en resta bouche bée ; il n'avait nullement prévu que la conversation prendrait cette tournure.

« Vous croyez à l'exemplarité des peines ? » suggéra-t-il, encourageant. Une serveuse âgée passant la serpillière entre les tables se rapprochait d'eux, leur jetant des regards mauvais. Elle avait l'air non seulement épuisée, découragée, mais pleine d'animosité à l'égard du monde dans son ensemble, elle tordait la serpillière dans son seau exactement comme si c'était à cela que se résumait, pour elle, le monde : une surface douteuse recouverte de salissures variées.

« Je n'en sais rien, répondit Jed au bout du temps. À vrai dire, je ne me suis jamais posé la question. Les peines me paraissent justes parce qu'elles sont normales et nécessaires, parce qu'il est normal que le coupable subisse un châtiment, pour que l'équilibre soit rétabli, parce qu'il est nécessaire que le mal soit puni. Pourquoi ? Vous n'y croyez pas, vous ? continua-t-il avec un peu d'agressivité en voyant que son interlocuteur gardait le silence. Pourtant, c'est votre métier... »

Jasselin retrouva la maîtrise de ses moyens pour lui expliquer que non, c'était là le travail du *juge*, assisté d'un *jury*. Ce type, songea-t-il, ferait un juré d'assises impitoyable. Il y a *séparation des pouvoirs*, insista-t-il, c'est l'une des bases de notre Constitution. Jed hocha rapidement la tête pour montrer qu'il avait compris, mais que ça lui paraissait un point de détail. Jasselin envisagea d'entamer un débat sur la peine de mort, sans raison précise, un peu pour le plaisir de la conversation, puis il y renonça ; il avait décidément du mal à cerner ce type. Entre eux, le silence se fit à nouveau.

« Je vous ai accompagné aussi, reprit Jed, pour d'autres raisons, plus personnelles. Je veux que l'assassin de Houellebecq soit retrouvé, et qu'il subisse son châtiment. C'est très important pour moi.

— Pourtant, vous n'étiez pas spécialement liés... »

Jed eut une sorte de grognement douloureux, et Jasselin comprit qu'il avait sans le vouloir touché un point sensible. Un homme presque obèse, vêtu d'un costume gris terne, passa à quelques mètres d'eux, une assiette de frites à la main. Il avait l'air d'un technico-commercial ; il avait l'air au bout du rouleau. Avant de s'asseoir, il posa une main sur sa poitrine et resta immobile quelques instants, comme s'il s'attendait à un malaise cardiaque imminent.

« Le monde est médiocre, dit finalement Jed. Et celui qui a commis ce meurtre a augmenté la médiocrité dans le monde. »

XIII

En arrivant à Souppes (c'était le nom du village où l'écrivain avait vécu ses derniers jours), ils se firent, à peu près au même instant, la réflexion que rien n'avait changé. Rien n'avait, d'ailleurs, aucune raison de changer : le village demeurait figé dans sa perfection rurale à destination touristique, il demeurerait ainsi dans les siècles des siècles, avec l'adjonction discrète de quelques éléments de confort de vie tels que les bornes Internet et les parkings ; mais il ne pourrait demeurer tel que si une espèce intelligente était là pour l'entretenir, pour le protéger de l'agression des éléments, de la voracité destructrice des plantes.

Le village était également toujours aussi désert, paisiblement et comme structurellement désert ; c'était exactement ainsi que se présenterait le monde, se dit Jed, après l'explosion d'une bombe à neutrons intergalactique. Les aliens pourraient pénétrer dans les rues, tranquilles et restaurées, de la bourgade, et se réjouir de sa beauté mesurée. S'il s'agissait d'aliens dotés d'une sensibilité esthétique même rudimentaire, ils comprendraient rapidement la nécessité d'un entretien, et procéderaient aux restaurations nécessaires ;

c'était une hypothèse à la fois rassurante et vraisemblable.

Jasselin gara doucement sa Mercedes devant la longère. Jed sortit et, saisi par le froid, se remémora soudain sa première visite, le chien qui bondissait et gambadait pour l'accueillir, il imagina la tête du chien décapité, la tête de son maître décapité également, prit conscience de l'horreur du crime et pendant quelques instants il regretta d'être venu, mais il se reprit, il avait envie d'être utile, toute sa vie il avait eu envie d'être utile et depuis qu'il était riche l'envie était devenue encore plus forte. Là, il avait l'occasion d'être utile à quelque chose, c'était indéniable, il pouvait aider à la capture et à l'élimination d'un tueur, il pouvait également aider ce vieux policier découragé et morose qui se tenait à présent à ses côtés, l'air un peu inquiet, alors qu'il demeurait dans la lumière hivernale, immobile, essayant de contrôler sa respiration.

Ils avaient remarquablement bien travaillé pour nettoyer la scène de crime, se dit Jasselin en pénétrant dans le living-room, et il imagina les collègues ramassant, un à un, les fragments de chair éparpillés. Il n'y avait même plus de traces de sang sur la moquette, juste çà et là quelques taches claires et usées. À part ça la maison n'avait pas changé du tout, elle non plus, il reconnaissait parfaitement la disposition des meubles. Il s'assit sur un sofa, s'astreignant à ne pas regarder Jed. Il fallait laisser tranquille le témoin, il fallait respecter sa spontanéité, ne pas faire barrage aux émotions, aux intuitions qui pouvaient lui venir, il fallait se mettre entièrement à son service pour qu'il se mette, à son tour, au vôtre.

De fait Jed était parti en direction d'une chambre, il s'apprêtait à visiter toute la maison. Jasselin regretta de ne pas avoir pris Ferber avec lui : il avait une sensibilité, c'était un *policier avec une sensibilité*, il aurait su s'y prendre avec un artiste – alors que lui n'était qu'un policier ordinaire, âgé, passionnément attaché à sa femme vieillissante et à son petit chien impuissant.

Jed continuait à aller et venir entre les pièces, revenant régulièrement dans le living-room, se plongeant dans la contemplation de la bibliothèque, dont le contenu l'étonnait et l'impressionnait encore plus que lors de sa première visite. Puis il s'arrêta devant Jasselin, qui eut une espèce de sursaut, se leva d'un bond.

L'attitude de Jed n'avait, pourtant, rien d'inquiétant ; il se tenait debout, les mains croisées derrière le dos, comme un écolier qui s'apprête à réciter sa leçon.

« Mon tableau manque, dit-il finalement.

— Votre tableau ? Quel tableau ? » demanda fiévreusement Jasselin tout en ayant conscience qu'il aurait dû savoir, qu'il aurait *normalement* dû savoir, qu'il n'était plus tout à fait en possession de ses moyens. Il était parcouru de frissons ; peut-être couvait-il une grippe, ou pire.

« Le tableau que j'avais fait de lui. Que je lui avais offert. Il n'est plus là. »

Jasselin mit du temps à analyser l'information, les rouages de son cerveau tournaient au ralenti et il se sentait de plus en plus mal, il était fatigué à mourir, cette affaire le fatiguait au dernier degré et il lui fallut un temps incroyable pour

poser la question essentielle, la seule qui vaille :
« Ça valait de l'argent ?

— Oui, pas mal, répondit Jed.

— Combien ?

Jed réfléchit quelques secondes avant de répondre :

« En ce moment, ma cote augmente un peu, pas très vite. À mon avis, neuf cent mille euros.

— Quoi ?... Vous avez dit quoi ?... »

Il avait presque hurlé.

« Neuf cent mille euros. »

Jasselin se rabattit dans le sofa et demeura immobile, prostré, marmonnant de temps à autre des paroles incompréhensibles.

« Je vous ai aidé ? demanda Jed, hésitant.

— L'affaire est résolue. » Sa voix trahissait un découragement, une tristesse affreuse. « Il y a déjà eu des meurtres pour cinquante mille, dix mille, parfois pour mille euros. Alors, neuf cent mille euros... »

Ils repartirent vers Paris peu de temps après. Jasselin demanda à Jed s'il pouvait conduire, il ne se sentait pas très bien. Ils s'arrêtèrent dans le même relais autoroutier qu'à l'aller. Sans raison apparente, une bande blanche et rouge isolait plusieurs tables – peut-être le commercial obèse de tout à l'heure avait-il succombé à une crise cardiaque, au bout du compte. Jed reprit un café ; Jasselin voulait de l'alcool, mais ils n'en vendaient pas. Il finit par découvrir une bouteille de vin rouge au magasin de la station-service, dans la zone des produits régionaux ; mais ils n'avaient pas de tire-bouchon. Il se dirigea vers les toilettes, s'enferma dans une cabine ; d'un coup sec, il brisa le goulot de la bouteille sur le rebord des W-C, puis il revint vers la cafétéria, sa bouteille brisée à la main ; un peu de vin avait rejailli sur sa chemise. Tout cela avait pris du temps, Jed s'était levé, rêvassait devant les salades composées ; il opta finalement pour un duo cheddar-dinde et un Sprite. Jasselin s'était servi un premier verre, qu'il avait avalé d'un trait ; un peu ragaillardi, il finissait, plus doucement, son deuxième. « Vous me donnez faim... » dit-il. Il partit s'acheter un wrap saveurs de Provence, se servit un troisième verre de vin. Au même instant, un groupe de préadolescents espagnols sortis d'un autocar pénétrèrent dans la cafétéria en parlant très fort ; les filles étaient surexcitées, poussaient des hurlements, leur taux d'hormones devait être incroyablement élevé. Le groupe était probablement en voyage scolaire, ils devaient avoir visité le musée du Louvre, Beaubourg, ce genre de choses. Jasselin frissonna en songeant qu'il pourrait, à l'heure actuelle, être le père d'un préadolescent similaire.

« Vous dites que l'affaire est résolue, fit remarquer Jed. Mais vous n'avez pas retrouvé le meurtrier... »

Il lui expliqua alors que le vol d'objets d'art était un domaine très spécifique, qui était pris en charge par un organisme spécialisé, l'Office central de lutte contre le trafic d'objets d'art et de biens culturels. Bien entendu ils resteraient chargés de l'enquête, il s'agissait quand même d'un meurtre, mais c'était de l'Office, à présent, qu'il fallait attendre des avancées significatives. Très peu de gens savaient où trouver les œuvres quand elles appartenaient à un collectionneur privé, et moins encore avaient les moyens de s'offrir un tableau à un million d'euros ; cela concernait peut-être dix mille personnes, à l'échelle mondiale.

« Je suppose que vous pouvez donner une description précise du tableau.

— Évidemment ; j'ai toutes les photos que vous voulez. »

Son tableau allait immédiatement être répertorié dans le TREIMA, le fichier des objets d'art volés, dont la consultation était obligatoire pour toute transaction dépassant cinquante mille euros ; et les sanctions en cas de non-respect de cette obligation étaient lourdes, précisa-t-il, la revente des objets d'art volés était devenue de plus en plus difficile. Déguiser ce vol en crime rituel avait été une idée ingénieuse d'ailleurs, et sans l'intervention de Jed ils seraient encore en train de piétiner. Mais, maintenant, les choses allaient prendre une autre tournure. Tôt ou tard, le tableau allait réapparaître sur le marché, et ils n'auraient aucun mal à remonter la filière.

« Pourtant, vous n'avez pas l'air tellement satisfait..., remarqua Jed.

— C'est vrai » convint Jasselin en finissant la bouteille. Au départ cette affaire se présentait sous un jour particulièrement atroce, mais original. On pouvait s'imaginer avoir affaire à un crime passionnel, à une crise de folie religieuse, différentes choses. Il était assez déprimant de retomber en fin de compte sur la motivation criminelle la plus répandue, la plus universelle : l'argent. Il allait avoir, l'an prochain, trente ans de carrière dans la police. Combien de fois, dans sa carrière, avait-il eu affaire à un crime qui n'était pas motivé par l'argent ? Il pouvait les compter sur les doigts d'une main. Dans un sens c'était rassurant, cela prouvait que le mal absolu était rare chez l'être humain. Mais ce soir, sans savoir pourquoi, il trouvait cela singulièrement triste.

XIV

Son chauffe-eau avait finalement survécu à Houellebecq, se dit Jed en rentrant chez lui, considérant l'appareil qui l'accueillait en ronflant sournoisement, comme une bête vicieuse.

Il avait également survécu à son père, put-il conjecturer quelques jours plus tard. On était déjà le 17 décembre, Noël était dans une semaine, il n'avait toujours pas de nouvelles du vieil homme et se décida à téléphoner à la directrice de la maison de retraite. Elle lui apprit que son père était parti pour Zurich une semaine auparavant, sans donner de date de retour précise. Sa voix ne trahissait pas d'inquiétude particulière, et Jed prit soudain conscience que Zurich n'était pas seulement la base d'opération d'une association qui euthanasiait les vieillards, mais aussi le lieu de résidence de personnes riches, et même très riches, parmi les plus riches du monde. Beaucoup de ses pensionnaires devaient avoir de la famille, ou des relations, qui résidaient à Zurich, un voyage à Zurich de l'un d'entre eux ne pouvait que lui apparaître comme parfaitement normal. Il raccrocha, découragé, et réserva un billet sur Swiss Airlines pour le lendemain.

En attendant le départ de son vol dans l'immense, sinistre et elle-même assez létale salle d'embarquement de l'aéroport de Roissy 2, il se demanda d'un seul coup ce qu'il allait faire à Zurich. Son père était mort, de toute évidence, depuis déjà plusieurs jours, ses cendres devaient déjà flotter sur les eaux du lac de Zurich. En se renseignant sur Internet, il avait appris que *Dignitas* (c'était le nom du groupement d'euthanasieurs) faisait l'objet d'une plainte d'une association écologiste locale. Pas du tout en raison de ses activités, au contraire les écologistes en question se réjouissaient de l'existence de *Dignitas*, ils se déclaraient même *entièrement solidaires de son combat* ; mais la quantité de cendres et d'ossements humains qu'ils déversaient dans les eaux du lac était selon eux excessive, et avait l'inconvénient de favoriser une espèce de carpe brésilienne, récemment arrivée en Europe, au détriment de l'omble chevalier, et plus généralement des poissons locaux.

Jed aurait pu choisir un des palaces installés sur les rives du lac, le *Widder* ou le *Baur au Lac*, mais il sentit qu'il aurait du mal à supporter un luxe excessif. Il se replia sur un hôtel proche de l'aéroport, vaste et fonctionnel, situé sur le territoire de la commune de Glattbrugg. Il était d'ailleurs lui-même assez cher, et paraissait très confortable ; mais existait-il, en Suisse, des hôtels bon marché ? des hôtels inconfortables ?

Il arriva vers vingt-deux heures, le froid était glacial mais sa chambre douillette et accueillante, malgré la façade sinistre de l'établissement. Le restaurant de l'hôtel venait de fermer ; il étudia quelque temps la carte du *room service* avant de se rendre compte qu'il n'avait pas faim ; qu'il se sentait même incapable d'ingérer quoi que ce soit. Il envisagea un moment de regarder un film porno, mais s'endormit avant d'avoir réussi à comprendre le fonctionnement du *pay per view*.

Le lendemain, à son réveil, les alentours étaient baignés d'une brume blanche. Les avions ne pouvaient pas décoller, lui apprit le réceptionniste, l'aéroport était paralysé. Il se rendit au buffet du petit déjeuner, mais ne réussit à avaler qu'un café et la moitié d'un pain au lait. Après avoir étudié quelque temps son plan – c'était complexe, l'association se trouvait elle aussi dans une banlieue de Zurich, mais une banlieue différente – il laissa tomber, et décida de prendre un taxi. Le chauffeur de taxi connaissait bien l'Ifangstrasse ; Jed avait oublié de noter le numéro, mais il l'assura qu'il s'agissait d'une rue courte. Elle était proche de la station de trains de Schwerzenbach, l'informa-t-il, et d'ailleurs longeait la voie ferrée. Jed se sentit gêné en songeant que le chauffeur voyait probablement en lui un *candidat au suicide*. Pourtant, l'homme – un quinquagénaire épais, qui parlait l'anglais avec un accent suisse allemand à couper au couteau – lui jetait de temps en temps dans son rétroviseur des regards égrillards et complices qui correspondaient mal à l'idée d'une *mort digne*. Il comprit lorsque le taxi s'arrêta, au début de l'Ifangstrasse, devant un bâtiment énorme, néo-babylonien, dont l'entrée était ornée de fresques érotiques très kitsch, d'un tapis rouge élimé et de palmiers en pots, et qui était visiblement un bordel. Jed se sentit profondément rassuré d'avoir été associé à l'idée d'un bordel plutôt qu'à celle d'un établissement voué à l'euthanasie ; il paya, laissant un large pourboire, et attendit que le chauffeur ait fait demi-tour pour s'engager plus avant dans la rue. L'association *Dignitas* se targuait, en période de pointe, de satisfaire à la demande de cent clients par jour. Il n'était nullement certain que le *Babylon FKK Relax-Oase* puisse se prévaloir d'une fréquentation comparable, alors que ses horaires d'ouverture étaient plus larges – *Dignitas* était ouvert pour l'essentiel aux heures de bureau, avec une nocturne jusqu'à vingt et une heures le mercredi – et que des efforts de décoration considérables – d'un goût douteux certes, mais considérables – avaient été consentis pour la décoration du bordel. *Dignitas* au contraire – Jed s'en rendit compte en arrivant devant le bâtiment, une cinquantaine de mètres plus loin – avait son siège dans un immeuble de béton blanc, d'une irréprochable banalité, très Le Corbusier dans sa structure poutre-poteau qui libérait la façade et dans son absence de fioriture décorative, un immeuble identique en somme aux milliers d'immeubles de béton blanc qui composaient les banlieues semi-résidentielles partout à la surface du globe. Une seule différence demeurait, la qualité du béton, et là on pouvait en être sûr : le béton suisse était incomparablement supérieur aux bétons polonais, indonésien ou malgache. Aucune irrégularité, aucune fissure ne venait ternir la façade, et cela probablement plus de vingt ans après son édification. Il était certain que son père s'était fait la remarque, même à quelques heures de mourir.

Au moment où il s'apprêtait à sonner, deux hommes vêtus d'un blouson et d'un pantalon de coton sortirent en portant un cercueil de bois clair – un modèle léger et bas de gamme, probablement en aggloméré à vrai dire – qu'ils déposèrent dans une fourgonnette Peugeot Partner qui stationnait devant l'immeuble. Sans prêter aucune attention à Jed ils remontèrent aussitôt, laissant les portières de la fourgonnette ouvertes, et redescendirent une minute plus tard, porteurs d'un deuxième cercueil, identique au précédent, qu'ils rangèrent à son tour dans l'utilitaire. Ils avaient bloqué le mécanisme de fermeture de la porte pour se faciliter le travail. Cela se confirmait : le *Babylon FKK Relax-Oase* était loin de connaître une agitation aussi considérable. La valeur marchande de la souffrance et de la mort était devenue supérieure à celle du plaisir et du sexe, se dit Jed, et c'est probablement pour cette même raison que Damien Hirst avait, quelques années plus tôt, ravi à Jeff Koons sa place de numéro 1 mondial sur le marché de l'art. Il est vrai qu'il avait raté le tableau qui devait retracer cet événement, qu'il n'avait même pas réussi à le terminer, mais ce tableau restait imaginable, quelqu'un d'autre aurait pu le réaliser – il aurait sans doute fallu, pour cela, un meilleur peintre. Alors qu'aucun tableau ne lui paraissait capable d'exprimer clairement la différence de dynamisme économique entre ces deux entreprises, situées à quelques dizaines de mètres, sur le même trottoir d'une rue banale et plutôt triste qui longeait une voie ferrée dans la banlieue est de Zurich.

Sur ces entrefaites, un troisième cercueil fut introduit dans la fourgonnette. Sans attendre le quatrième, Jed entra dans l'immeuble, monta quelques marches jusqu'à un palier sur lequel s'ouvraient trois portes. Il poussa celle de droite, où était indiqué *Wartesaal*, et pénétra dans une salle d'attente aux murs crème, au terne mobilier de plastique – qui ressemblait un peu, à vrai dire, à celle dans laquelle il avait patienté au Quai des Orfèvres, sauf que cette fois il n'y avait pas de *vue imprenable sur le pont des Arts*, et que les fenêtres n'ouvraient que sur une banlieue résidentielle anonyme. Les haut-parleurs fixés en haut des murs diffusaient une musique d'ambiance certes triste, mais à laquelle on pouvait associer le qualificatif de *digne* – probablement du Barber.

Les cinq personnes réunies là étaient sans nul doute des *candidats au suicide*, mais on peinait à les définir plus avant. Leur âge même était assez indiscernable, cela pouvait être entre cinquante et soixante-dix ans – pas très âgés donc, son père lors de sa venue avait probablement été le *doyen de sa promotion*. L'un des hommes, avec ses moustaches blanches et son teint rubicond, était manifestement un Anglais ; mais les autres, même du point de vue nationalité, étaient difficiles à situer. Un homme émacié, au physique latin, au teint d'un jaune brunâtre et aux joues terriblement creuses – le seul en réalité qui donnait l'impression d'être atteint d'une grave maladie – lisait avec passion (il avait brièvement levé la tête à l'entrée de Jed, puis s'était aussitôt replongé dans sa lecture) un volume des aventures de *Spirou* en édition espagnole ; il devait venir d'un pays sud-américain quelconque.

Jed hésita, puis choisit finalement de s'adresser à une femme d'une soixantaine d'années qui ressemblait à une ménagère de l'Allgäu typique, et qui donnait l'impression de posséder des compétences extraordinaires en matière de points de tricot. Elle lui apprit qu'il y avait, en effet, une pièce de réception, il fallait ressortir, c'était la porte de gauche sur le palier.

Rien n'était indiqué, Jed poussa la porte de gauche. Une fille décorative sans plus (ils avaient certainement beaucoup mieux au *Babylon FKK Relax-Oase*, se dit-il) attendait derrière son comptoir en remplissant laborieusement une grille de mots fléchés. Jed lui expliqua sa requête, qui parut la choquer : les gens de la famille ne venaient pas après le décès, lui répondit-elle. Parfois avant, jamais après. « *Sometimes before... Never after...* » répéta-t-elle plusieurs fois de suite, en mâchonnant péniblement ses mots. Cette demeurée commençait à l'énerver, il haussa le ton en répétant qu'il n'avait pas pu venir avant, et qu'il tenait absolument à voir quelqu'un de la direction, qu'il avait le droit de consulter le dossier de son père. Ce mot de *droit* parut l'impressionner ; avec une mauvaise volonté évidente, elle décrocha son téléphone. Quelques minutes plus tard, une femme d'une quarantaine d'années, vêtue d'un tailleur clair, fit son entrée dans la pièce. Elle avait consulté le dossier : en effet, son père s'était présenté au matin du lundi 10 décembre ; l'opération s'était déroulée « tout à fait normalement », ajouta-t-elle.

Il avait dû arriver le dimanche soir, le 9, se dit Jed. Où avait-il passé sa dernière nuit ? S'était-il offert le *Baur au Lac* ? Il l'espérait, sans trop y croire. Il était certain en tout cas qu'il avait *réglé sa note en partant*, qu'il n'avait *rien laissé derrière lui*.

Il insista encore, se fit implorant. Il était en voyage au moment où c'était arrivé, prétendit-il, il n'avait pas pu être là, maintenant il voulait en savoir plus, connaître tous les détails sur les derniers instants de son père. La femme, visiblement agacée, finit par céder, l'invita à l'accompagner. Il la suivit dans un long couloir sombre, encombré d'armoires de classement métalliques, avant de pénétrer dans son bureau, lumineux et fonctionnel, qui donnait sur une sorte de jardin public.

« Voilà le dossier de votre père... » dit-elle en lui tendant une mince chemise. Le mot de *dossier* paraissait un peu exagéré : il y avait une feuille recto verso, rédigée en suisse allemand.

« Je n'y comprends rien... Il faudrait que je fasse traduire.

— Mais qu'est-ce que vous voulez, exactement ? » Son calme se fissurait de minute en minute. « Je vous dis que tout est en ordre !

— Il y a eu un examen médical, je suppose ?

— Naturellement. » D'après ce que Jed avait pu lire dans les reportages, l'examen médical se réduisait à une prise de tension et à quelques vagues questions, un *entretien de motivation* en quelque sorte, à cette exception près que tout le monde le réussissait, l'affaire était systématiquement bouclée en moins de dix minutes.

« Nous agissons en parfaite conformité avec la loi suisse, dit la femme, de plus en plus glaciale.

— Qu'est-ce que le corps est devenu ?

— Eh bien, comme l'immense majorité de nos clients, votre père avait opté pour la formule de l'incinération. Nous avons donc agi selon ses vœux ; puis nous avons dispersé ses cendres dans la nature. »

C'est bien cela, se dit Jed ; son père servait à présent de nourriture aux carpes brésiliennes du Zürichsee.

La femme reprit le dossier, pensant visiblement que l'entretien était terminé, et se leva pour le ranger dans son armoire. Jed se leva aussi, s'approcha d'elle et la gifla violemment. Elle émit une sorte de gémissement très étouffé, mais n'eut pas le temps d'envisager une riposte. Il enchaîna par un violent uppercut au menton, suivi d'une série de manchettes rapides. Alors qu'elle vacillait sur place, tentant de reprendre sa respiration, il se recula pour prendre de l'élan et lui donna de toutes ses forces un coup de pied au niveau du plexus solaire. Cette fois elle s'effondra, heurtant violemment dans sa chute un angle métallique du bureau ; il y eut un craquement net. La colonne vertébrale avait dû en prendre un coup, se dit Jed. Il se pencha sur elle : elle était sonnée, respirait avec difficulté, mais elle respirait.

Il se dirigea rapidement vers la sortie, craignant plus ou moins que quelqu'un ne donne l'alerte, mais la réceptionniste leva à peine les yeux de ses mots fléchés ; il est vrai que la lutte avait été très silencieuse. La gare n'était qu'à deux cents mètres. Au moment où il y pénétrait, un train s'arrêta sur un des quais. Il monta sans prendre de billet, ne fut pas contrôlé et descendit en gare centrale de Zurich.

En arrivant à l'hôtel, il se rendit compte que cette scène de violence l'avait mis en forme. C'était la première fois de sa vie qu'il usait de violence physique à l'égard de quelqu'un ; et ça lui avait donné faim. Il dîna avec grand appétit, d'une raclette à la viande des Grisons et au jambon de montagne, qu'il accompagna d'un excellent vin rouge du Valais.

Le lendemain matin le beau temps était revenu sur Zurich, une fine couche de neige recouvrait le sol. Il se rendit à l'aéroport, s'attendant plus ou moins à être arrêté au contrôle des passeports, mais rien de tel ne se produisit. Et, les jours suivants, il n'eut pas davantage de nouvelles. Il était curieux qu'ils aient renoncé à porter plainte ; probablement ne souhaitaient-ils pas attirer l'attention sur leurs activités, en aucune manière. Il y avait peut-être du vrai, se dit-il, dans ces accusations relayées sur Internet portant sur l'enrichissement personnel des membres de l'association. Une euthanasie était facturée en moyenne cinq mille euros, alors que la dose létale de pentobarbital de sodium revenait à vingt euros, et une incinération bas de gamme sans doute pas bien davantage. Sur un marché en pleine expansion, où la Suisse était en situation de quasi-monopole, ils devaient, en effet, *se faire des couilles en or.*

Son excitation retomba rapidement, laissant place à une vague de tristesse profonde, qu'il savait définitive. Trois jours après son arrivée, pour la première fois de sa vie, il passa seul la soirée de Noël. Il en fut de même le soir du Nouvel An. Et, les jours qui suivirent, il fut également seul.

ÉPILOGUE

Quelques mois plus tard, Jasselin partit à la retraite. C'était à vrai dire la date normale pour le faire, mais jusque-là il avait toujours pensé qu'il demanderait une prolongation d'au moins un an ou deux. L'affaire Houellebecq l'avait sérieusement ébranlé, la confiance qu'il éprouvait en lui-même, en sa capacité de faire son métier, s'était comme effritée. Personne ne lui avait fait de reproches, au contraire il était été nommé *in extremis* au grade de commissaire divisionnaire ; il n'assurerait pas la fonction, mais sa retraite en serait légèrement augmentée. Un pot de départ avait été prévu, et même un pot de grande ampleur, l'ensemble de la Brigade criminelle était convié, et le Préfet de police prononcerait une allocution. En somme il *partait avec les honneurs*, on souhaitait visiblement lui faire savoir qu'il avait été, si l'on considérait l'ensemble de sa carrière, un bon policier. Et c'est vrai, il pensait qu'il avait été, la plupart du temps, un policier honorable, un policier obstiné en tout cas, et l'obstination est peut-être en fin de compte la seule qualité humaine qui vaille non seulement dans la profession de policier mais dans beaucoup de professions, dans toutes celles au moins qui ont à voir avec la notion de *vérité*.

Quelques jours avant son départ effectif il invita Ferber à déjeuner, dans un petit restaurant de la place Dauphine. C'était un lundi 30 avril, beaucoup de gens avaient fait le pont, Paris était très calme et dans le restaurant il n'y avait que quelques couples de touristes. Le printemps était bien là, les bourgeons étaient éclos, des particules de poussière et de pollen dansaient dans la lumière. Ils s'étaient installés à une table en terrasse, et commandèrent deux pastis avant le repas.

« Tu sais, dit-il au moment où le serveur posait leurs verres devant eux, j'ai vraiment merdé sur cette affaire, du début à la fin. Si l'autre n'avait pas remarqué l'absence de son tableau, on serait encore en train de patauger.

— Ne sois pas trop dur avec toi-même ; c'est quand même toi qui as eu l'idée de l'emmener sur place.

— Non, Christian..., répondit doucement Jasselin. Tu as oublié, mais cette idée, c'est toi qui l'as eue.

« Je suis trop vieux..., poursuivit-il un peu plus tard. Je suis simplement trop vieux pour ce métier. Le cerveau s'ankylose, comme tout le reste, avec les années ; plus vite que tout le reste, même, il me semble. L'homme n'a pas été construit au départ pour vivre quatre-vingts ou cent ans ; tout au plus trente-cinq ou quarante, comme dans les temps préhistoriques. Alors, il y a des organes qui tiennent le coup – remarquablement, même – et d'autres qui se cassent la gueule lentement – lentement ou vite.

— Qu'est-ce que tu comptes faire ? demanda Ferber pour essayer de changer de conversation. Tu restes à Paris ?

— Non, je vais m'installer en Bretagne. Dans la maison où ont vécu mes parents avant de monter à Paris. » Il y avait, en vérité, pas mal de travaux à faire avant d'envisager cette installation. Il était surprenant, se dit Jasselin, de penser à tous ces gens appartenant à un passé proche, et même très proche – ses propres parents –, qui avaient vécu une grande partie de leur vie dans des conditions de confort qui paraissaient aujourd'hui inacceptables : pas de baignoire ni de douche, aucun système de chauffage réellement efficace. De toute façon, Hélène devait effectuer la fin de son année universitaire ; leur installation ne pourrait vraisemblablement avoir lieu qu'à la fin de l'été. Il n'aimait pas du tout le bricolage, dit-il à Ferber, mais le jardinage oui, il se promettait de vraies joies à entretenir son potager.

« Et puis, dit-il avec un demi-sourire, je vais lire des romans policiers. Je ne l'ai presque jamais fait pendant mes années d'activité, là je vais essayer de m'y mettre. Mais je n'ai pas envie de lire des Américains, et j'ai l'impression qu'il y a surtout ça. Tu n'aurais pas un Français à me conseiller ?

— Jonquet, répondit Ferber sans hésiter. Thierry Jonquet. En France c'est le meilleur, à mon avis. »

Jasselin prit note du nom sur son calepin au moment où le serveur lui apportait sa sole meunière. Le restaurant était bon, ils parlaient assez peu mais il se sentait heureux d'être avec Ferber une dernière fois, et il lui était reconnaissant de ne pas prononcer de banalités sur la possibilité de se revoir, de garder le contact. Il allait partir s'installer en province et Ferber resterait à Paris, il allait devenir un bon policier, un très bon policier même, il serait probablement nommé capitaine d'ici la fin de l'année, commandant un peu plus tard, et ensuite commissaire ; mais ils ne se reverraient, vraisemblablement, jamais.

Ils s'attardaient dans ce restaurant, tous les touristes étaient partis. Jasselin termina son dessert – une charlotte aux marrons glacés. Un rayon de soleil passant entre les platanes illumina la place, splendide.

« Christian…, dit-il après une hésitation, et à sa propre surprise il s'aperçut que sa voix tremblait un peu. Je voudrais que tu me promettes une chose : ne laisse pas tomber l'affaire Houellebecq. Je sais que ça ne dépend plus vraiment de nous, mais je voudrais que tu relances régulièrement les gens de l'Office de lutte contre le trafic d'objets d'art, et que tu me préviennes quand ils auront abouti. »

Ferber hocha la tête, promit.

Au fur et à mesure que les mois passaient, aucune trace du tableau n'apparaissant dans les réseaux habituels, il devint de plus en plus clair que l'assassin n'était pas un voleur professionnel, mais un collectionneur, qui avait agi pour son propre compte, sans aucune intention de se séparer de l'objet. C'était la pire des configurations possibles, et Ferber poursuivit ses investigations en direction des hôpitaux, en les élargissant aux cliniques privées – celles du moins qui acceptaient de leur répondre ; l'utilisation de matériel chirurgical spécialisé demeurait leur seule piste sérieuse.

L'affaire ne fut résolue que trois ans plus tard, et ce fut par hasard. Patrouillant sur l'autoroute A8 en direction Nice-Marseille, une escouade de gendarmerie tenta d'intercepter une Porsche 911 Carrera qui roulait à 210 km/heure. Le conducteur prit la fuite, et ne fut arrêté qu'à la hauteur de Fréjus. Il s'avéra qu'il s'agissait d'une voiture volée, que l'homme était en état d'ébriété, et qu'il était *bien connu des services de police*. Patrick Le Braouzec avait été condamné plusieurs fois pour des délits banals et relativement mineurs – proxénétisme, coups et blessures – mais une rumeur persistante lui prêtait l'assez étrange spécialité de *trafiquant d'insectes*. Il existe plus d'un million d'espèces d'insectes, et on en découvre de nouvelles chaque année, en particulier dans les régions équatoriales. Certains amateurs fortunés sont prêts à payer des sommes élevées, et même très élevées, pour un beau spécimen d'une espèce rare – naturalisé, ou de préférence vivant. La capture et a fortiori l'exportation de ces animaux sont soumises à des règles très strictes, que Le Braouzec était jusqu'à présent parvenu à contourner – il n'avait jamais été pris sur le fait, et justifiait ses voyages réguliers en Nouvelle-Guinée, à Sumatra ou en Guyane par son goût de la jungle et de la vie sauvage. De fait, l'homme avait un tempérament d'aventurier, et faisait preuve d'un réel courage physique : il s'enfonçait seul, sans guide, parfois pendant plusieurs semaines, à travers certaines des jungles les plus dangereuses de la planète, muni de quelques provisions, d'un couteau de combat et de pastilles de purification d'eau.

Cette fois, on découvrit dans le coffre de la voiture une mallette rigide revêtue de cuir souple, percée de trous multiples pour l'aération ; les perforations étaient presque invisibles, et à première vue l'objet pouvait parfaitement passer pour l'attaché-case d'un cadre ordinaire. À l'intérieur, séparés par des cloisons de Plexiglas, il y avait une cinquantaine d'insectes parmi lesquels les gendarmes reconnurent immédiatement une scolopendre, une mygale et un perce-oreilles géant ; les autres ne furent déterminés que quelques jours plus tard par le Muséum d'histoire naturelle de Nice. Ils adressèrent la liste à un spécialiste – le seul spécialiste français, en réalité, de ce type de délinquance – qui se livra à une estimation rapide : aux prix du marché, l'ensemble pouvait se négocier autour de cent mille euros.

Le Braouzec reconnut les faits sans difficulté. Il était en différend avec un de ses clients – un chirurgien cannois – sur le paiement d'une livraison précédente. Il avait accepté de revenir négocier avec des spécimens supplémentaires. La discussion s'était envenimée, il avait frappé l'homme, qui était tombé la tête en arrière sur une table basse de marbre. Le Braouzec pensait qu'il était mort. « C'était un accident, se défendit-il, je n'avais pas du tout l'intention de le tuer. » Il s'était affolé, et au lieu d'appeler un taxi pour revenir, comme il l'avait fait à l'aller, il avait volé la voiture de sa victime. Ainsi, sa carrière de délinquant s'achevait comme elle s'était toujours déroulée, dans la stupidité et la violence.

Ce fut le SRPJ de Nice qui se déplaça à la villa d'Adolphe Petissaud, le praticien cannois. Il habitait avenue de la Californie, sur les hauteurs de Cannes, et possédait 80 % des parts de sa propre clinique, spécialisée dans la chirurgie plastique et reconstructrice masculine. Il vivait seul. Manifestement il avait de gros moyens, la pelouse et la piscine étaient impeccablement entretenues, et il pouvait y avoir une dizaine de pièces.

Celles du rez-de-chaussée et de l'étage ne leur apprirent à peu près rien. On avait affaire au cadre de vie classique, prévisible, d'un grand bourgeois hédoniste et pas très raffiné qui gisait à présent, le crâne fracassé dans une mare de sang, sur le tapis du salon. Le Braouzec avait probablement dit vrai : il s'agissait, tout bêtement, d'une discussion d'affaires qui avait mal tourné, aucune préméditation ne pourrait être retenue contre lui. Il prendrait quand même, vraisemblablement, au moins dix ans.

Le sous-sol, par contre, devait leur réserver une vraie surprise. C'étaient presque tous des policiers endurcis, expérimentés, la région niçoise est connue depuis longtemps pour son taux de délinquance élevé, devenue encore plus violente avec l'apparition de la mafia russe ; mais ni le commandant Bardèche, qui était à la tête de l'équipe, ni aucun de ses hommes n'avait jamais vu cela.

Les quatre murs de la pièce, de vingt mètres sur dix, étaient presque entièrement meublés d'étagères vitrées de deux mètres de haut. Régulièrement disposées à l'intérieur de ces étagères, éclairées par des spots, s'alignaient de monstrueuses chimères humaines. Des sexes étaient greffés sur des torses, des bras minuscules de fœtus prolongeaient des nez, formant comme des trompes. D'autres compositions étaient des magmas de membres humains accolés, entremêlés, suturés, entourant des têtes grimaçantes. Tout cela était conservé par des moyens qui leur étaient inconnus, mais les représentations étaient d'un réalisme insoutenable : les visages tailladés et souvent énucléés étaient immobilisés dans d'atroces rictus de douleur, des couronnes de sang séché entouraient les amputations. Petissaud était un pervers grave, qui exerçait sa perversion à un niveau inhabituel, il devait y avoir des complicités, un trafic de cadavres, et probablement aussi de fœtus, cela allait être une enquête longue, se dit Bardèche en même temps que l'un de ses adjoints, un jeune brigadier qui venait d'entrer dans l'équipe, s'évanouissait et tombait doucement, avec grâce, comme une fleur coupée, sur le sol à quelques mètres devant lui.

Il songea aussi, fugitivement, que c'était là une excellente nouvelle pour Le Braouzec : un bon avocat n'aurait aucun mal à exploiter les faits, à dépeindre le caractère monstrueux de la victime, cela aurait certainement une influence sur la décision du jury.

Le centre de la pièce était occupé par une immense table lumineuse, d'au moins cinq mètres sur dix. À l'intérieur, séparés par des cloisons transparentes, s'agitaient des centaines d'insectes, regroupés par espèces. Actionnant accidentellement une commande placée sur le bord de la table, un des policiers déclencha l'ouverture d'une cloison : une dizaine de mygales se précipitèrent, s'agitant sur leurs pattes velues, vers le compartiment voisin, entreprenant aussitôt de mettre en pièces les insectes qui l'occupaient – de gros mille-pattes rougeâtres. Ainsi, voilà à quoi le docteur Petissaud occupait ses soirées au lieu de se distraire, comme la plupart de ses confrères, à d'anodines orgies de prostituées slaves. Il se prenait pour Dieu, tout simplement ; et il en agissait avec ses populations d'insectes comme Dieu avec les populations humaines.

Les choses en seraient probablement restées là sans l'intervention de Le Guern, un jeune brigadier breton, récemment muté à Nice, et que

Bardèche se réjouissait tout particulièrement d'avoir pris dans son équipe. Avant d'entrer dans la police, Le Guern avait fait deux années d'études aux Beaux-Arts de Rennes, et dans un fusain de petite taille accroché au mur, dans l'un des rares interstices laissés par les vitrines, il reconnut une esquisse de Francis Bacon. De fait, quatre œuvres d'art étaient disposées dans la cave, presque exactement aux quatre coins de la pièce. Outre l'esquisse de Bacon, il y avait deux plastinations de von Hagens – deux réalisations elles-mêmes assez répugnantes. Enfin, il y avait une toile dans laquelle Le Guern crut reconnaître la dernière œuvre en date de Jed Martin, « Michel Houellebecq, écrivain ».

De retour au commissariat, Bardèche consulta immédiatement le fichier TREIMA : Le Guern avait vu juste, sur tous les points. Les deux plastinations avaient apparemment été acquises de manière tout à fait légale ; l'esquisse de Bacon avait par contre été volée, une dizaine d'années plus tôt, à un musée de Chicago. Les auteurs du vol avaient été arrêtés quelques années auparavant, et ils s'étaient signalés par un refus systématique de donner leurs acheteurs, assez rare dans le milieu. C'était un dessin de format modeste, acquis à une époque où la cote de Bacon était en légère baisse, et Petissaud l'avait sans doute payé la moitié du prix du marché, c'était le ratio qui se pratiquait habituellement ; pour un homme de son niveau de revenus c'était une dépense importante, mais encore envisageable. Bardèche fut par contre effaré par les cotations qu'atteignaient maintenant les œuvres de Jed Martin ; même à moitié prix, en aucun cas le chirurgien n'aurait eu les moyens de se payer une toile de cette envergure.

Il téléphona aussitôt à l'Office de lutte contre le trafic d'objets d'art, où son appel déclencha une agitation considérable : il s'agissait, tout simplement, de la plus grosse affaire qu'ils aient eue sur les bras ces cinq dernières années. Au fur et à mesure que la cote de Jed Martin augmentait dans des proportions vertigineuses, ils s'attendaient à ce que la toile réapparaisse, de manière imminente, sur le marché ; mais cela ne se produisait pas, ce qui les laissait de plus en plus perplexes.

Encore un point positif pour Le Braouzec, se dit Bardèche : il repart avec une mallette d'insectes évaluée à cent mille euros, et une Porsche qui ne valait guère davantage, en laissant sur place une toile évaluée à douze millions d'euros. Voilà qui dénotait l'affolement, l'improvisation, le crime de hasard, n'aurait aucun mal à faire valoir un bon avocat, même si l'aventurier avait vraisemblablement ignoré la valeur de ce qu'il avait eu à portée de la main.

Un quart d'heure plus tard le directeur de l'Office lui téléphona en personne, pour le féliciter chaleureusement et lui communiquer le téléphone – numéro de bureau et portable – du commandant Ferber, qui était chargé de l'enquête à la Brigade criminelle.

Il appela immédiatement le collègue. Il était un peu plus de vingt et une heures, mais il était encore à son bureau, qu'il s'apprêtait à quitter. Lui aussi parut profondément soulagé de la nouvelle ; il commençait à penser qu'ils n'y arriveraient jamais, dit-il, une affaire non résolue c'est comme une vieille blessure, ajouta-t-il en plaisantant à moitié, ça ne vous laisse jamais complètement en paix, enfin il supposait que Bardèche devait savoir.

Oui, Bardèche savait ; il promit de lui adresser dès le lendemain un rapport succinct, avant de raccrocher.

Le lendemain, en fin de matinée, Ferber reçut un mail qui synthétisait leurs découvertes. La clinique du docteur Petissaud faisait partie de celles qui avaient répondu à leur enquête, remarqua-t-il au passage ; ils admettaient posséder un découpeur laser, mais affirmaient que l'appareil se trouvait toujours dans leurs locaux. Il retrouva la lettre : elle était signée de Petissaud lui-même. Ils auraient pu, songea-t-il un instant, s'étonner de ce qu'une clinique spécialisée dans la chirurgie plastique reconstructrice possède un appareil destiné aux amputations ; mais, à vrai dire, rien dans l'intitulé de la clinique n'indiquait sa spécialité ; et ils avaient reçu des centaines de réponses. Non, conclut-il, ils n'avaient aucun reproche sérieux à se faire sur ce dossier. Avant d'appeler Jasselin chez lui en Bretagne, il s'attarda quelques instants sur la physionomie des deux meurtriers. Le Braouzec avait le physique d'une brute de base, sans scrupules, sans véritable cruauté non plus. C'était un criminel ordinaire, un criminel comme ils en croisaient tous les jours. Petissaud était plus surprenant : assez beau, bronzé d'une manière que l'on devinait permanente, il souriait devant l'objectif, affichant une assurance sans complexes. Il avait au fond assez exactement le

physique que l'on associe à un chirurgien esthétique cannois habitant avenue de la Californie.
Bardèche avait raison : c'était le genre de type qui
se retrouvait, de temps en temps, pris dans les
filets de la Brigade des mœurs ; jamais dans ceux
de la Brigade criminelle. L'humanité est parfois
étrange, se dit-il en composant le numéro ; mais
malheureusement c'était le plus souvent dans
le genre *étrange et répugnant,* rarement dans le
genre *étrange et admirable.* Il se sentait cependant
apaisé, serein, et il savait que Jasselin le serait
encore bien davantage ; et que c'était maintenant
seulement qu'il pourrait vraiment *profiter de sa
retraite.* Même si c'était d'une manière indirecte
et anormale, le coupable avait été châtié ; l'équilibre avait été rétabli. La coupure pouvait se refermer.

Les instructions du testament de Houellebecq étaient claires : au cas où il disparaîtrait avant Jed Martin, le tableau devrait lui revenir. Ferber n'eut aucun mal à joindre Jed au téléphone : il était chez lui ; non, il ne le dérangeait pas. En réalité si, un peu, il était en train de regarder une anthologie de *La Bande à Picsou* sur *Disney Channel*, mais il s'abstint de le préciser.

Ce tableau qui avait déjà été mêlé à deux meurtres arriva chez Jed sans précaution particulière, dans une fourgonnette de police ordinaire. Il l'installa sur son chevalet, au centre de la pièce, avant de retourner à ses occupations, qui étaient pour l'heure assez calmes : il nettoyait ses lentilles additionnelles, faisait un peu de rangement. Son cerveau fonctionnait passablement au ralenti, et ce n'est qu'au bout de quelques jours qu'il prit conscience que le tableau le *gênait*, qu'il se sentait mal à l'aise en sa présence. Ce n'était pas seulement le parfum de sang qui semblait flotter autour de lui, comme il flotte autour de certains joyaux célèbres, et des objets en général qui ont déclenché les passions humaines ; c'était surtout le regard de Houellebecq dont l'expressivité fulgurante lui paraissait incongrue, anormale, maintenant que l'écrivain était mort et qu'il avait vu les pelletées de terre s'écraser une par une, sur son cercueil, au milieu du cimetière du Montparnasse. Même s'il n'arrivait plus à la supporter c'était sans conteste une bonne toile, l'impression de vie donnée par l'écrivain était stupéfiante, il aurait été stupide de jouer la modestie. De là à ce qu'elle vaille douze millions d'euros c'était une autre affaire, sur laquelle il avait toujours refusé de se prononcer, lâchant juste une fois, à un journaliste particulièrement insistant : « Il ne faut pas chercher de sens à ce qui n'en a aucun », retrouvant ainsi sans en être pleinement conscient la conclusion du *Tractatus* de Wittgenstein. « *Sur ce dont je ne peux parler, j'ai obligation de me taire.* »

Il téléphona à Franz le soir même pour lui expliquer les événements, et son intention de remettre « Michel Houellebecq, écrivain » sur le marché.

En arrivant *Chez Claude*, rue du Château-des-Rentiers, il eut la sensation, nette et indiscutable, que c'était la dernière fois qu'il pénétrait dans l'établissement ; il sut également que c'était sa dernière rencontre avec Franz. Celui-ci, tassé sur lui-même, était attablé à sa place habituelle devant un ballon de rouge ; il avait pris un coup de vieux, comme si de grands soucis s'étaient abattus sur lui. Certes il avait gagné beaucoup d'argent, mais il devait se dire qu'en attendant quelques années il aurait pu en gagner dix fois plus ; et sans doute aussi avait-il effectué des *placements*, source immanquable de tracas. Plus généralement, il semblait assez mal supporter son nouveau statut de fortune, comme c'est souvent le cas pour les gens issus d'un milieu pauvre : la fortune ne rend heureux que ceux qui ont toujours connu une certaine aisance, qui y sont depuis leur enfance préparés ; lorsqu'elle s'abat sur quelqu'un qui a connu des débuts difficiles, le premier sentiment qui l'envahit, qu'il parvient parfois temporairement à combattre, avant qu'à la fin il ne revienne le submerger tout entier, c'est tout simplement la *peur*. Jed de son côté, né dans un milieu aisé, ayant connu le succès très vite, acceptait sans trouble le fait d'avoir un solde créditeur de quatorze millions d'euros sur son compte courant. Il n'était même pas sérieusement importuné par son banquier. Depuis la dernière crise financière, bien pire que celle de 2008, qui avait entraîné la faillite du Crédit Suisse et de la Royal Bank of Scotland, sans parler de nombre d'autres établissements moins considérables, les banquiers faisaient *profil bas*, c'est le moins qu'on puisse dire. Ils tenaient certes en réserve le baratin que leur formation les avait conditionnés à servir ; mais lorsqu'on leur indiquait qu'on n'était intéressé par aucun produit de placement ils renonçaient tout de suite, émettaient un soupir résigné, rangeaient paisiblement le petit dossier qu'ils avaient préparé, s'excusaient presque ; seul un ultime reste d'orgueil professionnel leur interdisait de proposer un compte sur livret rémunéré à 0,45 %. De manière plus générale on vivait une période idéologiquement étrange, où tout un chacun en Europe occidentale semblait persuadé que le capitalisme était condamné, et même condamné à brève échéance, qu'il vivait ses toutes dernières années, sans que pourtant les partis d'ultra-gauche parviennent à séduire au-delà de leur clientèle habituelle de masochistes hargneux. Un voile de cendres semblait s'être répandu sur les esprits.

Ils discutèrent quelques minutes de la situation du marché de l'art, qui était passablement démente. Beaucoup d'experts avaient cru qu'à la période de frénésie spéculative qui avait précédé succéderait une période plus calme, où le marché croîtrait lentement, régulièrement, à un rythme normal ; certains avaient même prédit que l'art deviendrait une *valeur refuge* ; ils s'étaient trompés. « Il n'y a plus de valeur refuge », comme l'avait récemment titré le *Financial Times* dans un éditorial ; et la spéculation dans le domaine de l'art était devenue encore plus intense, plus désordonnée et plus frénétique, des cotes se faisaient et se défaisaient en un éclair, le classement *Art-Price* s'établissait maintenant sur une base hebdomadaire.

Ils reprirent un verre de vin, puis un troisième. « Je peux trouver un acquéreur…, lâcha finalement Franz. Bien sûr, ça va prendre un peu de temps. Au niveau de prix que tu as atteint, il n'y a plus grand monde… »

Jed n'était pas pressé, de toute façon. La conversation entre eux ralentit, avant de s'arrêter tout à fait. Ils se regardèrent, un peu désolés. « On a connu des trucs… ensemble » tenta de dire Jed dans un ultime effort, mais sa voix s'éteignit avant même la fin de la phrase. Au moment où il se levait pour partir, Franz lui dit :

« Tu as remarqué… Je ne t'ai pas demandé ce que tu faisais.

— J'ai remarqué. »

De fait il tournait en rond, c'est le moins qu'on puisse dire. Il était tellement désœuvré que, depuis quelques semaines, il s'était mis à parler à son chauffe-eau. Et le plus inquiétant – il en avait pris conscience l'avant-veille – était qu'il s'attendait maintenant à ce que le chauffe-eau lui réponde. L'appareil produisait il est vrai des bruits de plus en plus variés : gémissements, ronflements, claquements secs, sifflements de tonalité et de volume variés ; on pouvait s'attendre un jour ou l'autre à ce qu'il accède au langage articulé. Il était, en somme, son plus ancien compagnon.

Six mois plus tard, Jed décida de déménager pour s'installer dans l'ancienne maison de ses grands-parents, dans la Creuse. Il avait péniblement conscience, ce faisant, de suivre le chemin emprunté par Houellebecq quelques années auparavant. Il se répétait, pour s'en persuader, qu'il y avait d'importantes différences. D'abord, Houellebecq avait déménagé pour le Loiret en quittant l'Irlande ; la vraie rupture pour lui s'était produite avant, quand il avait quitté Paris, centre sociologique de son activité d'écrivain et de ses amitiés, on pouvait du moins le supposer, pour l'Irlande. La rupture qu'accomplissait maintenant Jed, quittant le centre sociologique de son activité d'artiste, était du même ordre. À vrai dire, dans les faits, il l'avait déjà plus ou moins accomplie. Dans les premiers mois suivant son accession à la notoriété internationale, il avait accepté de participer à des biennales, d'assister à des vernissages, de donner de nombreuses interviews – et même, une fois, de prononcer une conférence, dont il ne conservait d'ailleurs aucun souvenir. Puis il avait réduit, avait négligé de répondre aux invitations et aux mails, et en un peu moins de deux ans il était retombé dans cette solitude accablante, mais à ses yeux indispensable et riche, un peu comme le néant « riche de possibilités innombrables » de la pensée bouddhiste. Sauf que pour l'instant le néant n'engendrait que le néant, et c'était surtout pour cela qu'il changeait de résidence, dans l'espoir de retrouver cette impulsion bizarre qui l'avait poussé par le passé à ajouter de nouveaux objets, qualifiés d'*artistiques*, aux innombrables objets naturels ou artificiels déjà présents dans le monde. Ce n'était pas, comme Houellebecq, pour partir à la recherche d'un hypothétique état d'enfance. D'ailleurs il *n'avait pas* passé son enfance dans la Creuse, seulement quelques vacances d'été dont il ne gardait aucun souvenir précis, juste celui d'un bonheur indéfini, brutal.

Avant de quitter la région parisienne il avait une dernière tâche à accomplir, pénible, dont il avait retardé l'échéance autant que possible. Il y a quelques mois déjà, il avait conclu un accord de vente pour la maison du Raincy avec Alain Sémoun, un type qui souhaitait y installer son entreprise. Il avait fait fortune grâce à un site Internet de téléchargement de messages d'accueil et de fonds d'écran pour téléphone portable. Ça n'avait l'air de rien comme activité, c'était plutôt simpliste, mais il en était devenu, en l'espace de quelques années, le numéro 1 mondial. Il avait conclu des contrats d'exclusivité avec de nombreuses personnalités, et moyennant une somme modique on pouvait, en passant par son site, personnaliser son téléphone avec l'image et la voix de Paris Hilton, Deborah Channel, Dimitri Medvedev, Puff Puff Daddy et bien d'autres. Il souhaitait utiliser la maison comme siège social – il trouvait la bibliothèque « hyper classe » – et construire des ateliers modernes dans le parc. Selon lui, Le Raincy recelait une « énergie de folie », qu'il se faisait fort de canaliser ; c'était une manière de voir les choses. Jed soupçonnait qu'il surjouait un peu son intérêt pour les *banlieues difficiles*, mais c'était un type qui aurait surjoué jusqu'à l'achat d'un pack de Volvic. Il avait en tout cas une tchatche considérable, et avait gratté le maximum de toutes les subventions locales ou nationales disponibles ; il avait même failli entuber Jed sur le prix de la transaction, mais celui-ci s'était repris, et l'autre avait fini par proposer un prix raisonnable. Jed n'avait évidemment pas besoin de cet argent, mais il aurait trouvé indigne de la mémoire de son père de brader cet endroit où celui-ci avait essayé de vivre ; où il avait essayé, ne serait-ce que quelques années, de construire une *vie de famille*.

Un vent violent soufflait de l'est lorsqu'il prit la sortie en direction du Raincy. Cela faisait dix ans qu'il n'était pas venu. Le portail grinçait un peu, mais s'ouvrit sans difficulté. Les branches des peupliers et des trembles s'agitaient sur le ciel d'un gris sombre. La trace d'une allée se distinguait encore entre les massifs d'herbe, les buissons d'orties et de ronces. Il songea avec une vague horreur que c'était là qu'il avait vécu ses premières années, ses premiers mois même, et ce fut comme si les enveloppes du temps se refermaient sur lui avec un bruit mat ; il était encore jeune, se dit-il, il n'avait encore vécu que la première moitié de son déclin.

Les volets fermés, aux persiennes blanches, ne portaient aucune trace d'effraction, et la serrure blindée de la porte principale joua sans difficulté ; c'était étonnant. Sans doute le bruit s'était-il répandu, dans les cités avoisinantes, qu'il n'y avait rien à voler dans cette maison, qu'elle ne justifiait même pas une tentative de cambriolage. C'était exact, il n'y avait rien – rien de négociable. Aucun appareillage électronique récent ; des meubles massifs, sans style. Les rares bijoux de sa mère, son père les avait emportés avec lui – dans la maison de retraite de Boulogne, puis dans celle du Vésinet. Le coffret avait été remis à Jed peu après sa mort ; il l'avait immédiatement rangé au sommet d'une armoire, tout en sachant qu'il ferait mieux de le déposer au Crédit municipal, sinon tôt ou tard il allait retomber dessus, et ça l'amènerait inévitablement à des pensées tristes, parce que si la vie de son père n'était pas très gaie, que dire de celle de sa mère ?

Il reconnut sans difficulté la disposition des meubles, la configuration des pièces. Cette unité fonctionnelle d'habitation humaine, qui aurait pu sans difficulté accueillir dix personnes, n'en avait hébergé que trois, au temps de sa plus grande splendeur – puis deux, puis une, et à la fin plus personne. Il s'interrogea quelques instants au sujet du chauffe-eau. Jamais, durant son enfance et son adolescence même, il n'avait entendu parler de problèmes de chauffe-eau ; et lors des brefs séjours qu'il avait effectués, jeune homme, chez son père, il n'en avait pas davantage été question. Peut-être son père avait-il fait l'acquisition d'un chauffe-eau exceptionnel, un chauffe-eau « aux pieds d'airain, dont les membres sont solides

comme les colonnes du Temple de Jérusalem »,
ainsi que s'exprime le Livre saint pour qualifier
la femme sage.

Sur un de ces profonds canapés de cuir sans
doute, protégé par les fenêtres aux vitres cathédrale de la chaleur d'une après-midi d'été, il avait
lu les aventures de Spirou et Fantasio, ou les
poèmes d'Alfred de Musset. Il comprit alors qu'il
allait devoir agir vite, et se dirigea vers le bureau
de son père.

Il trouva les cartons à dessins sans difficulté, dès
la première armoire qu'il ouvrit. Il y en avait une
trentaine, de cinquante centimètres sur quatre-
vingts, recouverts de cette espèce de papier aux
tristes motifs noirs et verts qui recouvrait systématiquement les cartons à dessins au siècle précédent. Ils étaient fermés par des rubans noirs usés,
proches de la rupture, et bourrés à craquer de centaines de feuilles au format A2, cela devait représenter des années de travail. Il en prit quatre sous
ses bras, redescendit, ouvrit le coffre de son Audi.
Au moment où il effectuait son troisième
voyage, il remarqua un grand Noir qui l'observait,
de l'autre côté de la rue, en parlant dans son téléphone portable. C'était une baraque impressionnante, au crâne rasé, il devait mesurer plus d'un
mètre quatre-vingt-dix et peser dans les cent kilos,
mais ses traits étaient juvéniles, il ne devait pas
avoir plus de seize ans. Jed supposa qu'Alain
Sémoun protégeait son investissement, envisagea
un moment d'aller s'expliquer, y renonça, espé-
rant que la description du Noir permettrait à son
interlocuteur de le reconnaître. Ce dut être le cas,
parce que l'autre ne fit rien pour l'interrompre,

se contentant de le surveiller jusqu'à ce qu'il termine son chargement.

Il erra encore quelques minutes à l'étage sans ressentir rien de précis, sans même se rappeler quoi que ce soit, il savait pourtant qu'il ne reviendrait jamais dans cette maison qui de toute façon allait beaucoup changer, l'autre abruti allait probablement *casser des cloisons* et tout repeindre en blanc, mais rien n'y faisait, rien ne parvenait à s'imprimer dans son esprit, il marchait dans les limbes d'une tristesse indéfinie, huileuse. En sortant, il referma soigneusement le portail. Le Noir était parti. D'un seul coup le vent retomba, les branches des peupliers étaient immobiles, il y eut un moment de silence total. Il fit demi-tour, s'engagea dans la rue de l'Égalité, retrouva facilement l'entrée de l'autoroute.

Jed n'avait pas l'habitude des élévations, des plans, des coupes par lesquelles les architectes précisent les spécifications des bâtiments qu'ils sont en train de concevoir ; aussi, la première représentation d'artiste qu'il découvrit, à la fin du premier carton à dessins, lui causa un choc. Cela n'évoquait en rien un immeuble d'habitation, mais plutôt une sorte de réseau neuronal, où les cellules habitables étaient séparées par de longs passages incurvés, couverts ou à l'air libre, qui se ramifiaient en étoile. Les cellules étaient de dimension très variable, et de forme plutôt circulaire ou ovale – ce qui surprit Jed ; il aurait imaginé son père plus attaché à la ligne droite. Un autre point frappant était l'absence totale de fenêtres ; les toits, par contre, étaient transparents. Ainsi, une fois rentrés chez eux, les habitants de la cité n'auraient plus aucun contact visuel avec le monde extérieur – à l'exception du ciel.

Le second carton à dessins était consacré à des vues de détail de l'intérieur des habitations. Ce qui frappait d'abord était l'absence quasi totale de meubles – rendue possible par l'utilisation systématique de petites différences de niveau dans la hauteur du sol. Ainsi, les zones de couchage étaient des excavations rectangulaires, d'une profondeur de quarante centimètres, on descendait dans son lit au lieu d'y monter. De même, les baignoires étaient de grandes vasques rondes, dont le rebord était situé au niveau du sol. Jed se demanda quels matériaux son père avait eu l'intention d'utiliser ; probablement des matières plastiques, conclut-il, sans doute des polystyrènes, qui pouvaient par thermoformage se modeler sur à peu près n'importe quel schéma.

Vers neuf heures du soir, il se fit réchauffer des lasagnes au micro-ondes. Il les mangea lentement, en les accompagnant d'une bouteille de vin rouge ordinaire. Il se demandait si son père avait vraiment cru que ses projets pourraient trouver un financement, connaître une réalisation quelconque. Au début oui, sans doute, et cette simple pensée était déjà navrante, tant il paraissait évident a posteriori qu'il n'avait aucune chance. Il ne semblait pas, en tout cas, être jamais allé jusqu'au stade de la maquette.

Il termina la bouteille de vin avant de se replonger dans les projets de son père, sentant que l'exercice allait être de plus en plus déprimant. De fait, au fur et à mesure sans doute de ses échecs successifs, l'architecte Jean-Pierre

Martin s'était livré à une fuite en avant dans l'imaginaire, multipliant les niveaux, les ramifications, les défis à la pesanteur, imaginant sans plus aucun souci de faisabilité ni de budget des citadelles cristallines et improbables.

Vers sept heures du matin, Jed aborda le contenu du dernier carton. Le jour se levait, encore indécis, sur la place des Alpes ; le temps promettait d'être gris, couvert, probablement jusqu'au soir. Les derniers dessins réalisés par son père n'évoquaient en aucun cas un bâtiment habitable, en tout cas par des humains. Des escaliers en spirale montaient vertigineusement jusqu'aux cieux, rejoignant des passerelles ténues, translucides, qui unissaient des bâtiments irréguliers, lancéolés, d'une blancheur éblouissante, dont les formes rappelaient celles de certains cirrus. Au fond, se dit tristement Jed en refermant le dossier, son père n'avait jamais cessé de vouloir bâtir des maisons pour les hirondelles.

Jed ne se faisait aucune illusion sur l'accueil qui lui serait réservé par les habitants du village de ses grands-parents. Il avait pu le constater lorsqu'il parcourait la *France profonde* avec Olga, bien des années auparavant : en dehors de certaines zones très touristiques comme l'arrière-pays provençal ou la Dordogne, les habitants des zones rurales sont en général inhospitaliers, agressifs et stupides. Si l'on voulait éviter les agressions gratuites et plus généralement les ennuis au cours de son voyage, il était préférable, à tous points de vue, d'éviter de *sortir des sentiers battus*. Et cette hostilité, simplement latente à l'égard des visiteurs de passage, se transformait en haine pure et simple dès lors que ceux-ci faisaient l'acquisition d'une résidence. À la question de savoir quand un étranger au pays pouvait se faire accepter dans une zone rurale française, la réponse était : *jamais*. Ils ne manifestaient d'ailleurs en cela aucun racisme, ni aucune xéno-phobie. Pour eux, un Parisien était un étranger à peu près au même titre qu'un Allemand du Nord, ou qu'un Sénégalais ; et les étrangers, déci-dément, ils ne les aimaient pas.

Un message laconique de Franz lui avait appris que « Michel Houellebecq, écrivain » venait d'être vendu – à un opérateur de téléphonie mobile hindou. Six millions d'euros supplémentaires venaient donc de s'ajouter à son compte en banque. Évidemment, la richesse des étrangers – qui payaient pour l'acquisition d'une propriété des sommes qu'eux-mêmes n'auraient jamais pu envisager de réunir – était l'un des motifs principaux du ressentiment des autochtones. Dans le cas de Jed, le fait qu'il soit *artiste* aggravait encore sa situation : sa richesse avait été acquise, aux yeux d'un cultivateur creusois, par des moyens douteux, à la limite de l'escroquerie. D'un autre côté il n'avait pas acheté sa propriété, il en avait *hérité* – et certains se souvenaient de lui à l'époque où il avait séjourné, pendant plusieurs étés, dans la maison de sa grand-mère. C'était déjà alors un enfant sauvage, peu liant ; et il ne fit rien, dès son arrivée, pour se faire apprécier – bien au contraire.

La maison de ses grands-parents donnait à l'arrière sur un très grand jardin, de presque un hectare. À l'époque où ils y vivaient tous les deux, il était entièrement aménagé en potager – puis, peu à peu, à mesure que les forces de sa grand-mère devenue veuve déclinaient, qu'elle se rapprochait d'une attente d'abord résignée puis impatiente de la mort, les surfaces cultivées s'étaient réduites, de plus en plus de carrés de légumes avaient été abandonnés, livrés aux herbes sauvages. L'arrière, non clôturé, donnait directement sur le bois de Grandmont – Jed se souvint qu'une fois, une biche poursuivie par des chasseurs avait trouvé refuge dans le jardin.

Quelques semaines après son arrivée, il apprit qu'un terrain de cinquante hectares, mitoyen du sien, presque entièrement boisé, était à vendre ; il l'acheta sans hésiter.

Rapidement, le bruit se répandit qu'un Parisien un peu taré rachetait sans discuter les prix, et à la fin de l'année Jed se trouvait propriétaire d'une superficie de sept cents hectares, d'un seul tenant. Vallonné et même accidenté par endroits, son domaine était presque entièrement recouvert de hêtres, de châtaigniers et de chênes ; un étang d'une cinquantaine de mètres de diamètre s'étendait en son milieu. Il laissa passer les grands froids, puis fit élever une barrière de treillage métallique d'une hauteur de trois mètres, qui le clôturait entièrement. En haut de la barrière courait un fil électrique alimenté par un générateur basse tension. L'ampérage délivré était insuffisant pour être létal, mais permettait de faire lâcher prise à quelqu'un qui aurait envisagé de tenter l'escalade – c'était le même, en fait, que celui des barrières électriques utilisées pour dissuader les troupeaux de vaches de quitter leur prairie. Il était, en cela, parfaitement dans les limites de la légalité, comme il le fit remarquer aux gendarmes qui vinrent lui rendre visite, à deux reprises, pour s'inquiéter des modifications survenues dans la physionomie du canton. Le maire se déplaça à son tour, et lui fit observer qu'en interdisant tout droit de passage aux chasseurs qui poursuivaient biches et sangliers dans ces forêts depuis des générations, il allait susciter, autour de sa personne, des inimitiés considérables. Jed l'écouta avec attention, convint que c'était jusqu'à un certain point regrettable, mais argua une nouvelle fois qu'il se situait dans les limites strictes de la légalité. Peu après cette conversation, il fit appel à une entreprise de génie civil pour construire une route qui traversait de part en part son domaine, aboutissant à un portail radiocommandé qui donnait directement sur la D50. De là, il n'était qu'à trois kilomètres de l'entrée de l'autoroute A20. Il prit l'habitude de faire ses courses au Carrefour de Limoges, où il était à peu près sûr de ne rencontrer personne du village. Il y allait généralement le mardi matin, dès l'ouverture, ayant remarqué que c'était à ce moment que l'affluence y était la plus faible. Il avait, quelquefois, l'hypermarché pour lui tout seul – ce qui lui paraissait être une assez bonne approximation du bonheur.

L'entreprise de génie civil posa également, autour de la maison, un tarmac de macadam gris d'une largeur de dix mètres. Dans la maison en elle-même, il ne fit aucune modification.

Tous ces aménagements lui avaient coûté un peu plus de huit millions d'euros. Il fit le calcul, et conclut qu'il lui restait largement de quoi vivre jusqu'à la fin de ses jours – même en se supposant une longévité très élevée. Sa principale dépense, et de loin, serait l'impôt sur la fortune. D'impôt sur le revenu, il n'y en aurait pas. Il n'avait aucun revenu, et n'envisageait nullement de produire, à nouveau, des œuvres d'art destinées à une commercialisation.

Les années, comme on dit, passèrent.

Un matin, écoutant la radio par hasard – il ne l'avait pas fait depuis, au bas mot, trois ans – Jed apprit la mort de Frédéric Beigbeder, âgé de soixante et onze ans. Il s'était éteint dans sa résidence de la côte basque, entouré, selon la station, de « l'affection des siens ». Jed le crut sans peine. Il y avait eu en effet chez Beigbeder, pour autant qu'il s'en souvienne, quelque chose qui pouvait susciter l'affection, et, déjà, l'existence de « siens » ; quelque chose qui n'existait pas chez Houellebecq, et chez lui pas davantage : comme une sorte de familiarité avec la vie.

C'est de cette manière indirecte, en quelque sorte par recoupement, qu'il prit conscience qu'il venait lui-même d'avoir soixante ans. C'était surprenant : il n'avait pas conscience d'avoir vieilli à ce point. C'est à travers les relations avec autrui, et par leur intermédiaire, qu'on prend conscience de son propre vieillissement ; soi-même, on a toujours tendance à se voir sous les espèces de l'éternité. Certes, ses cheveux avaient blanchi, son visage s'était creusé de rides ; mais tout cela s'était fait insensiblement, sans que rien vienne le confronter directement avec les images de sa jeunesse. Jed fut alors frappé par cette incongruité : lui qui avait réalisé, au cours de sa vie d'artiste, des milliers de clichés, ne possédait pas une seule photographie de lui-même. Jamais non plus il n'avait envisagé de réaliser d'autoportrait, jamais il ne s'était considéré, si peu que ce soit, comme un sujet artistique valable.

Cela faisait plus de dix ans que le portail sud de son domaine, celui qui donnait sur le village, n'avait pas été actionné ; il s'ouvrit, pourtant, sans difficulté, et Jed se félicita, une fois de plus, d'avoir fait appel à cette entreprise lyonnaise qui lui avait été recommandée par un ancien collègue de son père.

Il ne se remémorait que vaguement Châtelus-le-Marcheix, c'était dans son souvenir un petit village décrépit, ordinaire de la France rurale, et rien de plus. Mais, dès ses premiers pas dans les rues de la bourgade, il fut envahi par la stupéfaction. D'abord le village avait beaucoup grandi, il y avait au moins deux fois, peut-être trois fois plus de maisons. Et ces maisons étaient pimpantes, fleuries, bâties dans un respect maniaque de l'habitat traditionnel limousin. Partout dans la rue principale s'ouvraient les devantures de magasins de produits régionaux, d'artisanat d'art, en cent mètres il compta trois cafés proposant des connexions Internet à bas prix. On se serait cru à Koh Phi Phi, ou à Saint-Paul-de-Vence, bien plus que dans un village rural de la Creuse.

Un peu sonné il s'arrêta sur la place principale, et reconnut le café qui faisait face à l'église. Il reconnut, plutôt, *l'emplacement* du café. L'intérieur, avec ses lampadaires Art nouveau, ses tables de bois sombre aux piétements de fer forgé, ses banquettes de cuir, voulait manifestement évoquer l'ambiance d'un café parisien de la Belle Époque. Chaque table était cependant équipée d'une station d'accueil pour *laptop* avec écran 21 pouces, prises de courant aux normes européenne et américaine, dépliant indiquant les procédures de connexion au réseau *CreuseSat* – le conseil général avait financé le lancement d'un satellite géostationnaire afin d'améliorer la rapidité des connexions Internet dans le département, apprit Jed à la lecture du dépliant. Il commanda un Menetou-Salon rosé, qu'il but pensivement en songeant à ces transformations. À cette heure matinale, le café était peu fréquenté. Une famille de Chinois terminait son *breakfast limousin*, proposé à 23 euros par personne, constata Jed en consultant la carte. Plus près de lui, un barbu costaud, les cheveux rassemblés en une queue de cheval, consultait distraitement ses mails ; il jeta un regard intrigué à Jed, fronça les sourcils, hésita à s'adresser à lui, puis se replongea dans son ordinateur. Jed termina son verre de vin, ressortit, demeura quelques minutes pensif au volant de son SUV électrique Audi – il avait changé trois fois de voiture au cours des vingt dernières années, mais était resté fidèle à la marque au volant de laquelle il avait connu ses premières vraies joies automobiles.

Pendant les semaines qui suivirent, il explora doucement, par petites étapes, sans vraiment quitter le Limousin – sauf un bref passage en Dordogne, un autre encore plus bref dans les monts du Forez – ce pays, la France, qui était indiscutablement le sien. La France, de toute évidence, avait beaucoup changé. Il se connecta à Internet, de nombreuses fois, il eut quelques conversations avec des hôteliers, des restaurateurs, avec d'autres prestataires de services (un garagiste de Périgueux, une escort-girl de Limoges), et tout le confirma dans la première impression, fulgurante, qui l'avait saisi en traversant le village de Châtelus-le-Marcheix : oui, le pays avait changé, changé en profondeur. Les habitants traditionnels des zones rurales avaient presque entièrement disparu. De nouveaux arrivants, venus des zones urbaines, les avaient remplacés, animés d'un vif appétit d'entreprise et parfois de convictions écologiques modérées, commercialisables. Ils avaient entrepris de repeupler *l'hinterland* – et cette tentative, après bien d'autres essais infructueux, basée cette fois sur une connaissance précise des lois du marché, et sur leur acceptation lucide, avait pleinement réussi.

La première question que se posa Jed – manifestant, en cela, un typique égocentrisme d'artiste – fut de savoir si sa « série des métiers simples », vingt ans à peu près après qu'il l'eut conçue, avait gardé sa pertinence. De fait, pas entièrement. « Maya Dubois, assistante de télémaintenance » n'avait plus de raison d'être : la télémaintenance était maintenant à 100 % externalisée – essentiellement en Indonésie et au Brésil. « Aimée, escort-girl » conservait par contre toute son actualité. La prostitution avait même connu, sur le plan économique, une véritable embellie, due à la persistance, en particulier dans les pays d'Amérique du Sud et la Russie, d'une image fantasmée de la *Parisienne*, ainsi qu'à l'infatigable activité des immigrantes d'Afrique de l'Ouest. La France, pour la première fois depuis les années 1900 ou 1910, était redevenue une destination privilégiée du *tourisme sexuel*. De nouvelles professions, aussi, avaient fait leur apparition – ou, plutôt, d'anciennes professions avaient été remises au goût du jour, telles que la ferronnerie d'art, la dinanderie ; on avait vu reparaître des hortillonnages. À Jabreilles-les-Bordes, un village distant de cinq kilomètres de celui de Jed, s'était réinstallé un maréchal-ferrant – la Creuse, avec son réseau de sentiers bien entretenus, ses forêts, ses clairières, se prêtait admirablement aux promenades équestres.

Plus généralement, la France, sur le plan économique, se portait bien. Devenue un pays surtout agricole et touristique, elle avait montré une robustesse remarquable lors des différentes crises qui s'étaient succédé, à peu près sans interruption, au cours des vingt dernières années. Ces crises avaient été d'une violence croissante, d'une imprévisibilité burlesque – burlesque tout du moins du point de vue d'un Dieu moqueur, qui se serait amusé sans retenue de convulsions financières plongeant subitement dans l'opulence, puis dans la famine, des entités de la taille de l'Indonésie, de la Russie ou du Brésil : des populations de centaines de millions d'hommes. N'ayant guère à vendre que des hôtels de charme, des parfums et des rillettes – ce qu'on appelle un *art de vivre* –, la France avait résisté sans difficultés à ces aléas. D'une année sur l'autre la nationalité des clients changeait, et voilà tout.

De retour à Châtelus-le-Marcheix, Jed prit l'habitude de faire une promenade quotidienne, en fin de matinée, dans les rues du village. Il prenait généralement un apéritif au café de la place (qui avait, curieusement, conservé son ancien nom de *Bar des Sports*) avant de rentrer déjeuner chez lui. Rapidement, il se rendit compte que beaucoup des nouveaux arrivants semblaient le connaître – ou, du moins, avoir entendu parler de lui – et le considéraient sans animosité particulière. De fait, les nouveaux habitants des zones rurales ne ressemblaient nullement à leurs prédécesseurs. Ce n'était pas la fatalité qui les avait conduits à se lancer dans la vannerie artisanale, la rénovation d'un gîte rural ou la fabrication de fromages, mais un projet d'entreprise, un choix économique pesé, rationnel. Instruits, tolérants, affables, ils cohabitaient sans difficulté particulière avec les étrangers présents dans leur région – ils y avaient d'ailleurs intérêt, puisque ceux-ci constituaient l'essentiel de leur clientèle. La plupart des maisons que leurs anciens propriétaires d'Europe du Nord n'avaient plus les moyens d'entretenir avaient, en effet, été rachetées. Les Chinois formaient certes une communauté un peu repliée sur elle-même, mais à vrai dire pas davantage, et même plutôt moins que les Anglais naguère – au moins n'imposaient-ils pas l'emploi de leur langue. Ils manifestaient un respect excessif, presque une vénération pour les *coutumes locales* – que les nouveaux arrivants au départ connaissaient mal, mais qu'ils s'étaient appliqués,

par une sorte de mimétisme adaptatif, à repro-
duire ; on assistait ainsi à un retour de plus en
plus net des recettes, des danses, et même des
costumes régionaux. C'était, cela dit, certainement les Russes qui formaient la clientèle la plus
appréciée. Jamais ils n'auraient discuté le prix
d'un apéritif, ni d'une location de 4 × 4. Ils dépen-
saient avec munificence, avec largesse, fidèles à
une économie du *potlatch* qui avait traversé sans
difficulté les régimes politiques successifs.

Cette nouvelle génération se montrait davantage conservatrice, davantage respectueuse de
l'argent et des hiérarchies sociales établies que
toutes celles qui l'avaient précédée. De manière
plus surprenante, le taux de natalité était cette
fois effectivement remonté en France, même sans
tenir compte de l'immigration, qui était de toute
façon presque tombée à zéro depuis la disparition
des derniers emplois industriels et la réduction
drastique des mesures de protection sociale inter-
venue au début des années 2020. Se dirigeant vers
les nouveaux pays industrialisés, les migrants
africains s'exposaient maintenant à un bien
périlleux voyage. Traversant l'océan Indien et la
mer de Chine, leurs bateaux étaient fréquemment
assaillis par des pirates, qui les dépouillaient de
leurs dernières économies, quand ils ne les
jetaient pas purement et simplement à la mer.

Un matin, alors qu'il dégustait à petites gorgées
un verre de chablis, Jed fut abordé par le barbu
à queue de cheval – un des premiers habitants
qu'il avait remarqués dans le village. Celui-ci,
sans connaître précisément son travail, l'avait

identifié comme *artiste*. Lui-même peignait « un peu », avoua-t-il, et se proposait de lui montrer ses œuvres.

Ancien mécanicien dans un garage de Courbevoie, il avait emprunté pour s'installer dans le village, où il avait monté une entreprise de location de quads – fugitivement, Jed repensa au Croate de l'avenue Stéphen-Pichon, et à ses scooters des mers. À titre personnel sa passion allait aux Harley-Davidson, et pendant un quart d'heure Jed dut subir la description d'une machine qui trônait dans son garage, et de la manière dont il l'avait, année après année, customisée. Les quads, cela dit, étaient selon lui de « beaux engins », qui permettaient des « balades sympas ». Et, au niveau entretien, fit-il remarquer avec bon sens, c'était quand même moins contraignant qu'un cheval ; enfin les affaires tournaient bien, il n'avait pas à se plaindre.

Ses tableaux, manifestement inspirés par l'*heroic fantasy*, représentaient pour la plupart un guerrier barbu, à queue de cheval, qui chevauchait un impressionnant destrier mécanique, visiblement une réinterprétation *space opera* de sa Harley. Il combattait parfois des tribus de zombies gluants, parfois des armées de robots militaires. D'autres toiles, figurant plutôt le *repos du guerrier*, dévoilaient un imaginaire érotique typiquement masculin à base de salopes goulues, aux lèvres avides, se déplaçant généralement par deux. En somme il s'agissait d'autofictions, d'autoportraits imaginaires ; sa technique picturale, défaillante, ne lui permettait malheureusement pas d'atteindre au niveau d'hyperréalisme et de léché classiquement requis par l'*heroic fan-*

tasy. Au total, Jed avait rarement vu quelque chose d'aussi laid. Il chercha un commentaire approprié pendant plus d'une heure, alors que l'autre, inlassablement, sortait ses toiles de leurs cartons, et finit par bredouiller qu'il s'agissait d'une œuvre « d'une grande puissance visionnaire ». Il ajouta aussitôt qu'il n'avait conservé aucun contact dans les milieux de l'art. Ce qui était, d'ailleurs, l'exacte vérité.

Les conditions de réalisation de l'œuvre qui occupa Jed Martin pendant les trente dernières années de sa vie nous resteraient parfaitement inconnues s'il n'avait, quelques mois avant sa mort, accepté d'accorder une interview à une jeune journaliste d'*Art Press*. Bien que l'entretien occupe un peu plus de quarante pages du magazine, il n'y parle – presque exclusivement – que des procédures techniques mises en œuvre pour la fabrication de ces étranges vidéogrammes, aujourd'hui conservés au MOMA de Philadelphie, qui ne ressemblent en rien à son œuvre antérieure, ni d'ailleurs à quoi que ce soit de connu, et qui continuent trente ans plus tard de susciter chez les visiteurs une appréhension teintée de malaise.

Sur le sens de cette œuvre qui l'avait occupé pendant toute la dernière partie de sa vie, il se refuse à tout commentaire. « Je veux rendre compte du monde... Je veux simplement *rendre compte du monde...* » répète-t-il pendant plus d'une page à la jeune journaliste, tétanisée par l'enjeu, qui s'avère incapable d'enrayer ce bavardage sénile, et c'est peut-être mieux ainsi, le bavardage de Jed

Martin se déploie, sénile et libre, essentiellement concentré sur des questions de diaphragme, d'amplitude de mise au point et de compatibilité entre logiciels. Une interview remarquable, où la jeune journaliste « s'effaçait derrière son sujet », comme le commenta sèchement *Le Monde*, qui crevait de jalousie d'avoir manqué cette exclusivité, et qui lui valut d'être nommée quelques mois plus tard rédactrice en chef adjointe de son magazine – le jour, précisément, où fut annoncée la mort de Jed Martin.

Même s'il s'y étend pendant plusieurs pages, le matériel de prise de vues utilisé par Jed n'avait, en lui-même, rien de très remarquable : un trépied Manfrotto, un caméscope semi-professionnel Panasonic – qu'il avait choisi pour l'exceptionnelle luminosité de son capteur, permettant de filmer dans une obscurité quasi totale – et un disque dur de deux téraoctets, relié à la sortie USB du caméscope. Pendant plus de dix ans, chaque matin à l'exception du mardi (qu'il réservait aux courses), Jed Martin chargea ce matériel dans le coffre de son Audi avant de parcourir la route privée qu'il s'était fait construire, et qui traversait son domaine. Il n'était guère possible de s'aventurer au-delà de cette route : les herbes, très hautes et parsemées de buissons d'épineux, conduisaient rapidement à une forêt dense, au sous-bois impénétrable. La trace des chemins qui avaient pu parcourir la forêt était depuis longtemps effacée. Les abords de l'étang, parsemés d'une herbe rase qui poussait difficilement sur un terrain spongieux, demeuraient la seule zone à peu près praticable.

Bien qu'il disposât d'une gamme étendue d'objectifs, il utilisait presque toujours un Schneider Apo-Sinar, qui présentait l'étonnante particularité d'ouvrir à 1,9 tout en atteignant une focale maximale de 1 200 mm en équivalent 24 × 36. Le choix de son sujet « ne répondait à aucune stratégie préétablie », affirme-t-il, à plusieurs reprises, à la journaliste ; il « suivait simplement l'impulsion du moment ». Il utilisait en tout cas presque à chaque fois des focales très élevées, se concentrant parfois sur une branche de hêtre agitée par le vent, parfois sur une touffe d'herbe, le sommet d'un buisson d'orties, ou une surface de terre meuble et détrempée entre deux flaques. Une fois le cadrage effectué, il branchait l'alimentation du caméscope sur la prise allume-cigares de sa voiture, déclenchait et repartait chez lui à pied, laissant le moteur tourner pendant plusieurs heures, parfois pendant le restant de la journée et la nuit suivante – la capacité du disque dur lui aurait permis presque une semaine de prise de vues en continu.

Les réponses basées sur l'appel à l'« impulsion du moment » sont essentiellement décevantes pour un magazine d'information générale, et la jeune journaliste, cette fois, essaie d'en savoir un peu plus : quand même, subodore-t-elle, la prise de vues effectuée un jour déterminé devait influer sur les prises de vues effectuées les jours suivants ; un projet devait peu à peu s'élaborer, se construire. Pas du tout, s'obstine Martin : il ne savait pas, chaque matin, au moment de démarrer sa voiture, ce qu'il avait l'intention de filmer ; chaque jour, pour lui, était un nouveau jour. Et cette période d'incertitude totale devait durer, précise-t-il, presque dix ans.

Il traitait ensuite les images obtenues selon une méthode relevant essentiellement du montage, même s'il s'agit d'un montage très particulier, où il ne retient parfois que quelques photogrammes sur une prise de vue de trois heures ; mais c'est bel et bien un montage qui lui permet d'obtenir ces trames végétales mouvantes, à la souplesse carnassière, paisibles et impitoyables en même temps, qui constituent sans nul doute la tentative la plus aboutie, dans l'art occidental, pour représenter le point de vue végétal sur le monde.

Jed Martin « avait oublié », c'est en tout cas ce qu'il affirme, ce qui l'avait poussé, après une dizaine d'années uniquement consacrées à la prise de vue de végétaux, à revenir à la représentation d'objets industriels : d'abord un téléphone portable, puis un clavier d'ordinateur, une lampe de bureau, bien d'autres objets, très divers au début, avant que peu à peu il ne se concentre presque exclusivement sur ceux contenant des composants électroniques. Ses images les plus impressionnantes restent sans doute celles de cartes-mères d'ordinateurs au rebut, qui, filmées sans aucune indication d'échelle, évoquent d'étranges citadelles futuristes. Il filmait ces objets dans sa cave, sur un fond gris neutre destiné à disparaître après insertion dans les vidéos. Afin d'accélérer le processus de décomposition, il les aspergeait d'acide sulfurique dilué, qu'il achetait en bonbonnes – une préparation, précisait-il, d'ordinaire utilisée pour le désherbage. Puis il procédait, là aussi, à un travail de montage, prélevant quelques photogrammes à de longs intervalles ; le résultat est bien différent d'un simple accéléré, en cela que le processus de dégradation, au lieu d'être continu, se produit par paliers, par secousses brusques.

Après quinze années de prise de vues et de montage, il disposait d'environ trois mille modules, passablement étranges, d'une durée moyenne de trois minutes ; mais ce n'est qu'ensuite que son travail se développa vraiment, lorsqu'il se mit en quête d'un logiciel de surimpression. Surtout utilisée dans les premiers temps du cinéma muet, la surimpression avait presque entièrement disparu de la production des cinéastes professionnels comme de celles des vidéastes amateurs, même de ceux qui œuvraient dans le champ artistique ; elle était considérée comme un effet spécial désuet, daté, de par son irréalisme clairement revendiqué. Après plusieurs journées de recherche, il finit cependant par découvrir un *freeware* de surimpression simple. Il prit contact avec l'auteur, qui vivait dans l'Illinois, et lui demanda s'il accepterait, moyennant rémunération, de développer pour lui une version plus complète de son logiciel. Ils se mirent d'accord sur les conditions, et quelques mois plus tard Jed Martin avait à son usage exclusif un outil assez extraordinaire, qui n'avait aucun équivalent sur le marché. Basé sur un principe assez similaire à celui des calques Photoshop, il permettait de superposer jusqu'à quatre-vingt-seize bandes vidéo, en réglant pour chacune la luminosité, la saturation et le contraste ; en les faisant, aussi, progressivement passer au premier plan, ou s'effacer dans la profondeur de l'image. C'est ce logiciel qui lui permet d'obtenir ces longs plans hypnotiques où les objets industriels semblent se noyer, progressivement submergés par la prolifération des couches végétales. Parfois ils donnent l'impression de se débattre, de tenter de revenir à la surface ; puis ils sont emportés par une vague d'herbe et de feuilles, replongent au sein du magma végétal, en même temps que leur superficie se délite, laissant apparaître les microprocesseurs, les batteries, les cartes mémoire.

La santé de Jed déclinait, il ne parvenait plus à manger que des laitages et des aliments sucrés, et il commençait à soupçonner qu'il serait, comme son père, emporté par un cancer des voies digestives. Des examens effectués à l'hôpital de Limoges confirmèrent ce pronostic, mais il se refusa à se soigner, à s'engager dans une radiothérapie ou d'autres traitements lourds, se contentant d'absorber des médicaments de confort, qui soulageaient ses douleurs, particulièrement vives le soir, et des doses massives de somnifères. Il fit son testament, léguant sa fortune à différentes associations de protection des animaux.

Vers la même époque, il commença à filmer des photographies de toutes les personnes qu'il avait pu connaître, de Geneviève à Olga en passant par Franz, Michel Houellebecq, son père, d'autres personnes aussi, toutes celles en réalité dont il possédait des photographies. Il les assujettissait sur une toile imperméable gris neutre, tendue sur un cadre métallique, et les filmait juste devant chez lui, laissant cette fois opérer la dégradation naturelle. Soumises aux alternances de pluie et de lumière solaire, les photographies

411

se gondolaient, pourrissaient par places, puis se décomposaient en fragments, et étaient totalement détruites en l'espace de quelques semaines. Plus curieusement, il fit l'acquisition de figurines jouets, représentations schématiques d'êtres humains, et les soumit au même processus. Les figurines étaient plus résistantes, et il dut, pour accélérer leur décomposition, utiliser de nouveau ses bonbonnes d'acide. Il se nourrissait maintenant exclusivement d'aliments liquides, et une infirmière venait, tous les soirs, lui faire une piqûre de morphine. Mais le matin il allait mieux, et jusqu'au dernier jour il put travailler au moins deux ou trois heures.

C'est ainsi que Jed Martin *prit congé* d'une existence à laquelle il n'avait jamais totalement adhéré. Des images lui revenaient maintenant, et curieusement, alors que sa vie érotique n'avait rien eu d'exceptionnel, il s'agissait surtout d'images de femmes. Geneviève, la gentille Geneviève, et la malheureuse Olga le poursuivaient dans ses rêves. Il lui revint jusqu'au souvenir de Marthe Taillefer, qui lui avait révélé le désir, sur un balcon de Port-Grimaud, au moment où, détachant son soutien-gorge Lejaby, elle avait dénudé sa poitrine. Elle avait alors quinze ans, et lui treize. Le soir même il s'était masturbé, dans les toilettes de l'appartement de fonction qui avait été alloué à son père pour la surveillance du chantier, et s'était étonné d'y trouver tant de plaisir. Lui revinrent d'autres souvenirs de seins souples, de langues agiles, de vagins étroits. Allons, il n'avait pas eu une mauvaise vie.

Une trentaine d'années auparavant (et c'est la seule indication dépassant le strict plan technique qu'il donne dans l'interview d'*Art Press*), Jed avait effectué un voyage dans la Ruhrgebiet, où devait être organisée une rétrospective de grande ampleur de son œuvre. De Duisburg à Dortmund, en passant par Bochum et Gelsenkirchen, la plupart des anciennes usines sidérurgiques avaient été transformées en lieux d'expositions, de spectacles, de concerts, en même temps que les autorités locales tentaient de mettre sur pied un *tourisme industriel*, fondé sur la reconstitution du mode de vie ouvrier au début du XXe siècle. De fait toute la région, avec ses hauts-fourneaux, ses terrils, ses voies de chemin de fer désaffectées où terminaient de rouiller des wagons de marchandises, ses rangées de pavillons identiques et proprets, qu'agrémentaient parfois des jardins ouvriers, ressemblait à un conservatoire du premier âge industriel en Europe. Jed avait été impressionné à l'époque par la densité menaçante des forêts qui, après un siècle d'inactivité à peine, entouraient les usines. Seules celles qui pouvaient être adaptées à leur nouvelle vocation culturelle avaient été réhabilitées, les autres se désagrégeaient peu à peu. Ces colosses industriels, où se concentrait jadis l'essentiel de la capacité de production allemande, étaient maintenant rouillés, à demi effondrés, et les plantes colonisaient les anciens ateliers, s'insinuaient entre les ruines qu'elles recouvraient peu à peu d'une jungle impénétrable.

L'œuvre qui occupa les dernières années de la vie de Jed Martin peut ainsi être vue – c'est l'interprétation la plus immédiate – comme une méditation nostalgique sur la fin de l'âge industriel en Europe, et plus généralement sur le caractère périssable et transitoire de toute industrie humaine. Cette interprétation est cependant insuffisante à rendre compte du malaise qui nous saisit à voir ces pathétiques petites figurines de type Playmobil, perdues au milieu d'une cité futuriste abstraite et immense, cité qui elle-même s'effrite et se dissocie, puis semble peu à peu s'éparpiller dans l'immensité végétale qui s'étend à l'infini. Ce sentiment de désolation, aussi, qui s'empare de nous à mesure que les représentations des êtres humains qui avaient accompagné Jed Martin au cours de sa vie terrestre se délitent sous l'effet des intempéries, puis se décomposent et partent en lambeaux, semblant dans les dernières vidéos se faire le symbole de l'anéantissement généralisé de l'espèce humaine. Elles s'enfoncent, semblent un instant se débattre avant d'être étouffées par les couches superposées de plantes. Puis tout se calme, il n'y a plus que des herbes agitées par le vent. Le triomphe de la végétation est total.

Remerciements

Je n'ai d'habitude personne à remercier, parce que je me documente assez peu, très peu même si l'on compare à un auteur américain. Mais en l'occurrence j'étais impressionné et intrigué par la police, et il m'a semblé nécessaire d'en faire un peu plus.

J'ai donc cette fois le plaisir de remercier Teresa Cremisi, qui a accompli les démarches nécessaires, ainsi que le chef de cabinet Henry Moreau et le commandant de police Pierre Dieppois, qui m'ont accueilli avec amabilité au Quai des Orfèvres, et fourni de bien utiles précisions sur leur difficile métier.

Il va de soi que je me suis senti libre de modifier les faits, et que les opinions exprimées n'engagent que les personnages qui les expriment ; en somme, que l'on se situe dans le cadre d'un ouvrage de fiction.

Je remercie aussi Wikipedia (http://fr.wikipedia.org) et ses contributeurs dont j'ai parfois utilisé les notices comme source d'inspiration, notamment celles relatives à la mouche domestique, à la ville de Beauvais ou encore à Frédéric Nihous.

10000

Composition
NORD COMPO
Achevé d'imprimer en Espagne
par BLACK PRINT CPI
le 8 février 2012.

Dépôt légal février 2012.
EAN 9782290032039

ÉDITIONS J'AI LU
87, quai Panhard-et-Levassor, 75013 Paris

Diffusion France et étranger : Flammarion